INTRODUCTION
A L'ÉTUDE
DE LA MÉDECINE EXPÉRIMENTALE

CLAUDE BERNARD

INTRODUCTION
A
L'ÉTUDE
DE LA
MÉDECINE EXPÉRIMENTALE

Chronologie et préface
par
François Dagognet
maître de conférences à la Faculté des Lettres
et Sciences Humaines de Lyon

GARNIER-FLAMMARION

CHRONOLOGIE

12 juillet 1813 : Claude Bernard naît à Saint-Julien, près de Villefranche-sur-Saône. Il est le fils d'un modeste vigneron.

Après quelques années au collège de Villefranche, puis de Thoissey, dans l'Ain (on lui enseigne surtout les lettres; ni la physique, ni les sciences naturelles ne figurent au programme), dans l'obligation de gagner sa vie, il entre comme employé d'officine chez un pharmacien de Lyon.

Il commence une carrière littéraire : en dehors de ses heures de travail, il compose un vaudeville, *Rose du Rhône*, puis écrit une tragédie, *Arthur de Bretagne*. Il monte alors à Paris.

« Il vint à Paris, dira Ernest Renan, ayant dans sa valise une tragédie en cinq actes et une lettre. Il tenait naturellement plus à la tragédie qu'à la lettre; mais le fait est que la lettre valut pour lui mille fois plus que la tragédie. Elle était adressée à notre judicieux et regretté confrère M. Saint-Marc Girardin... Il conseilla au jeune homme d'apprendre un métier pour vivre. »

C'est ainsi que Claude Bernard commencera ses études de médecine. Il donne des leçons pour pouvoir vivre. Externe (1837), puis interne des hôpitaux (1839), il réussit son dernier concours sans s'y distinguer : il se classe, en effet, 26e sur 29. Il entre dans le service de Magendie, assiste à ses cours et devient bientôt son préparateur au Collège de France.

7 décembre 1843 : Il est reçu docteur en médecine; sa thèse s'intitule : *Du suc gastrique et de son rôle dans la nutrition.*

1844 : Il échoue à l'agrégation de médecine. De plus en plus, il se détourne de l'hôpital et se consacre au labo-

ratoire. Il est nommé en 1847 suppléant de Magendie
au Collège de France. Il succédera d'ailleurs à son
maître en 1855.

Dès 1847 : Commence sa vie de savant. Les publications se suivent.
Découverte de la fonction du pancréas dans l'acte de
la digestion. Prix de physiologie expérimentale 1847-1848.

1850 : Sur une nouvelle fonction du foie chez l'homme
et chez les animaux. (Comptes rendus de l'Académie
des Sciences, XXXI, 1850.) Prix de physiologie expérimentale pour 1851.

mars 1853 : Devant Milne-Edwards, Dumas et de
Jussieu, il soutient une thèse pour le doctorat ès sciences
naturelles, *Recherches sur une nouvelle fonction du
foie considéré comme organe producteur de matière sucrée
chez l'homme et les animaux.*

1853-1854 : Après les premiers travaux sur le suc pancréatique et la glycogénèse hépatique, Claude Bernard
met en évidence le rôle et l'influence du sympathique.
*Recherches expérimentales sur le grand sympathique et
spécialement sur l'influence que la section de ce nerf
exerce sur la chaleur animale.* (Lues à la Société de
Biologie dans les séances des 7 et 21 décembre 1853.)
Prix de physiologie expérimentale pour 1853.
Claude Bernard devient professeur à la Faculté des
Sciences de Paris, ainsi qu'au Collège de France; de
là, ce double enseignement dont il est question dans
son œuvre.

1855 à 1859 : Publication des Cours du Collège de France
(7 vol.) : *Leçons de physiologie expérimentale appliquée
à la médecine,* 2 vol., Baillière, 1855-1856.
Leçons sur les effets des substances toxiques et médicamenteuses, Baillière, 1857.
*Leçons sur la physiologie et la pathologie du système
nerveux,* 2 vol., Baillière, 1858.
*Leçons sur les propriétés physiologiques et les altérations
pathologiques des liquides de l'organisme,* 2 vol., Baillière,
1859.

1865 : Claude Bernard malade quitte Paris et se retire à
Saint-Julien. Cette même année, paraît *l'Introduction
à l'étude de la médecine expérimentale.* Cette *Introduction* elle-même sert de préface à un ensemble,

Principes de Médecine expérimentale : ceux-ci ne seront publiés qu'en 1947.

1866 : *Leçons sur les propriétés des tissus vivants,* Baillière. Il s'agit non plus d'un Cours du Collège de France, mais de la Faculté des Sciences. (Le « double enseignement ».)

1867 : A l'occasion de l'Exposition universelle, V. Duruy demande à Claude Bernard un Rapport que l'Imprimerie nationale publiera, *Rapport sur les progrès et la marche de la physiologie générale en France.*

1868 : Claude Bernard renonce à sa chaire de la Sorbonne. Paul Bert le remplacera, mais il enseigne au Muséum d'Histoire naturelle.
Elu à l'Académie française, il succède à Flourens.

27 mai 1869 : Discours de Réception et Eloge de Flourens (qu'on lit dans *la Science expérimentale,* Baillière, 1879).

1870 : Durant la guerre franco-allemande, le savant gagne Saint-Julien : il ne revient à Paris qu'en juin 1871.

1871 : Nouvelle série de Cours du Collège de France : après les sept volumes de la première période, les quatre de la seconde :
Leçons de pathologie expérimentale, 1871 (encore ne s'agit-il que de l'enseignement de 1859-1860, recueilli par le Dr Ball dans le *Medical Times and Gazette,* puis retraduit par lui en français).
Leçons sur les anesthésiques et sur l'asphyxie, Baillière, 1875.
Leçons sur la chaleur animale, sur les effets de la chaleur et de la fièvre, Baillière, 1876.
Leçons sur le diabète et la glycogénèse animale, Baillière, 1877.

28 décembre 1877 : Dernière leçon au Collège de France. Claude Bernard, en effet, tombe malade le 31; il meurt le 11 février 1878.
Après sa mort, la série des œuvres posthumes :
Le Cours de physiologie générale du Muséum d'Histoire naturelle : *Leçons sur les phénomènes de la vie communs aux animaux et aux végétaux,* 2 vol., Baillière, 1878-1879.
La Science expérimentale, Baillière, 1878, qui rassemble

un certain nombre d'articles, de discours (celui de
Dumas et de Paul Bert aux funérailles de Claude
Bernard, le 16 février 1878), sans oublier l'Eloge de
Flourens.
*Leçons de physiologie opératoire, Cours de médecine au
Collège de France*, Baillière, 1879.
On y ajoutera :
Pensées, Notes détachées, Baillière 1937, publiées par
les soins du Dr Delhoume.
Philosophie, publié par J. Chevalier, Boivin, 1938.
Et surtout :
Le Cahier rouge, Gallimard, 1942, publié grâce au
Dr Delhoume (l'ouvrage est ainsi nommé parce qu'il
livre les notes extraites d'un cahier à couverture rouge)
et, en 1965, chez Gallimard, l'édition intégrale : *Cahier
de Notes, 1850-1860.*
Principes de Médecine expérimentale, introduction
du Dr Delhoume, P. U. F., 1947.

PRÉFACE

A regarder seulement la succession et les années de publication des principaux ouvrages de Claude Bernard, on risque de tomber dans une conception erronée : elle consiste à couper en deux l'Œuvre du célèbre biologiste.

Dès 1843 et surtout de 1855 à 1859, des travaux variés qui alimentent les célèbres Cours du Collège de France : en effet, à la mort de Magendie (le 7 octobre 1855) Claude Bernard devient le titulaire de la chaire de physiologie expérimentale. Dans son enseignement, il se livre alors à des recherches multiples sur la digestion, le système nerveux, l'action des poisons, les liquides de l'organisme. Inlassablement, Claude Bernard opposera l'Ecole de Médecine et les Facultés qui suivent un programme et surtout transmettent les acquisitions du passé, les dépôts de la science, à ses conférences tâtonnantes où il aborde les questions les plus épineuses et nous confie surtout ses hésitations. « Jusqu'ici je me suis toujours abstenu dans mes cours de généralisations et de systématisations, parce que je pensais que l'état de la science physiologique ne le permettait pas. Je me suis borné à étudier des sujets variés de physiologie expérimentale... Je transportais, pour ainsi dire, mon laboratoire sous vos yeux et je vous faisais toujours assister à mes recherches en quelque sorte improvisées sans jamais vous dissimuler en rien les imperfections, les erreurs et les difficultés qui les accompagnaient inévitablement *. »

Changement de décor : en 1865, après un silence de six années (rien n'est publié entre 1859 et 1865) paraît l'*Introduction à l'étude de la médecine expérimentale*, qui

---

* *Principes de Médecine expérimentale*, P.U.F., 1947, p. 21.

ouvre d'autres perspectives et surtout offre moins des
expériences nouvelles qu'une réflexion générale sur
celles qui ont eu lieu. Cet ouvrage lui-même doit servir
de préface à un ensemble plus vaste qui restera inachevé :
les *Principes de Médecine expérimentale*, nommément
désignés dans l'*Introduction* et rendus publics seulement
en 1947 (les chapitres terminés, les esquisses et les
notes), en forment l'essentiel. La maladie aurait favorisé
cette métamorphose : en 1865, en effet, Claude Bernard
dut quitter son laboratoire et même Paris pour son
village natal, Saint-Julien. Le repos et la solitude l'incli-
nent à méditer. « Claude Bernard n'a écrit l'*Introduction*
que parce que la maladie l'avait contraint au repos *. »

Le savant lui-même reconnaît et justifie cette sorte
de dualité. Ne fallait-il pas, d'abord, développer les
études de biologie scientifique, avant d'en circonscrire
le champ, d'en élucider la méthode et d'assurer leurs fondements ? La véritable naissance rationnelle, qui élève
et justifie, suppose l'avènement empirique, les ébauches
incertaines et les résultats dispersés. « Il fallait sans doute
se lancer d'abord dans la voie expérimentale; on s'y est
lancé et on s'y lance aujourd'hui de plus en plus (c'est
sous l'influence de Magendie que cela est arrivé). Mais
cela ne suffit pas : il ne suffit pas de vouloir faire des
expériences pour en faire; il faut bien savoir ce que l'on
veut faire et il faut éviter l'erreur au milieu de cette
complexité d'études; il faut donc fixer la méthode et
c'est mon lot **. » Maladie et solitude, selon Claude
Bernard, auraient donc favorisé et hâté ce projet : « Le
temps de réfléchir m'avait manqué. J'étais surmené par
un enseignement double. La maladie m'a permis de
réfléchir et je vais retracer ce que j'ai conçu et commencer
réellement aujourd'hui mon ère nouvelle ***. »

La lecture des premiers écrits de Claude Bernard
permet d'atténuer, sinon de nier, cette prétendue cou-
pure. L'*Introduction* n'inaugure pas.

Lorsque, dans ses premiers Cours, le biologiste
marche en terre inconnue et déroule ses propres expériences, il ne manque jamais de critiquer alors les sys-

---

* Claude Bernard, *Morceaux choisis et préfacés* par J. Rostand,
Gallimard, 1938, p. 15.
** *Principes de Médecine expérimentale*, P.U.F., 1947, p. 22.
*** *Id.*, p. 21.

tèmes antérieurs ni de tirer des enseignements généraux de ses triomphes ou de ses déboires. Toujours il s'interroge, commente et un souci méthodologique l'anime. L'*Introduction* se borne à recueillir les idées éparses et déjà exprimées dans les diverses leçons de physiologie.

En douterait-on que les dates nous fortifieraient dans notre jugement. D'abord, à Saint-Julien, Claude Bernard corrige seulement le manuscrit de l'*Introduction*. Il fut écrit à Paris. Plus, les *Principes de Médecine expérimentale* (l'*Introduction à l'étude de la médecine expérimentale* de 1865 en forme la préface) n'ont-ils pas été annoncés dès 1855 (avec la mention sous presse) au moment où paraissent les premiers Cours du Collège de France, c'est-à-dire les *Leçons de physiologie expérimentale appliquée à la médecine?* Et les ouvrages qui suivront maintiendront la même promesse.

Dans l'Avant-Propos aux *Leçons de pathologie expérimentale*, qui reprennent l'enseignement de 1859-1860, recueilli dans le *Medical Times and Gazette*, Claude Bernard nous propose une version légèrement différente de ses projets et de leurs éventuels retards : c'est d'abord en 1858 qu'il aurait conçu le plan d'un ouvrage dogmatique. Il se hâte d'ajouter qu'il a toujours cherché à « poser les principes de la médecine expérimentale, établir les préceptes rigoureux de l'expérimentation * ». Sa pathologie expérimentale de 1859-1860 (bien que retraduite en français en 1871) en fournit l'irréfutable preuve.

Il en résulte clairement que la retraite de Saint-Julien ne mérite pas l'importance qu'on lui prête ni même celle que Claude Bernard finit par lui accorder. Chassons la légende : les *Principes* et leur *Introduction* ont été décidés et même conçus dès les premiers travaux, au commencement. Eloignons l'idée facile d'une dichotomie : une physiologie dispersée, d'abord, puis une méthodologie ultérieure. Ne dissocions pas ces deux moments.

Sans doute aurait-il été difficile à Claude Bernard d'éviter les généralités et de renoncer aux élans philosophiques : en effet, la source même de la doctrine, la fonction glycogénique du foie, déborde de sens.

---

* *Leçons de pathologie expérimentale*, 1872, p. VIII.

Avant Claude Bernard, le monde vivant se divise en deux règnes, tenus tantôt pour complémentaires, tantôt pour hostiles : d'un côté, les végétaux qui élaborent le sucre, de l'autre, les animaux qui s'en nourrissent et en tirent leur énergie. Les inférieurs amassent des réserves que gaspillent les supérieurs. Comme le note l'*Introduction* : « On admettait que seul le règne végétal avait le pouvoir de créer les principes immédiats que le règne animal doit détruire. D'après cette théorie, établie et soutenue par les chimistes contemporains les plus illustres, les animaux étaient incapables de produire du sucre dans l'organisme *. » Dans ces conditions, le diabète (caractérisé par la présence de glucose dans le sang et les urines), maladie étrange qui associe à une faim dévorante un amaigrissement progressif, s'expliquait alors comme un grave désordre digestif : l'impossibilité de puiser dans le réservoir végétal. On incrimine même l'estomac, plus souvent l'intestin, sa fonction absorbante.

Parti à la recherche de l'hypothétique trouble nutritif, Claude Bernard découvre du sucre dans le sang d'animaux (des chiens) nourris exclusivement de viande. Il s'assure du fait. Il en résulte alors que les hydrates de carbone ** ne proviennent pas fatalement des substances ingérées. Peu à peu, Claude Bernard localisera dans le foie cette extraordinaire création biochimique : entre le dehors, ce que nous mangeons, et le dedans, le sang qui circule, s'intercale non seulement une barrière protectrice, le foie, mais un laboratoire qui forme des éléments nouveaux à l'aide de corps variés. Alors tombe aussitôt l'ancienne façon de séparer le végétal et l'animal, de même que, par le même mouvement, disparaît la fausse distinction entre herbivores (à jeun, ils se mangent eux-mêmes) et carnivores. Les frontières naturelles qui délimitent les règnes passent par des chemins moins visibles.

Toute la physiologie et la méthodologie de Claude Bernard dérivent de cette découverte, dont il tire jusqu'au bout les conséquences.

Ainsi, la glycogénèse atteste l'indépendance du vivant. Jusqu'alors, la science biologique dépend trop de l'ex-

---

* *Introduction à l'étude de la médecine expérimentale*, p. 230.
** Hydrate de carbone, parce que le sucre, de formule C6H12O6, s'écrit longtemps C6(H₂O)6.

térieur. Elle s'inspire de l'étude des corps inertes, de la mécanique stricte, d'où son échec dont profite un vitalisme sans doute plus funeste. La médecine elle-même, dès Hippocrate, ne se préoccupe que de rechercher les conditions favorables à la santé. En réalité, le vivant se soustrait à ce qui l'entoure et produit son propre monde. Le foie surtout assure l'équilibre de nos humeurs ; c'est pourquoi, la veine sus-hépatique contient toujours du glucose, alors que, selon Claude Bernard, la veine porte en est privée. Notre alimentation ne nous approvisionne pas vraiment. Mieux, la cellule hépatique nous protège en quelque sorte de tous les aléas : lors de repas abondants, elle emmagasine (transforme le sucre en graisse) mais, dans la disette ou en cas de repas strictement azotés, elle utilise ses réserves et surtout convertit en sucre le repas de viande. Bref, excès ou manque, un équilibre ne s'en établit pas moins qui nous met à l'abri de tous les à-coups : de là, le célèbre « milieu intérieur », cette mer fermée et uniforme dans laquelle évoluent les principes de la vie. Il s'ensuit cette définition révolutionnaire qui évite deux erreurs dans lesquelles ont persisté les philosophes les plus audacieux : aussi bien le mécanisme que le vitalisme. Le vivant crée les conditions de son existence et son propre déterminisme. Il est à part : il unit comme jamais liberté et déterminisme. On l'a tenu pour indéterminé alors que cet indéterminisme apparent et extérieur n'est que l'envers d'un déterminisme intérieur qu'il assure et détermine lui-même (les constances rigoureuses et les équilibres de son univers).

Autre leitmotiv qui revient dans l'*Introduction* et qu'inspire la fonction glycogénique du foie : la maladie, et le diabète en est la preuve, se conçoit seulement comme le dévoiement d'un mouvement physiologique naturel sous-jacent que la science doit mettre au jour. Faute de ce savoir, la pathologie devient l'étude de phénomènes nouveaux, même étranges. « Il y a longtemps qu'on avait constaté que le diabète sucré est une maladie caractérisée par l'apparition du sucre dans les urines, mais on avait considéré ce sucre comme un produit pathologique dans l'organisme animal. On considérait, en un mot, que la maladie avait créé une aptitude à faire du sucre qui n'existe pas dans l'état normal. J'ai démontré qu'il en est tout autrement et qu'il existe à l'état physiologique une aptitude glycogénique et que l'état pathologique n'a rien créé, mais seulement troublé la nutrition et les phénomènes glycogéniques de telle sorte que le sucre devînt apparent où il ne l'est pas normalement. J'ai pu, par suite de ces recherches, faire apparaître l'état patho- logique, faire en quelque sorte des animaux artificielle- ment diabétiques *. » Claude Bernard, de ce fait, pour- suit avec passion et mordant le clinicien, créateur obligé de chimères : il croit en l'existence d'entités morbides, d'êtres surnaturels qu'il parviendrait à apprivoiser, à reconnaître et à classer. Il y réussirait autant par ses dons communicatifs que grâce à une longue accoutumance qui exerce son regard (le coup d'œil) et sensibilise ses mains (le tact). L'*Introduction* ironise quelque peu sur cette science d'herbier ou de catalogue, sur ces dons occultes, ces influences, cette sorcellerie aussi subtile que fantaisiste **. La médecine clinique frappe autant par son impuissance que son irréalisme : seul le labora- toire démiurgique ouvrira sur la vérité d'un mal, dont il mettra à nu le mécanisme secret. Il ne faut pas seu- lement observer la maladie, parce qu'alors on risque de lui accorder une réalité illusoire. Et bientôt on s'imagine qu'elle nous découvre un tableau insolite, autant qu'im- prévisible. En vérité, elle n'existe pas par elle-même et surtout ne crée rien. Loin de classer les affections, l'expérimentateur s'emploie à les détruire et à les résor- ber dans la physiologie explicative. Il en va de même pour l'action des remèdes, qu'il faut dépouiller de leur légende et comprendre à l'aide des règles de la biologie scienti- fique. La médecine expérimentale *fond* et *fonde* les trois disciplines désormais inséparables : la physiologie fon- damentale, la pathologie et la thérapeutique, comme il est noté dès les premières pages de l'*Introduction*, dans l'introduction même à l'*Introduction à l'étude de la médecine expérimentale*.

Autre thème que la découverte hépatique introduit : l'insuffisance de l'anatomie, en dépit de ses prétentions et de son prestige. Claude Bernard la tient pour direc- tement responsable de la non-découverte de la glyco- génèse. En effet, la morphologie met un écran entre le vivant et l'observateur : ni la description des organes séparés, ni celle des tissus, pas davantage celle des cellules (à la façon de Müller et Virchow) ne peuvent

---

* *Principes de Médecine expérimentale*, p. 300.
** *Introduction*, p. 285.

nous renseigner sur la solidarité des éléments, leurs liaisons et leurs propriétés. Justement, Claude Bernard a découvert la dynamique des fonctions, bien au-delà des substrats. C'est pourquoi il n'a cessé de délaisser en quelque sorte l'examen des solides, trop majorés, au profit de l'étude des liquides organiques et de leurs mouvements (le sang, les diverses sécrétions glandulaires). La découverte du glucose dans la veine sus-hépatique a naturellement favorisé cette orientation.

La morphologie ne soulève que des questions oiseuses et surtout, avec elle, on croit qu'un organe joue un rôle et qu'à le disséquer on le saisira. Mais la physiologie du foie s'inscrit dès le départ contre cette règle « à un organe, une fonction » puisque le foie reçoit une seconde attribution : en plus de la biliaire déjà connue, la glycorégulation. La cellule créatrice sécrète deux fois : au dehors, vers l'appareil digestif, et au dedans (première sécrétion interne, bien qu'opérée sans canal, ce qui contredit encore le principe des habituelles descriptions : pas d'écoulement sans un conduit). Toujours à l'opposé des apparences et des formes, la digestion elle-même n'est pas seulement absorption et assimilation. Elle suppose un travail complexe, des enchaînements, la participation des glandes (et le pancréas ne doit pas, malgré une texture semblable, être assimilé aux glandes salivaires), de lentes séparations ou analyses biochimiques qu'accompagnent d'originales métamorphoses (le sucre), selon la loi fondamentale de la vie qui mêle entre elles destruction et création. « Comment la forme d'une cellule du foie nous montrerait-elle qu'il s'y fait du sucre * ? » D'où vient-il ? Où passe-t-il ? Jamais l'anatomie, qu'elle soit macro ou microscopique, comparative ou pathologique, ne pourra répondre à ces questions qui la débordent ni surtout les soupçonner. L'Introduction, à maintes reprises, y revient; il n'est d'ailleurs pas d'écrit de Claude Bernard où il ne donne son congé à la scolastique de la localisation et de la forme. Il fallait d'ailleurs fermer la perspective de l'observation et de la description pour ouvrir celle de la modification et de l'expérimentation.

Ainsi, parce qu'il surprenait le mécanisme d'une fonction jusqu'alors inconnue, la glycogénèse hépatique

* Introduction, p. 161.

animale, Claude Bernard en déduisait une définition
nouvelle du vivant, celui qui crée son propre milieu. Il
déclarait la guerre aussi bien aux cliniciens qu'aux anatomistes, les uns et les autres *observateurs* malheureux
et fantomatiques. Les premiers isolent ce qui ne doit pas
l'être (la maladie) et les seconds précisent ce qui, prati-
quement, n'entre pas en jeu.

Cependant, pour des raisons difficiles à percer, le
texte de l'*Introduction* ne donne que des remarques
souvent voilées. Aucun éclat mais des sons assourdis.
Pourquoi cette extrême prudence dans l'expression
comme dans l'idée ? Pour ne pas effaroucher ou parce
que Claude Bernard cultive les nuances ? Le goût de la
conciliation ? Sans doute plutôt parce que le biologiste,
en présence d'un monde multiple, aux aspects dérou-
tants, se méfie systématiquement du moindre système.

C'est un fait indiscutable, selon nous : l'*Introduction*,
révolutionnaire dans son projet comme dans ses intentions avouées, s'emploie toujours à baisser le ton. Aucune
phrase affirmative qui ne soit suivie d'une restriction
qui l'amenuise. Aucune thèse tranchée qui n'appelle
bientôt un scrupule et une large concession. Claude Bernard vient-il, par exemple, de condamner sévèrement la
nosographie de l'observation et du catalogue, qu'il se
reprend déjà et soutient que cette médecine première,
bien que dépassée, n'en a pas moins joué un rôle nécessaire. D'ailleurs, au temps de Sydenham et de Bail-
lou, de Pinel et de Trousseau, c'est-à-dire avant que
Claude Bernard n'institue la médecine expérimentale,
aucune autre voie d'approche ne pouvait exister. Loin
de maudire cet empirisme, il faut le respecter. Le voici
indispensable et d'ailleurs riche de faits, de résultats
tangibles. Il ne suffit que de rechercher le pourquoi de
sa réussite, de comprendre ce qu'il a su relater et constater. L'anatomie ? Après l'avoir vouée aux gémonies,
Claude Bernard lui accorde des mérites : non seulement
elle éclaire les préparatifs et matériaux de l'examen physiologique, mais elle distingue et révèle les fondements
mêmes de l'analyse expérimentale. Invraisemblable pali-
nodie, Claude Bernard écrit dans l'*Introduction* : « Le
physiologiste doit arriver à ramener toutes les manifestations vitales d'un organisme complexe au jeu de
certains organes, et l'action de ceux-ci à des propriétés
de tissus ou d'éléments organiques bien définis. L'analyse
expérimentale anatomico-physiologique, qui remonte à

Galien, n'a pas d'autre raison et c'est toujours le même problème que poursuit encore l'histologie, en approchant de plus en plus du but * ».

Le métaphysicien n'est pas le plus épargné et reçoit sa volée de bois vert : « L'homme est naturellement métaphysicien et orgueilleux **. » Ou encore : « Je considère que faire sa spécialité des généralités est un principe antiphilosophique et antiscientifique, quoiqu'il ait été proclamé par une école philosophique moderne qui se pique d'être fondée sur les sciences ***. » Les théoriciens de la méthode, Bacon et même Descartes, ne trouvent pas grâce. D'ailleurs : « La méthode par elle-même n'enfante rien et c'est une erreur de certains philosophes d'avoir accordé trop de puissance à la méthode sous ce rapport ****. » Toutefois, dans les dernières lignes de l'*Introduction*, le savant préconise l'union la plus étroite entre la science et une philosophie qu'on aurait pu croire condamnée sans appel : « Cette union solide de la science et de la philosophie est utile aux deux, elle élève l'une et contient l'autre *****. » D'un bout à l'autre, on assiste à une sorte de flux et reflux. La moindre affirmation amène son contraire, un peu comme si la philosophie de Claude Bernard consistait à n'en avoir point, pour reprendre son propre aphorisme.

Dans le détail de l'exposé, les lignes paraissent encore plus fondues et entrecroisées. Ainsi, nul n'ignore l'idée maîtresse de l'*Introduction*, plus exactement de la première partie qui traite de la méthode des sciences en général. Elle consiste à mettre en lumière, dans la recherche, le rôle premier et décisif de l'hypothèse. L'expérience viendra, ensuite, pour infirmer ou soutenir, corriger ou assouplir l'interprétation proposée, sans qu'on puisse espérer jamais interrompre l'échange fructueux entre l'intelligence et la nature. De toute évidence, Claude Bernard prend le contrepied de l'enseignement de Magendie, son prédécesseur au Collège de France : il se méfiait « extraordinairement du raisonnement ****** » et se bornait, comme un chiffonnier, auquel il se comparait,

* *Introduction*, p. 114-5.
** *Id.*, p. 59.
*** *Id.*, p. 55-6.
**** *Id.*, p. 67.
***** *Id.*, p. 309.
****** *Leçons sur les substances toxiques et médicamenteuses*, Iʳᵉ leçon, Magendie, sa vie et ses travaux, p. 12.

à entasser les faits les plus hétéroclites. A l'inverse,
Claude Bernard glorifie l'idée générale, fruit de la raison
et du sentiment. Seulement, inlassable rectification, il
en souligne aussitôt la fragilité et la brièveté. Le fait le
plus insignifiant détruit éventuellement l'hypothèse la
plus solide. La théorie, de son côté, joue aussi bien le
rôle de tremplin que d'obstacle. On découvre moins
avec les idées que contre elles, parce que le savant doit
devenir le « douteur » qui essaie d'entendre le langage
de la nature au-delà de celui de l'interprétation qui le
révèle autant qu'il le cache et le brouille. Il faut assuré-
ment questionner la vie, mais recueillir surtout les réponses
qu'elle donne en marge ou en dehors du discours attendu.
La fonction glycogénique du foie (pour ne pas évoquer
la découverte du rôle des vasomoteurs, si souvent rap-
pelée) doit sa naissance à une sorte d'erreur théorique
préalable : on nourrit des chiens avec de la viande seule,
parce qu'on recherche l'origine du diabète et en même
temps sa guérison dans un régime alimentaire (suppression du sucre végétal) alors que justement on tombe sur
une formation de glucose qui ne dépend plus des substances ingérées. L'expérience s'exprime tellement à
l'encontre, qu'il faut changer de code ou de grille concep-
tuelle. Par conséquent, les hypothèses valent négative-
ment, sinon dialectiquement : elles travaillent d'elles-
mêmes à leur rejet.

N'allons pas croire que le fait l'emporte et permette
de juger les constructions mentales. Claude Bernard
sait mettre en garde contre l'attitude naïve selon laquelle
l'expérience aurait le pouvoir d'arbitrer et d'éclairer.
D'abord, demande l'*Introduction*, il faut purement et
simplement repousser les phénomènes insolites. Ensuite,
les constatations les plus assurées dépendent de tant de
facteurs qu'on peut les transformer à volonté. Le monde
est un immense kaléidoscope où chacun finit par apercevoir ce qu'il souhaite. Claude Bernard conseille en
conséquence de douter des résultats les plus logiques
et les plus robustes. Il ne faut jamais désespérer de trouver le plus imprévisible. Aussi la première partie de
l'*Introduction* frappe-t-elle par un balancement constant et équilibré, un double mouvement qui lie le fait et
l'idée. Ils s'élèvent ensemble et se relancent entre eux.
Le savant en arrive à célébrer des vertus franchement
opposées : l'audace inventive et la prudence soupçonneuse
du vérificateur, l'orgueil démiurgique d'un expérimenta-

teur qui tord le cours des choses et l'humilité de celui qui
ne peut qu'obéir aux lois de la nature; la croyance inébranlable au déterminisme et l'incrédulité devant le
rigoureux et le logique; l'imprudence folle de celui qui
accepte l'absurde et la rigueur d'un rationaliste à tous
crins; ou encore, comme l'écrit Claude Bernard en l'une
de ces formules mêlées qu'il multiplie : « avoir une foi
robuste et ne pas croire * ».

La seconde partie, et même la troisième, au lieu de
disserter sur la méthode en général, ne traite plus que
de la biologie (IIᵉ partie) et même des propres expériences
de Claude Bernard (IIIᵉ partie). Au centre du texte, l'une
et l'autre ne semblent pas les moins significatives ni les
moins précieuses. Précisément, on y assiste au même et
généreux mouvement qui parcourt l'œuvre de Claude Bernard, l'enroulement des thèses les plus hostiles, l'alliance
non éclectique des contraires : le mécanisme et le vitalisme, la nécessité de l'analyse et la vertu de la synthèse,
la radicale hétérogénéité des vivants et leur franche
similitude, la multiplicité des espèces vivantes et les
analogies entre leurs réponses. Précisons-le. Le premier
chapitre de cette seconde partie s'intitule : « Considérations expérimentales communes aux êtres vivants et aux
corps bruts ». Claude Bernard part en guerre contre le
vitalisme qui soustrait le vivant aux exigences impla-
cables du conditionnement et de la causalité, alors même
que l'homme et les animaux, apparemment affranchis,
n'en obéissent pas moins aux lois de leur « milieu intérieur ». Mais le second chapitre, le plus important de tous
sans aucun doute : « Considérations spéciales aux êtres
vivants », défend les principes méthodologiques de l'harmonie et de la solidarité. Par conséquent, un déterminisme
sans faille mais qu'on se gardera d'émietter. Nul, autant
que Claude Bernard, en effet, n'a lutté contre la réduction de la physiologie aux explications strictement physiques, n'a réagi contre l'emploi des calculs qui introduisent une fausse précision. Sorte de sphinx, la vie unit
d'ailleurs le strictement matériel et le franchement créateur (pour s'en convaincre, il suffit de revenir encore à la
fonction glycogénique du foie et à ce qu'elle implique) :
dans ces conditions, un examen trop mécanique ou extérieur laisserait s'envoler la spécificité même du physiologique. Sans jamais verser dans les philosophies occultes de

* *Introduction*, p. 234.

la spontanéité ou du surnaturel même, il faut se défendre contre les simplifications, ne pas méconnaître la complexité, la richesse de l'organisme. S'il convient de le décomposer, encore les éléments ou les parties ne prennent-elles leur sens que replacées dans l'ensemble. D'un bout à l'autre, l'*Introduction* ouvre ce chemin d'une science nouvelle qui échappera au dogmatisme mais surtout ne s'inféodera pas aux méthodes triomphantes de la mécanique ou de la chimie.

Ce n'est pas le moindre intérêt de l'*Introduction* que cette perpétuelle retouche des idées : en effet, à la suite de nos citations et commentaires, nous tenons pour établie cette volonté de Claude Bernard de fondre les idées les plus hostiles, de mêler l'eau et le feu, c'est-à-dire de couler un vitalisme sincère dans un mécanisme réel. N'y voyons pas un procédé, ni une rhétorique, pas même une gageure, mais une nécessité théorique : la cellule du foie n'illustre-t-elle pas cette invraisemblable alliance ? La fonction digestive du pancréas, autre découverte physiologique de Claude Bernard, pousse dans le même sens, celui d'une chimie vitale. Elle atteste le rôle différencié des sucs et glandes dans un acte, la digestion, considérée alors comme simple assimilation ou passage. Elle met en évidence des opérations multiples et étagées; l'organisme, pour absorber, doit remanier les matériaux reçus et leur imprimer sa marque, dans un double mouvement de dislocation et de synthèse. Bref, la méthodologie de Claude Bernard, qu'on juge équivoque et flottante, se borne seulement à prendre conscience de ses propres inventions.

En même temps, ce savant se sépare de tous ses prédécesseurs, les mécanistes les plus divers, pionniers de la biologie (Lavoisier, Liebig, Dumas. « Si un chimiste fait de la physiologie, note Claude Bernard, il la fait trop simple et il veut absorber la physiologie dans la chimie, exemples : Lavoisier, Dumas. C'est l'inverse qu'il faut faire... En un mot, le physiologiste fait la physique et la chimie du corps vivant » *), sans se ranger pour autant dans le camp des adversaires, la médecine des cas et des exceptions, la nosographie des espèces et des naturalistes. Claude Bernard trace une route nouvelle :

---

* *Principes de Médecine expérimentale*, p. 245.

créer des laboratoires de physiologie dans lesquels on
procédera à des expériences réelles et où l'on mettra en
lumière les mécanismes de la vie, de la santé et de la
maladie. On dépassera alors les apparences trompeuses
de la description, mais l'on se gardera des abusives
réductions à la mécanique.

Voici l'éternelle correction qui ne manque ni de sens
ni d'importance : cet institut que le savant appelle de ses
vœux, sanctuaire de la biologie dont l'hôpital ne forme
que le vestibule (« la médecine ne finit pas à l'hôpital
comme on le croit souvent, elle ne fait qu'y commencer * »),
ne suppose pas des appareils nombreux et compliqués.
En effet, « plus un instrument est compliqué, plus il
introduit de causes d'erreur dans les expériences. L'expérience ne grandit pas par le nombre et la complexité
de ses instruments, c'est le contraire » **. Ainsi, dans
l'acte même où il crée ce centre moderne de la biologie
et de la pathologie, Claude Bernard ne manque pas d'ins-
crire sur le fronton : sans méconnaître l'importance ni
la nécessité des instruments et des expériences, c'est
l'idée audacieuse et l'esprit libre qui décideront.

François DAGOGNET.

BIBLIOGRAPHIE

1º Dans l'ouvrage *La Science expérimentale* (Baillière, 1878) on trouvera le discours de Dumas aux funérailles de C. BERNARD, ainsi qu'une présentation de Claude BERNARD par P. BERT.

2º Plus tard, les penseurs se divisèrent : on lit aussi bien des interprétations scientistes que des interprétations vitalistes ou spiritualistes.

Ainsi J. L. FAURE, *Claude Bernard*, Crès, 1925 et, à l'opposé, A. D. SERTILANGES, *La philosophie de Claude Bernard*, Aubier, 1943.

3º Trois Conférences à retenir :

— RENAN, *Discours de réception à l'Académie Française*.

— BERGSON, *La Philosophie de Claude Bernard*, Discours prononcé à la Cérémonie du Centenaire de C. Bernard, au Collège de France, le 30 décembre 1913, et reproduit dans *La Pensée et le Mouvant*.

— G. CANGUILHEM, *L'Idée de Médecine Expérimentale selon Claude Bernard*, Conférence donnée au Palais de la Découverte, février 1965 (à l'occasion du Centenaire de l'*Introduction à l'étude de la médecine expérimentale*).

INTRODUCTION

A L'ÉTUDE DE LA

MÉDECINE EXPÉRIMENTALE

Conserver la santé et guérir les maladies : tel est le problème que la médecine a posé dès son origine et dont elle poursuit encore la solution scientifique *. L'état actuel de la pratique médicale donne à présumer que cette solution se fera encore longtemps chercher. Cependant, dans sa marche à travers les siècles, la médecine, constamment forcée d'agir, a tenté d'innombrables essais dans le domaine de l'empirisme et en a tiré d'utiles enseignements. Si elle a été sillonnée et bouleversée par des systèmes de toute espèce que leur fragilité a fait successivement disparaître, elle n'en a pas moins exécuté des recherches, acquis des notions et entassé des matériaux précieux, qui auront plus tard leur place et leur signification dans la médecine scientifique. De notre temps, grâce aux développements considérables et aux secours puissants des sciences physico-chimiques, l'étude des phénomènes de la vie, soit à l'état normal, soit à l'état pathologique, a accompli des progrès surprenants qui chaque jour se multiplient davantage.

Il est ainsi évident pour tout esprit non prévenu que la médecine se dirige vers sa voie scientifique définitive. Par la seule marche naturelle de son évolution, elle abandonne peu à peu la région des systèmes pour revêtir de plus en plus la forme analytique, et rentrer ainsi graduellement dans la méthode d'investigation commune aux sciences expérimentales.

Pour embrasser le problème médical dans son entier, la médecine expérimentale doit comprendre trois parties

* Voy. *Cours de pathologie expérimentale.* — *Medical Times*, 1859-1860. — *Leçon d'ouverture du cours de médecine du Collège de France : sur la médecine expérimentale.* — *Gazette médicale.* Paris, 15 avril 1864. — *Revue des cours scientifiques.* Paris, 31 décembre 1864.

fondamentales : la physiologie, la pathologie et la thérapeutique. La connaissance des causes des phénomènes de la vie à l'état normal, c'est-à-dire la *physiologie*, nous apprendra à maintenir les conditions normales de la vie et à *conserver la santé*. La connaissance des maladies et des causes qui les déterminent, c'est-à-dire la *pathologie*, nous conduira, d'un côté, à prévenir le développement de ces conditions morbides, et de l'autre à en combattre les effets par des agents médicamenteux, c'est-à-dire à *guérir les maladies*.

Pendant la période empirique de la médecine, qui sans doute devra se prolonger encore longtemps, la physiologie, la pathologie et la thérapeutique ont pu marcher séparément, parce que, n'étant constituées ni les unes ni les autres, elles n'avaient pas à se donner un mutuel appui dans la pratique médicale. Mais dans la conception de la médecine scientifique, il ne saurait en être ainsi; sa base doit être la physiologie. La science ne s'établissant que par voie de comparaison, la connaissance de l'état pathologique ou anormal ne saurait être obtenue, sans la connaissance de l'état normal, de même que l'action thérapeutique sur l'organisme des agents anormaux ou médicaments, ne saurait être comprise scientifiquement sans l'étude préalable de l'action physiologique des agents normaux qui entretiennent les phénomènes de la vie.

Mais la médecine scientifique ne peut se constituer, ainsi que les autres sciences, que par voie expérimentale, c'est-à-dire par l'application immédiate et rigoureuse du raisonnement aux faits que l'observation et l'expérimentation nous fournissent. La méthode expérimentale, considérée en elle-même, n'est rien autre chose qu'un *raisonnement* à l'aide duquel nous soumettons méthodiquement nos idées à l'expérience des *faits*.

Le raisonnement est toujours le même, aussi bien dans les sciences qui étudient les êtres vivants que dans celles qui s'occupent des corps bruts. Mais, dans chaque genre de science, les phénomènes varient et présentent une complexité et des difficultés d'investigation qui leur sont propres. C'est ce qui fait que les principes de l'expérimentation, ainsi que nous le verrons plus tard, sont incomparablement plus difficiles à appliquer à la médecine et aux phénomènes des corps vivants qu'à la physique et aux phénomènes des corps bruts.

Le raisonnement sera toujours juste quand il s'exercera sur des notions exactes et sur des faits précis; mais il ne pourra conduire qu'à l'erreur toutes les fois que les notions ou les faits sur lesquels il s'appuie seront primitivement entachés d'erreur ou d'inexactitude. C'est pourquoi l'*expérimentation*, ou l'art d'obtenir des expériences rigoureuses et bien déterminées, est la base pratique et en quelque sorte la partie exécutive de la méthode expérimentale appliquée à la médecine. Si l'on veut constituer les sciences biologiques et étudier avec fruit les phénomènes si complexes qui se passent chez les êtres vivants, soit à l'état physiologique, soit à l'état pathologique, il faut avant tout poser les principes de l'expérimentation et ensuite les appliquer à la physiologie, à la pathologie et à la thérapeutique. L'expérimentation est incontestablement plus difficile en médecine que dans aucune autre science; mais par cela même, elle ne fut jamais dans aucune plus nécessaire et plus indispensable. Plus une science est complexe, plus il importe, en effet, d'en établir une bonne critique expérimentale, afin d'obtenir des faits comparables et exempts de causes d'erreur. C'est aujourd'hui, suivant nous, ce qui importe le plus pour les progrès de la médecine.

Pour être digne de ce nom, l'expérimentateur doit être à la fois théoricien et praticien. S'il doit posséder d'une manière complète l'art d'instituer les faits d'expérience, qui sont les matériaux de la science, il doit aussi se rendre compte clairement des principes scientifiques qui dirigent notre raisonnement au milieu de l'étude expérimentale si variée des phénomènes de la nature. Il serait impossible de séparer ces deux choses : la tête et la main. Une main habile sans la tête qui la dirige est un instrument aveugle; la tête sans la main qui réalise reste impuissante.

Les principes de la *médecine expérimentale* seront développés dans notre ouvrage au triple point de vue de la physiologie, de la pathologie et de la thérapeutique. Mais, avant d'entrer dans les considérations générales et dans les descriptions spéciales des procédés opératoires, propres à chacune de ces divisions, je crois utile de donner, dans cette introduction, quelques développements relatifs à la partie théorique ou philosophique de la méthode dont le livre, au fond, ne sera que la partie pratique.

Les idées que nous allons exposer ici n'ont certainement rien de nouveau; la méthode expérimentale et l'expérimentation sont depuis longtemps introduites dans les sciences physico-chimiques qui leur doivent tout leur éclat. A diverses époques, des hommes éminents ont traité les questions de méthode dans les sciences ; et de nos jours, M. Chevreul développe dans tous ses ouvrages des considérations très importantes sur la philosophie des sciences expérimentales. Après cela, nous ne saurions donc avoir aucune prétention philosophique. Notre unique but est et a toujours été de contribuer à faire pénétrer les principes bien connus de la méthode expérimentale dans les sciences médicales. C'est pourquoi nous allons ici résumer ces principes, en indiquant particulièrement les précautions qu'il convient de garder dans leur application, à raison de la complexité toute spéciale des phénomènes de la vie. Nous envisagerons ces difficultés d'abord dans l'emploi du raisonnement expérimental et ensuite dans la pratique de l'expérimentation.

PREMIÈRE PARTIE

DU RAISONNEMENT EXPÉRIMENTAL

CHAPITRE PREMIER

DE L'OBSERVATION ET DE L'EXPÉRIENCE

L'homme ne peut observer les phénomènes qui l'entourent que dans des limites très restreintes; le plus grand nombre échappe naturellement à ses sens, et l'observation simple ne lui suffit pas. Pour étendre ses connaissances, il a dû amplifier, à l'aide d'appareils spéciaux, la puissance de ces organes, en même temps qu'il s'est armé d'instruments divers qui lui ont servi à pénétrer dans l'intérieur des corps pour les décomposer et en étudier les parties cachées. Il y a ainsi une gradation nécessaire à établir entre les divers procédés d'*investigation* ou de recherches qui peuvent être simples ou complexes : les premiers s'adressent aux objets les plus faciles à examiner et pour lesquels nos sens suffisent; les seconds, à l'aide de moyens variés, rendent accessibles à notre observation des objets ou des phénomènes qui sans cela nous seraient toujours demeurés inconnus, parce que dans l'état naturel ils sont hors de notre portée. L'*investigation*, tantôt simple, tantôt armée et perfectionnée, est donc destinée à nous faire découvrir et constater les phénomènes plus ou moins cachés qui nous entourent.

Mais l'homme ne se borne pas à voir; il pense et veut connaître la signification des phénomènes dont l'*observation* lui a révélé l'existence. Pour cela il raisonne, compare les faits, les interroge, et, par les réponses qu'il en tire, les contrôle les uns par les autres. C'est ce genre de contrôle, au moyen du raisonnement et des faits, qui constitue, à proprement parler, l'*expérience*, et c'est le seul procédé que nous ayons pour nous instruire sur la nature des choses qui sont en dehors de nous.

Dans le sens philosophique, l'observation *montre* et l'expérience *instruit*. Cette première distinction va nous servir de point de départ pour examiner les définitions diverses qui ont été données de l'*observation* et de l'*expérience* par les philosophes et les médecins.

I. — DÉFINITIONS DIVERSES DE L'OBSERVATION ET DE L'EXPÉRIENCE

On a quelquefois semblé confondre l'expérience avec l'observation. Bacon paraît réunir ces deux choses quand il dit : « L'observation et l'expérience pour amasser les matériaux, l'induction et la déduction pour les élaborer : voilà les seules bonnes machines intellectuelles. »

Les médecins et les physiologistes, ainsi que le plus grand nombre des savants, ont distingué l'observation de l'expérience, mais ils n'ont pas été complètement d'accord sur la définition de ces deux termes :

Zimmermann s'exprime ainsi : « Une expérience diffère d'une observation en ce que la connaissance qu'une observation nous procure semble se présenter d'elle-même ; au lieu que celle qu'une expérience nous fournit est le fruit de quelque tentative que l'on fait dans le dessein de savoir si une chose est ou n'est point *. »

Cette définition représente une opinion assez généralement adoptée. D'après elle, l'observation serait la constatation des choses ou des phénomènes tels que la nature nous les offre ordinairement, tandis que l'expérience serait la constatation de phénomènes créés ou déterminés par l'expérimentateur. Il y aurait à établir de cette manière une sorte d'opposition entre l'observateur et l'expérimentateur ; le premier étant *passif* dans la production des phénomènes, le second y prenant, au contraire, une part directe et *active*. Cuvier a exprimé cette même pensée en disant : « L'observateur écoute la nature ; l'expérimentateur l'interroge et la force à se dévoiler. »

Au premier abord, et quand on considère les choses d'une manière générale, cette distinction entre l'activité de l'expérimentateur et la passivité de l'observateur paraît claire et semble devoir être facile à établir. Mais, dès qu'on descend dans la pratique expérimentale, on trouve que, dans beaucoup de cas, cette séparation est très difficile à faire et que parfois même elle entraîne de l'obscurité.

---

* Zimmermann, *Traité sur l'expérience en médecine.* Paris, 1774, t. I, p. 45.

Cela résulte, ce me semble, de ce que l'on a confondu l'art de l'investigation, qui recherche et constate les faits, avec l'art du raisonnement, qui les met en œuvre logiquement pour la recherche de la vérité. Or, dans l'investigation il peut y avoir à la fois activité de l'esprit et des sens, soit pour faire des observations, soit pour faire des expériences.

En effet, si l'on voulait admettre que l'*observation* est caractérisée par cela seul que le savant constate des phé-nomènes que la nature a produits spontanément et sans son intervention, on ne pourrait cependant pas trouver que l'esprit comme la main reste toujours inactif dans l'observation, et l'on serait amené à distinguer sous ce rapport deux sortes d'observations: les unes *passives*, les autres *actives*. Je suppose, par exemple, ce qui est souvent arrivé, qu'une maladie endémique quelconque survienne dans un pays et s'offre à l'observation d'un médecin. C'est là une observation spontanée ou *passive* que le médecin fait par hasard et sans y être conduit par aucune idée préconçue. Mais si, après avoir observé les premiers cas, il vient à l'idée de ce médecin que la production de cette maladie pourrait bien être en rapport avec certaines circonstances météorologiques ou hygiéniques spéciales; alors le médecin va en voyage et se transporte dans d'autres pays où règne la même maladie, pour voir si elle s'y déve-loppe dans les mêmes conditions. Cette seconde observa-tion, faite en vue d'une idée préconçue sur la nature et la cause de la maladie, est ce qu'il faudrait évidemment appeler une observation provoquée ou *active*. J'en dirai autant d'un astronome qui, regardant le ciel, découvre une planète qui passe par hasard devant sa lunette; il a fait là une observation fortuite et *passive*, c'est-à-dire sans idée préconçue. Mais si, après avoir constaté les perturbations d'une planète, l'astronome en est venu à faire des observations pour en rechercher la raison, je dirai qu'alors l'astronome fait des observations *actives*, c'est-à-dire des observations provoquées par une idée préconçue sur la cause de la perturbation. On pourrait multiplier à l'infini les citations de ce genre pour prouver que, dans la constatation des phénomènes naturels qui s'offrent à nous, l'esprit est tantôt passif et tantôt actif, ce qui signifie, en d'autres termes, que l'observation se fait tantôt sans idée préconçue et par hasard, et tantôt avec idée préconçue, c'est-à-dire avec intention de vérifier l'exactitude d'une vue de l'esprit.

D'un autre côté, si l'on admettait, comme il a été dit plus haut, que l'*expérience* est caractérisée par cela seul que le savant constate des phénomènes qu'il a provoqués artificiellement et qui naturellement ne se présentaient pas à lui, on ne saurait trouver non plus que la main de l'expérimentateur doive toujours intervenir activement pour opérer l'apparition de ces phénomènes. On a vu, en effet, dans certains cas, des accidents où la nature agissait pour lui, et là encore nous serions obligés de distinguer, au point de vue de l'intervention manuelle, des expériences *actives* et des expériences *passives*. Je suppose qu'un physiologiste veuille étudier la digestion et savoir ce qui se passe dans l'estomac d'un animal vivant; il divisera les parois du ventre et de l'estomac d'après des règles opératoires connues, et il établira ce qu'on appelle une fistule gastrique. Le physiologiste croira certainement avoir fait une expérience parce qu'il est intervenu activement pour faire apparaître des phénomènes qui ne s'offraient pas naturellement à ses yeux. Mais maintenant je demanderai : le docteur W. Beaumont fit-il une expérience quand il rencontra ce jeune chasseur canadien qui, après avoir reçu à bout portant un coup de fusil dans l'hypocondre gauche, conserva, à la chute de l'eschare, une large fistule de l'estomac par laquelle on pouvait voir dans l'intérieur de cet organe ? Pendant plusieurs années, le docteur Beaumont, qui avait pris cet homme à son service, put étudier *de visu* les phénomènes de la digestion gastrique, ainsi qu'il nous l'a fait connaître dans l'intéressant journal qu'il nous a donné à ce sujet *. Dans le premier cas, le physiologiste a agi en vertu de l'idée préconçue d'étudier les phénomènes digestifs et il a fait une expérience *active*. Dans le second cas, un accident a opéré la fistule à l'estomac, et elle s'est présentée fortuitement au docteur Beaumont qui dans notre définition aurait fait une expérience *passive*, s'il est permis d'ainsi parler. Ces exemples prouvent donc que, dans la constatation des phénomènes qualifiés d'expérience, l'activité manuelle de l'expérimentateur n'intervient pas toujours; puisqu'il arrive que ces phénomènes peuvent, ainsi que nous le voyons, se présenter comme des *observations passives* ou fortuites.

Mais il est des physiologistes et des médecins qui ont

---

* W. Beaumont, *Exper. and Obs. on the gastric Juice and the physiological Digestion.* Boston, 1834.

caractérisé un peu différemment l'observation et l'expérience. Pour eux l'*observation* consiste dans la constatation de tout ce qui est normal et régulier. Peu importe que l'investigateur ait provoqué lui-même, ou par les mains d'un autre, ou par un accident, l'apparition des phénomènes, dès qu'il les considère sans les troubler et dans leur état normal, c'est une observation qu'il fait. Ainsi dans les deux exemples de fistule gastrique que nous avons cités précédemment, il y aurait eu, d'après ces auteurs, *observation*, parce que dans les deux cas on a eu sous les yeux les phénomènes digestifs conformes à l'état naturel. La fistule n'a servi qu'à mieux voir, et à faire l'observation dans de meilleures conditions.

L'*expérience*, au contraire, implique, d'après les mêmes physiologistes, l'idée d'une variation ou d'un trouble *intentionnellement* apportés par l'investigateur dans les conditions des phénomènes naturels. Cette définition répond en effet à un groupe nombreux d'expériences que l'on pratique en physiologie et qui pourraient s'appeler *expériences par destruction*. Cette manière d'expérimenter, qui remonte à Galien, est la plus simple, et elle devait se présenter à l'esprit des anatomistes désireux de connaître sur le vivant l'usage des parties qu'ils avaient isolées par la dissection sur le cadavre. Pour cela, on supprime un organe sur le vivant par la section ou par l'ablation, et l'on juge, d'après le trouble produit dans l'organisme entier ou dans une fonction spéciale, de l'usage de l'organe enlevé. Ce procédé expérimental essentiellement analytique est mis tous les jours en pratique en physiologie. Par exemple, l'anatomie avait appris que deux nerfs principaux se distribuent à la face : le facial et la cinquième paire; pour connaître leurs usages, on les a coupés successivement. Le résultat a montré que la section du facial amène la perte du mouvement, et la section de la cinquième paire, la perte de la sensibilité. D'où l'on a conclu que le facial est le nerf moteur de la face et la cinquième paire le nerf sensitif.

Nous avons dit qu'en étudiant la digestion par l'intermédiaire d'une fistule, on ne fait qu'une observation, suivant la définition que nous examinons. Mais si, après avoir établi la fistule, on vient à couper les nerfs de l'estomac avec l'intention de voir les modifications qui en résultent dans la fonction digestive, alors, suivant la même manière de voir, on fait une expérience, parce qu'on cherche à connaître la fonction d'une partie d'après le trouble que sa suppression entraîne. Ce qui peut se résumer en disant que dans l'expérience il faut porter un jugement par comparaison de deux faits, l'un normal, l'autre anormal.

Cette définition de l'expérience suppose nécessairement que l'expérimentateur doit pouvoir toucher le corps sur lequel il veut agir, soit en le détruisant, soit en le modifiant, afin de connaître ainsi le rôle qu'il remplit dans les phénomènes de la nature. C'est même, comme nous le verrons plus loin, sur cette possibilité d'agir ou non sur les corps que reposera exclusivement la distinction des sciences dites d'*observation* et des sciences dites *expérimentales*.

Mais si la définition de l'expérience que nous venons de donner diffère de celle que nous avons examinée en premier lieu, en ce qu'elle admet qu'il n'y a expérience que lorsqu'on peut faire varier ou qu'on décompose par une sorte d'analyse le phénomène qu'on veut connaître, elle lui ressemble cependant en ce qu'elle suppose toujours comme elle une activité intentionnelle de l'expérimentateur dans la production de ce trouble des phénomènes. Or, il sera facile de montrer que souvent l'activité intentionnelle de l'opérateur peut être remplacée par un accident. On pourrait donc encore distinguer ici, comme dans la première définition, des troubles survenus *intentionnellement* et des troubles survenus spontanément et *non intentionnellement*. En effet, reprenant notre exemple dans lequel le physiologiste coupe le nerf facial pour en connaître les fonctions, je suppose, ce qui est arrivé souvent, qu'une balle, un coup de sabre, une carie du rocher viennent à couper ou à détruire le facial; il en résultera fortuitement une paralysie du mouvement, c'est-à-dire un trouble qui est exactement le même que celui que le physiologiste aurait déterminé intentionnellement.

Il en sera de même d'une infinité de lésions pathologiques qui sont de véritables expériences dont le médecin et le physiologiste tirent profit, sans que cependant il y ait de leur part aucune préméditation pour provoquer ces lésions qui sont le fait de la maladie. Je signale dès à présent cette idée parce qu'elle nous sera utile plus tard pour prouver que la médecine possède de véritables expériences, bien que ces dernières soient spontanées et non provoquées par le médecin *.

---

* Lallemand, *Propositions de pathologie tendant à éclairer plusieurs points de physiologie*. Thèse. Paris, 1818; 2ᵉ édition, 1824.

Je ferai encore une remarque qui servira de conclusion. Si en effet on caractérise l'expérience par une variation ou par un trouble apportés dans un phénomène, ce n'est qu'autant qu'on sous-entend qu'il faut faire la comparaison de ce trouble avec l'état normal. L'expérience n'étant en effet qu'un jugement, elle exige nécessairement comparaison entre deux choses, et ce qui est intentionnel ou actif dans l'expérience, c'est réellement la comparaison que l'esprit veut faire. Or, que la perturbation soit produite par accident ou autrement, l'esprit de l'expérimentateur n'en compare pas moins bien. Il n'est donc pas nécessaire que l'un des faits à comparer soit considéré comme un trouble ; d'autant plus qu'il n'y a dans la nature rien de troublé ni d'anormal ; tout se passe suivant des lois qui sont absolues, c'est-à-dire toujours normales et déterminées. Les effets varient en raison des conditions qui les manifestent, mais les lois ne varient pas. L'état physiologique et l'état pathologique sont régis par les mêmes forces, et ils ne diffèrent que par les conditions particulières dans lesquelles la loi vitale se manifeste.

II. — ACQUÉRIR DE L'EXPÉRIENCE ET S'APPUYER SUR L'OBSERVATION EST AUTRE CHOSE QUE FAIRE DES EXPÉRIENCES ET FAIRE DES OBSERVATIONS

Le reproche général que j'adresserai aux définitions qui précèdent, c'est d'avoir donné aux mots un sens trop circonscrit en ne tenant compte que de l'art de l'investigation, au lieu d'envisager en même temps l'observation et l'expérience comme les deux termes extrêmes du raisonnement expérimental. Aussi voyons-nous ces définitions manquer de clarté et de généralité. Je pense donc que, pour donner à la définition toute son utilité et toute sa valeur, il faut distinguer ce qui appartient au procédé d'investigation employé pour obtenir les faits, de ce qui appartient au procédé intellectuel qui les met en œuvre et en fait à la fois le point d'appui et le *criterium* de la méthode expérimentale.

Dans la langue française, le mot *expérience* au singulier signifie d'une manière générale et abstraite l'instruction acquise par l'usage de la vie. Quand on applique à un médecin le mot expérience pris au singulier, il exprime l'instruction qu'il a acquise par l'exercice de la médecine. Il en est de même pour les autres professions, et c'est dans ce sens que l'on dit qu'un homme a acquis de l'*expérience*, qu'il a de l'*expérience*. Ensuite on a donné par extension et dans un sens concret le nom d'*expériences* aux faits qui nous fournissent cette instruction expérimentale des choses.

Le mot *observation*, au singulier, dans son acception générale et abstraite, signifie la constatation exacte d'un fait à l'aide de moyens d'investigation et d'études appropriées à cette constatation. Par extension et dans un sens concret, on a donné aussi le nom d'*observations* aux faits constatés, et c'est dans ce sens que l'on dit observations *médicales*, observations *astronomiques*, etc.

Quand on parle d'une manière concrète, et quand on dit *faire des expériences* ou *faire des observations*, cela signifie qu'on se livre à l'investigation et à la recherche, que l'on tente des essais, des épreuves, dans le but d'acquérir des faits dont l'esprit, à l'aide du raisonnement, pourra tirer une connaissance ou une instruction.

Quand on parle d'une manière abstraite et quand on dit *s'appuyer sur l'observation* et *acquérir de l'expérience*, cela signifie que l'*observation* est le point d'appui de l'esprit qui raisonne, et l'*expérience* le point d'appui de l'esprit qui conclut ou mieux encore le fruit d'un raisonnement juste appliqué à l'interprétation des faits. D'où il suit que l'on peut acquérir de l'expérience sans faire des expériences, par cela seul qu'on raisonne convenablement sur les faits bien établis, de même que l'on peut faire des expériences et des observations sans acquérir de l'expérience, si l'on se borne à la constatation des faits.

L'observation est donc ce qui *montre* les faits; l'expérience est ce qui *instruit* sur les faits et ce qui donne de l'expérience relativement à une chose. Mais comme cette instruction ne peut arriver que par une comparaison et un jugement, c'est-à-dire par suite d'un raisonnement, il en résulte que l'homme seul est capable d'acquérir de l'expérience et de se perfectionner par elle.

« L'expérience, dit Gœthe, corrige l'homme chaque jour. » Mais c'est parce qu'il raisonne juste et expérimentalement sur ce qu'il observe; sans cela il ne se corrigerait pas. L'homme qui a perdu la raison, l'aliéné, ne s'instruit plus par l'expérience, il ne raisonne plus expérimentalement. L'expérience est donc le privilège de la raison. « A l'homme seul appartient de vérifier ses pensées, de les ordonner; à l'homme seul appartient de corriger, de rectifier, d'améliorer, de perfectionner et de pouvoir ainsi tous les jours se rendre plus habile, plus sage et plus heureux. Pour l'homme seul, enfin, existe un art, un art suprême, dont tous les arts les plus vantés ne sont que les instruments et l'ouvrage : l'art de la raison, le *raisonnement* *. »

Nous donnerons au mot *expérience*, en médecine expérimentale, le même sens général qu'il conserve partout. Le savant s'instruit chaque jour par l'expérience; par elle il corrige incessamment ses idées scientifiques, ses théories, les rectifie pour les mettre en harmonie avec un nombre de faits de plus en plus grands, et pour approcher ainsi de plus en plus de la vérité.

On peut s'instruire, c'est-à-dire acquérir de l'expérience sur ce qui nous entoure, de deux manières, empiriquement et expérimentalement. Il y a d'abord une sorte d'instruction ou d'expérience inconsciente et empirique, que l'on obtient par la pratique de chaque chose. Mais cette connaissance que l'on acquiert ainsi n'en est pas moins nécessairement accompagnée d'un raisonnement expérimental vague que l'on se fait sans s'en rendre compte, et par suite duquel on rapproche les faits afin de porter sur eux un jugement. L'expérience peut donc s'acquérir par un raisonnement empirique et inconscient; mais cette marche obscure et spontanée de l'esprit a été érigée par le savant en une méthode claire et raisonnée, qui procède alors plus rapidement et d'une manière consciente vers un but déterminé. Telle est la méthode expérimentale dans les sciences, d'après laquelle l'expérience est toujours acquise en vertu d'un raisonnement précis établi sur une idée qu'a fait naître l'observation et que contrôle l'expérience. En effet, il y a dans toute connaissance expérimentale trois phases : observation faite, comparaison établie et jugement motivé. La méthode expérimentale ne fait pas autre chose que porter un *jugement* sur les faits qui nous entourent, à l'aide d'un *criterium* qui n'est lui-même qu'un autre fait disposé de façon à contrôler le jugement et à donner l'*expérience*. Prise dans ce sens général, l'expérience est l'unique source des connaissances humaines. L'esprit n'a en lui-même que le sentiment d'une relation nécessaire dans les choses, mais il ne peut connaître la forme de cette relation que par l'expérience.

---

* Laromiguière, *Discours sur l'identité. Œuvres*, t. I, p. 329.

Il y aura donc deux choses à considérer dans la méthode expérimentale : 1º l'art d'obtenir des faits exacts au moyen d'une investigation rigoureuse; 2º l'art de les mettre en œuvre au moyen d'un raisonnement expérimental afin d'en faire ressortir la connaissance de la loi des phénomènes. Nous avons dit que le raisonnement expérimental s'exerce toujours et nécessairement sur deux faits à la fois, l'un qui lui sert de point de départ : l'*observation ;* l'autre qui lui sert de conclusion ou de contrôle : l'*expérience.* Toutefois ce n'est, en quelque sorte, que comme abstraction logique et en raison de la place qu'ils occupent qu'on peut distinguer, dans le raisonnement, le fait observation du fait expérience.

Mais, en dehors du raisonnement expérimental, l'observation et l'expérience n'existent plus dans le sens abstrait qui précède; il n'y a dans l'une comme dans l'autre que des faits concrets qu'il s'agit d'obtenir par des procédés d'investigation exacts et rigoureux. Nous verrons plus loin que l'investigateur doit être lui-même distingué en *observateur* et en *expérimentateur ;* non suivant qu'il est actif ou passif dans la production des phénomènes, mais suivant qu'il agit ou non sur eux pour s'en rendre maître.

III. — DE L'INVESTIGATEUR; DE LA RECHERCHE SCIENTIFIQUE

L'art de l'investigation scientifique est la pierre angulaire de toutes les sciences expérimentales. Si les faits qui servent de base au raisonnement sont mal établis ou erronés, tout s'écroulera ou tout deviendra faux; et c'est ainsi que, le plus souvent, les erreurs dans les théories scientifiques ont pour origine des erreurs de faits.

Dans l'investigation considérée comme art de recherches expérimentales, il n'y a que des faits mis en lumière par l'investigateur et constatés le plus rigoureusement possible, à l'aide des moyens les mieux appropriés. Il n'y a plus lieu de distinguer ici l'observateur de l'expérimentateur par la nature des procédés de recherches mis en usage. J'ai montré dans le paragraphe précédent que les définitions et les distinctions qu'on a essayé d'établir d'après l'activité ou la passivité de l'investigation, ne sont pas soutenables. En effet, l'observateur et l'expérimentateur sont des investigateurs qui cherchent à constater les faits de leur mieux et qui emploient à cet effet des moyens d'étude plus ou moins compliqués, selon la complexité des phénomènes qu'ils étudient. Ils peuvent, l'un et l'autre, avoir besoin de la même activité manuelle et intellectuelle, de la même habileté, du même esprit d'invention, pour créer et perfectionner les divers appareils ou instruments d'investigation qui leur sont communs pour la plupart. Chaque science a en quelque sorte un genre d'investigation qui lui est propre et un attirail d'instruments et de procédés spéciaux. Cela se conçoit d'ailleurs puisque chaque science se distingue par la nature de ses problèmes et par la diversité des phénomènes qu'elle étudie. L'investigation médicale est la plus compliquée de toutes; elle comprend tous les procédés qui sont propres aux recherches anatomiques, physiologiques, pathologiques et thérapeutiques, et, de plus, en se développant, elle emprunte à la chimie et à la physique une foule de moyens de recherches qui deviennent pour elle de puissants auxiliaires. Tous les progrès des sciences expérimentales se mesurent par le perfectionnement de leurs moyens d'investigation. Tout l'avenir de la médecine expérimentale est subordonné à la création d'une méthode de recherche applicable avec fruit à l'étude des phénomènes de la vie, soit à l'état normal, soit à l'état pathologique. Je n'insisterai pas ici sur la nécessité d'une telle méthode d'investigation expérimentale en médecine, et je n'essayerai pas même d'en énumérer les difficultés. Je me bornerai à dire que toute ma vie scientifique est vouée à concourir pour ma part à cette œuvre immense que la science moderne aura la gloire d'avoir comprise et le mérite d'avoir inaugurée, en laissant aux siècles futurs le soin de la continuer et de la fonder définitivement. Les deux volumes qui constitueront mon ouvrage sur les *Principes de la médecine expérimentale* seront uniquement consacrés au développement de procédés d'investigation expérimentale appliqués à la physiologie, à la pathologie et à la thérapeutique. Mais comme il est impossible à un seul d'envisager toutes les faces de l'investigation médicale, et pour me limiter encore dans un sujet aussi vaste, je m'occuperai plus particulièrement de la régularisation des procédés de vivisections zoologiques. Cette branche de l'investigation biologique est sans contredit la plus délicate et la plus difficile; mais je la considère comme la plus féconde et comme étant celle qui peut être d'une plus grande utilité immédiate à l'avancement de la médecine expérimentale.

Dans l'investigation scientifique, les moindres procé-

dés sont de la plus haute importance. Le choix heureux
d'un animal, un instrument construit d'une certaine
façon, l'emploi d'un réactif au lieu d'un autre, suffisent
souvent pour résoudre les questions générales les plus
élevées. Chaque fois qu'un moyen nouveau et sûr d'analyse expérimentale surgit, on voit toujours la science faire
des progrès dans les questions auxquelles ce moyen peut
être appliqué. Par contre, une mauvaise méthode et des
procédés de recherche défectueux peuvent entraîner
dans les erreurs les plus graves et retarder la science en la
fourvoyant. En un mot, les plus grandes vérités scientifiques ont leurs racines dans les détails de l'investigation
expérimentale qui constituent en quelque sorte le sol
dans lequel ces vérités se développent.

Il faut avoir été élevé et avoir vécu dans les laboratoires
pour bien sentir toute l'importance de tous ces détails
de procédés d'investigation, qui sont si souvent ignorés
et méprisés par les faux savants qui s'intitulent générali-
sateurs. Pourtant on n'arrivera jamais à des généralisations vraiment fécondes et lumineuses sur les phénomènes
vitaux, qu'autant qu'on aura expérimenté soi-même et
remué dans l'hôpital, l'amphithéâtre ou le laboratoire, le
terrain fétide ou palpitant de la vie. On a dit quelque
part que la vraie science devait être comparée à un plateau
fleuri et délicieux sur lequel on ne pouvait arriver qu'après
avoir gravi des pentes escarpées et s'être écorché les
jambes à travers les ronces et les broussailles. S'il fallait
donner une comparaison qui exprimât mon sentiment sur
la science de la vie, je dirais que c'est un salon superbe
tout resplendissant de lumière, dans lequel on ne peut
parvenir qu'en passant par une longue et affreuse cuisine.

IV. — DE L'OBSERVATEUR ET DE L'EXPÉRIMENTATEUR;
DES SCIENCES D'OBSERVATION ET D'EXPÉRIMENTATION

Nous venons de voir, qu'au point de vue de l'art de
l'investigation, l'observation et l'expérience ne doivent
être considérées que comme des *faits* mis en lumière par
l'investigateur, et nous avons ajouté que la méthode d'investigation ne distingue pas celui qui observe de celui
qui expérimente. Où donc se trouve dès lors, demandera-
t-on, la distinction entre l'observateur et l'expérimentateur ? La voici : on donne le nom d'*observateur* à celui qui
applique les procédés d'investigation simples ou com-

plexes à l'étude de phénomènes qu'il ne fait pas varier et qu'il recueille, par conséquent, tels que la nature lui offre. On donne le nom d'*expérimentateur* à celui qui emploie les procédés d'investigation simples ou complexes pour faire varier ou modifier, dans un but quelconque, les phénomènes naturels et les faire apparaître dans des circonstances ou dans des conditions dans lesquelles la nature ne les lui présentait pas. Dans ce sens, l'*observation* est l'investigation d'un phénomène naturel, et l'*expérience* est l'investigation d'un phénomène modifié par l'investigateur. Cette distinction qui semble être tout extrinsèque et résider simplement dans une définition de mots, donne cependant, comme nous allons le voir, le seul sens suivant lequel il faut comprendre la différence importante qui sépare les sciences d'observation des sciences d'expérimentation ou expérimentales.

Nous avons dit, dans un paragraphe précédent, qu'au point de vue du raisonnement expérimental les mots *observation* et *expérience* pris dans un sens abstrait signifient, le premier, la constatation pure et simple d'un fait, le second, le contrôle d'une idée par un fait. Mais si nous n'envisagions l'observation que dans ce sens abstrait, il ne nous serait pas possible d'en tirer une science d'observation. La simple constatation des faits ne pourra jamais parvenir à constituer une science. On aurait beau multiplier les faits ou les observations, que cela n'en apprendrait pas davantage. Pour s'instruire, il faut nécessairement raisonner sur ce que l'on a observé, comparer les faits et les juger par d'autres faits qui servent de contrôle. Mais une observation peut servir de contrôle à une autre observation. De sorte qu'une *science d'observation* sera simplement une science faite avec des observations, c'est-à-dire une science dans laquelle on raisonnera sur des faits d'observation naturelle, tels que nous les avons définis plus haut. Une science expérimentale ou d'*expérimentation* sera une science faite avec des expériences, c'est-à-dire dans laquelle on raisonnera sur des faits d'expérimentation obtenus dans des conditions que l'expérimentateur a créées et déterminées lui-même.

Il y a des sciences qui, comme l'astronomie, resteront toujours pour nous des sciences d'observation, parce que les phénomènes qu'elles étudient sont hors de notre sphère d'action; mais les sciences terrestres peuvent être à la fois des sciences d'observation et des sciences expérimentales. Il faut ajouter que toutes ces sciences commencent par être des sciences d'observation pure; ce n'est qu'en avançant dans l'analyse des phénomènes qu'elles deviennent expérimentales, parce que l'observateur, se transformant en expérimentateur, imagine des procédés d'investigation pour pénétrer dans les corps et faire varier les conditions des phénomènes. L'*expérimentation* n'est que la mise en œuvre des procédés d'investigation qui sont spéciaux à l'expérimentateur.

Maintenant, quant au raisonnement expérimental, il sera absolument le même dans les sciences d'observation et dans les sciences expérimentales. Il y aura toujours jugement par une comparaison s'appuyant sur deux faits, l'un qui sert de point de départ, l'autre qui sert de conclusion au raisonnement. Seulement dans les sciences d'observation les deux faits seront toujours des observations; tandis que dans les sciences expérimentales les deux faits pourront être empruntés à l'expérimentation exclusivement, ou à l'expérimentation et à l'observation à la fois, selon les cas et suivant que l'on pénètre plus ou moins profondément dans l'analyse expérimentale. Un médecin qui observe une maladie dans diverses circonstances, qui raisonne sur l'influence de ces circonstances, et qui en tire des conséquences qui se trouvent contrôlées par d'autres observations; ce médecin fera un raisonnement expérimental quoiqu'il ne fasse pas d'expériences. Mais s'il veut aller plus loin et connaître le mécanisme intérieur de la maladie, il aura affaire à des phénomènes cachés, alors il devra expérimenter; mais il raisonnera toujours de même.

Un naturaliste qui observe des animaux dans toutes les conditions de leur existence et qui tire de ces observations des conséquences qui se trouvent vérifiées et contrôlées par d'autres observations, ce naturaliste emploiera la méthode expérimentale, quoiqu'il ne fasse pas de l'expérimentation proprement dite. Mais s'il lui faut aller observer des phénomènes dans l'estomac, il doit imaginer des procédés d'expérimentation plus ou moins complexes pour voir dans une cavité cachée à ses regards. Néanmoins le raisonnement expérimental est toujours le même; Réaumur et Spallanzani appliquent également la méthode expérimentale quand ils font leurs observations d'histoire naturelle ou leurs expériences sur la digestion. Quand Pascal fit une observation barométrique au bas de la tour Saint-Jacques et qu'il en institua ensuite une autre sur le haut de la tour, on admet qu'il fit une expérience, et cependant ce ne sont que deux observations comparées sur la pression de l'air, exécutées en vue de l'idée préconçue que cette pression devait varier suivant les hauteurs. Au contraire, quand Jenner * observait le coucou sur un arbre avec une longue vue afin de ne point l'effaroucher, il faisait une simple observation, parce qu'il ne la comparait pas à une première pour en tirer une conclusion et porter sur elle un jugement. De même un astronome fait d'abord des observations, et ensuite raisonne sur elles pour en tirer un ensemble de notions qu'il contrôle par des observations faites dans des conditions propres à ce but. Or cet astronome raisonne comme les expérimentateurs, parce que l'expérience acquise implique partout jugement et comparaison entre deux faits liés dans l'esprit par une idée.

Toutefois, ainsi que nous l'avons déjà dit, il faut bien distinguer l'astronome du savant qui s'occupe des sciences terrestres, en ce que l'astronome est forcé de se borner à l'observation, ne pouvant pas aller dans le ciel expérimenter sur les planètes. C'est là précisément, dans cette puissance de l'investigateur d'agir sur les phénomènes, que se trouve la différence qui sépare les sciences dites d'*expérimentation*, des sciences dites d'*observation*.

Laplace considère que l'astronomie est une science d'observation parce qu'on ne peut qu'observer le mouvement des planètes; on ne saurait en effet les atteindre pour modifier leur marche et leur appliquer l'expérimentation. « Sur la terre, dit Laplace, nous faisons varier les phénomènes par des expériences; dans le ciel, nous déterminons avec soin tous ceux que nous offrent les mouvements célestes **. » Certains médecins qualifient la médecine de science d'observation, parce qu'ils ont pensé à tort que l'expérimentation ne lui était pas applicable.

Au fond toutes les sciences raisonnent de même et visent au même but. Toutes veulent arriver à la connaissance de la loi des phénomènes de manière à pouvoir prévoir, faire varier ou maîtriser ces phénomènes. Or, l'astronome prédit les mouvements des astres, il en tire une foule de notions pratiques, mais il ne peut modifier par l'expérimentation les phénomènes célestes comme le font le chimiste et le physicien pour ce qui concerne leur science.

* Jenner, *On the natural history of the Cuckoo* (*Philosophical Transactions*, 1788, ch. XVI, p. 432).
** Laplace, *Système du monde*, ch. II.

Donc, s'il n'y a pas, au point de vue de la méthode philosophique, de différence essentielle entre les sciences d'observation et les sciences d'expérimentation, il en existe cependant une réelle au point de vue des conséquences pratiques que l'homme peut en tirer, et relativement à la puissance qu'il acquiert par leur moyen. Dans les sciences d'observation, l'homme observe et raisonne expérimentalement, mais il *n'expérimente pas ;* et dans ce sens on pourrait dire qu'une science d'observation est une *science passive.* Dans les sciences d'expérimentation, l'homme observe, mais de plus il agit sur la matière, en analyse les propriétés et provoque à son profit l'apparition de phénomènes, qui sans doute se passent toujours suivant les lois naturelles, mais dans des conditions que la nature n'avait souvent pas encore réalisées. A l'aide de ces *sciences expérimentales actives,* l'homme devient un inventeur de phénomènes, un véritable contremaître de la création; et l'on ne saurait, sous ce rapport, assigner de limites à la puissance qu'il peut acquérir sur la nature, par les progrès futurs des sciences expérimentales.

Maintenant reste la question de savoir si la médecine doit demeurer une science d'*observation* ou devenir une science *expérimentale.* Sans doute la médecine doit commencer par être une simple observation clinique. Ensuite comme l'organisme forme par lui-même une unité harmonique, un petit monde *(microcosme)* contenu dans le grand monde *(macrocosme)*, on a pu soutenir que la vie était indivisible et qu'on devait se borner à *observer* les phénomènes que nous offrent dans leur ensemble les organismes vivants sains et malades, et se contenter de raisonner sur les faits observés. Mais si l'on admet qu'il faille ainsi se limiter et si l'on pose en principe que la médecine n'est qu'une science passive d'observation, le médecin ne devra pas plus toucher au corps humain que l'astronome ne touche aux planètes. Dès lors l'anatomie normale ou pathologique, les vivisections, appliquées à la physiologie, à la pathologie et à la thérapeutique, tout cela est complètement inutile. La médecine ainsi conçue ne peut conduire qu'à l'expectation et à des prescriptions hygiéniques plus ou moins utiles; mais c'est la négation d'une médecine active, c'est-à-dire d'une thérapeutique scientifique et réelle.

Ce n'est point ici le lieu d'entrer dans l'examen d'une définition aussi importante que celle de la *médecine expérimentale.* Je me réserve de traiter ailleurs cette question

avec tout le développement nécessaire. Je me borne à
donner simplement ici mon opinion, en disant que je pense
que la médecine est destinée à être une science expérimentale et progressive; et c'est précisément par suite de mes
convictions à cet égard que je compose cet ouvrage, dans
le but de contribuer pour ma part à favoriser le développement de cette médecine scientifique ou expérimentale.

V. — L'EXPÉRIENCE N'EST AU FOND QU'UNE OBSERVATION PROVOQUÉE

Malgré la différence importante que nous venons de
signaler entre les sciences dites d'observation et les
sciences dites d'expérimentation, l'observateur et l'expérimentateur n'en ont pas moins, dans leurs investigations, pour but commun et immédiat d'établir et de
constater des faits ou des phénomènes aussi rigoureusement que possible, et à l'aide des moyens les mieux appropriés; ils se comportent absolument comme s'il s'agissait
de deux observations ordinaires. Ce n'est en effet qu'une
constatation de fait dans les deux cas; la seule différence
consiste en ce que le fait que doit constater l'expérimentateur ne s'étant pas présenté naturellement à lui, il a dû
le faire apparaître, c'est-à-dire le provoquer par une
raison particulière et dans un but déterminé. D'où il suit
que l'on peut dire : l'expérience n'est au fond qu'une
observation provoquée dans un but quelconque. Dans la
méthode expérimentale, la recherche des faits, c'est-à-dire
l'investigation, s'accompagne toujours d'un raisonnement,
de sorte que le plus ordinairement l'expérimentateur fait
une expérience pour contrôler ou vérifier la valeur d'une
idée expérimentale. Alors on peut dire que, dans ce cas,
l'expérience est une observation *provoquée* dans un but de
contrôle.

Toutefois il importe de rappeler ici, afin de compléter
notre définition et de l'étendre aux sciences d'observation, que, pour contrôler une idée, il n'est pas toujours
absolument nécessaire de faire soi-même une expérience
ou une observation. On sera seulement forcé de recourir à
l'expérimentation, quand l'observation que l'on doit
provoquer n'existe pas toute préparée dans la nature.
Mais si une observation est déjà réalisée, soit naturellement, soit accidentellement, soit même par les mains d'un
autre investigateur, alors on la prendra toute faite et on

l'invoquera simplement pour servir de vérification à l'idée expérimentale. Ce qui se résumerait encore en disant que, dans ce cas, l'expérience n'est qu'une observatiòn *invoquée* dans un but de contrôle. D'où il résulte que, pour raisonner expérimentalement, il faut généralement avoir une idée et invoquer ou provoquer ensuite des faits, c'est-à-dire des observations, pour contrôler cette idée préconçue.

Nous examinerons plus loin l'importance de l'idée expérimentale préconçue, qu'il nous suffise de dire dès à présent que l'idée en vertu de laquelle l'expérience est instituée peut être plus ou moins bien définie, suivant la nature du sujet et suivant l'état de perfection de la science dans laquelle on expérimente. En effet, l'idée directrice de l'expérience doit renfermer tout ce qui est déjà connu sur le sujet, afin de guider plus sûrement la recherche vers les problèmes dont la solution peut être féconde pour l'avancement de la science. Dans les sciences constituées, comme la physique et la chimie, l'idée expérimentale se déduit comme une conséquence logique des théories régnantes, et elle est soumise dans un sens bien défini au contrôle de l'expérience; mais quand il s'agit d'une science dans l'enfance, comme la médecine, où existent des questions complexes ou obscures non encore étudiées, l'idée expérimentale ne se dégage pas toujours d'un sujet aussi vague. Que faut-il faire alors? Faut-il s'abstenir et attendre que les observations, en se présentant d'elles-mêmes, nous apportent des idées plus claires? On pourrait souvent attendre longtemps et même en vain; on gagne toujours à expérimenter. Mais dans ces cas on ne pourra se diriger que d'après une sorte d'intuition, suivant les probabilités que l'on apercevra, et même si le sujet est complètement obscur et inexploré, le physiologiste ne devra pas craindre d'agir même un peu au hasard afin d'essayer, qu'on me permette cette expression vultaire, de pêcher en eau trouble. Ce qui veut dire qu'il peut espérer, au milieu des perturbations fonctionnelles qu'il produira, voir surgir quelque phénomène imprévu qui lui donnera une idée sur la direction à imprimer à ses recherches. Ces sortes d'expériences de tâtonnement, qui sont extrêmement fréquentes en physiologie, en pathologie et en thérapeutique, à cause de l'état complexe et arriéré de ces sciences, pourraient être appelées des *expériences pour voir*, parce qu'elles sont destinées à faire surgir une première observation imprévue et indéterminée d'avance, mais dont l'apparition pourra suggérer une idée expérimentale et ouvrir une voie de recherche.

Comme on le voit, il y a des cas où l'on expérimente sans avoir une idée probable à vérifier. Cependant l'expérimentation, dans ce cas, n'en est pas moins destinée à provoquer une observation, seulement elle la provoque en vue d'y trouver une idée qui lui indiquera la route ultérieure à suivre dans l'investigation. On peut donc dire alors que l'expérience est une *observation provoquée dans le but de faire naître une idée*.

En résumé, l'*investigateur* cherche et conclut; il comprend l'observateur et l'expérimentateur; il poursuit la découverte d'idées nouvelles, en même temps qu'il cherche des faits pour en tirer une conclusion ou une expérience propre à contrôler d'autres idées.

Dans un sens général et abstrait, l'*expérimentateur* est donc celui qui invoque ou provoque, dans des conditions déterminées, des faits d'observation pour en tirer l'enseignement qu'il désire, c'est-à-dire l'expérience. L'*observateur* est celui qui obtient les faits d'observation et qui juge s'ils sont bien établis et constatés à l'aide de moyens convenables. Sans cela, les conclusions basées sur ces faits seraient sans fondement solide. C'est ainsi que l'expérimentateur doit être en même temps bon observateur, et que dans la méthode expérimentale, l'expérience et l'observation marchent toujours de front.

VI. — DANS LE RAISONNEMENT EXPÉRIMENTAL, L'EXPÉRIMENTATEUR NE SE SÉPARE PAS DE L'OBSERVATEUR

Le savant qui veut embrasser l'ensemble des principes de la méthode expérimentale doit remplir deux ordres de conditions et posséder deux qualités de l'esprit qui sont indispensables pour atteindre son but et arriver à la découverte de la vérité. D'abord le savant doit avoir une idée qu'il soumet au contrôle des faits; mais en même temps il doit s'assurer que les faits qui servent de point de départ ou de contrôle à son idée, sont justes et bien établis; c'est pourquoi il doit être lui-même à la fois observateur et expérimentateur.

L'*observateur*, avons-nous dit, constate purement et simplement le phénomène qu'il a sous les yeux. Il ne doit avoir d'autre souci que de se prémunir contre les erreurs d'observation qui pourraient lui faire voir incomplètement ou mal définir un phénomène. A cet effet, il met en usage tous les instruments qui pourront l'aider à rendre son observation plus complète. L'observateur doit être le photographe des phénomènes, son observation doit représenter exactement la nature. Il faut observer sans idée préconçue; l'esprit de l'observateur doit être passif, c'est-à-dire se taire; il écoute la nature et écrit sous sa dictée.

Mais une fois le fait constaté et le phénomène bien observé, l'idée arrive, le raisonnement intervient et l'expérimentateur apparaît pour interpréter le phénomène.

L'*expérimentateur*, comme nous le savons déjà, est celui qui, en vertu d'une interprétation plus ou moins probable, mais anticipée des phénomènes observés, institue l'expérience de manière que, dans l'ordre logique de ses prévisions, elle fournisse un résultat qui serve de contrôle à l'hypothèse ou à l'idée préconçue. Pour cela l'expérimentateur réfléchit, essaye, tâtonne, compare et combine pour trouver les conditions expérimentales les plus propres à atteindre le but qu'il se propose. Il faut nécessairement expérimenter avec une idée préconçue. L'esprit de l'expérimentateur doit être actif, c'est-à-dire qu'il doit interroger la nature et lui poser les questions dans tous les sens, suivant les diverses hypothèses qui lui sont suggérées.

Mais, une fois les conditions de l'expérience instituées et mises en œuvre d'après l'idée préconçue ou la vue anticipée de l'esprit, il va, ainsi que nous l'avons déjà dit, en résulter une *observation provoquée* ou *préméditée*. Il s'ensuit l'apparition de phénomènes que l'expérimentateur a déterminés, mais qu'il s'agira de *constater* d'abord, afin de savoir ensuite quel contrôle on pourra en tirer relativement à l'idée expérimentale qui les a fait naître.

Or, dès le moment où le résultat de l'expérience se manifeste, l'expérimentateur se trouve en face d'une véritable observation qu'il a provoquée, et qu'il faut constater, comme toute observation, sans aucune idée préconçue. L'expérimentateur doit alors disparaître ou plutôt se transformer instantanément en observateur; et ce n'est qu'après qu'il aura constaté les résultats de l'expérience absolument comme ceux d'une observation ordinaire, que son esprit reviendra pour raisonner, comparer et juger si l'hypothèse expérimentale est vérifiée ou infirmée par ces mêmes résultats. Pour continuer la comparaison énoncée plus haut, je dirai que l'expérimentateur pose des questions à la nature; mais que, dès qu'elle parle, il doit se taire; il doit constater ce qu'elle répond, l'écouter jusqu'au bout, et, dans tous les cas, se soumettre à ses décisions. L'expérimentateur doit forcer la nature à se dévoiler, a-t-on dit. Oui, sans doute, l'expérimentateur force la nature à se dévoiler, en l'attaquant et en lui posant des questions dans tous les sens; mais il ne doit jamais répondre pour elle ni écouter incomplètement ses réponses en ne prenant dans l'expérience que la partie des résultats qui favorisent ou confirment l'hypothèse. Nous verrons ultérieurement que c'est là un des plus grands écueils de la méthode expérimentale. L'expérimentateur qui continue à garder son idée préconçue, et qui ne constate les résultats de l'expérience qu'à ce point de vue, tombe nécessairement dans l'erreur, parce qu'il néglige de constater ce qu'il n'avait pas prévu et fait alors une observation incomplète. L'expérimentateur ne doit pas tenir à son idée autrement que comme à un moyen de solliciter une réponse de la nature. Mais il doit *soumettre* son idée à la nature et être prêt à l'abandonner, à la modifier ou à la changer, suivant ce que l'observation des phénomènes qu'il a provoqués lui enseignera.

Il y a donc deux opérations à considérer dans une expérience. La première consiste à *préméditer* et à réaliser les conditions de l'expérience; la deuxième consiste à *constater* les résultats de l'expérience. Il n'est pas possible d'instituer une expérience sans une idée préconçue; instituer une expérience, avons-nous dit, c'est poser une question; on ne conçoit jamais une question sans l'idée qui sollicite la réponse. Je considère donc, en principe absolu, que l'expérience doit toujours être instituée en vue d'une idée préconçue, peu importe que cette idée soit plus ou moins vague, plus ou moins bien définie. Quant à la constatation des résultats de l'expérience, qui n'est elle-même qu'une observation provoquée, je pose également en principe qu'elle doit être faite là comme dans toute autre observation, c'est-à-dire sans idée préconçue.

On pourrait encore distinguer et séparer dans l'expérimentateur celui qui prémédite et institue l'expérience de celui qui en réalise l'exécution ou en constate les résultats. Dans le premier cas, c'est l'esprit de l'inventeur scientifique qui agit; dans le second, ce sont les sens qui observent ou constatent. La preuve de ce que j'avance nous est fournie de la manière la plus frappante par l'exemple de

Fr. Huber *. Ce grand naturaliste, quoique aveugle, nous
a laissé d'admirables expériences qu'il concevait et faisait
ensuite exécuter par son domestique, qui n'avait pour sa
part aucune idée scientifique. Huber était donc l'esprit
directeur qui instituait l'expérience; mais il était obligé
d'emprunter les sens d'un autre. Le domestique repré-
sentait les sens passifs qui obéissent à l'intelligence pour
réaliser l'expérience instituée en vue d'une idée préconçue.

Ceux qui ont condamné l'emploi des hypothèses et
des idées préconçues dans la méthode expérimentale ont
eu tort de confondre l'invention de l'expérience avec la
constatation de ses résultats. Il est vrai de dire qu'il faut
constater les résultats de l'expérience avec un esprit
dépouillé d'hypothèses et d'idées préconçues. Mais il
faudrait bien se garder de proscrire l'usage des hypothèses et des idées quand il s'agit d'instituer l'expérience
ou d'imaginer des moyens d'observation. On doit, au
contraire, comme nous le verrons bientôt, donner libre
carrière à son imagination; c'est l'idée qui est le principe
de tout raisonnement et de toute invention, c'est à elle
que revient toute espèce d'initiative. On ne saurait l'étouffer ni la chasser sous prétexte qu'elle peut nuire, il ne faut
que la régler et lui donner un criterium, ce qui est bien
différent.

Le savant complet est celui qui embrasse à la fois la
théorie et la pratique expérimentale. 1° Il constate un
fait; 2° à propos de ce fait, une idée naît dans son esprit;
3° en vue de cette idée, il raisonne, institue une expérience, en imagine et en réalise les conditions matérielles.
4° De cette expérience résultent de nouveaux phénomènes
qu'il faut observer, et ainsi de suite. L'esprit du savant
se trouve en quelque sorte toujours placé entre deux
observations : l'une qui sert de point de départ au raisonnement, et l'autre qui lui sert de conclusion.

Pour être plus clair, je me suis efforcé de séparer les
diverses opérations du raisonnement expérimental. Mais
quand tout cela se passe à la fois dans la tête d'un savant
qui se livre à l'investigation dans une science aussi confuse
que l'est encore la médecine, alors il y a un enchevêtre-
ment tel, entre ce qui résulte de l'observation et ce qui
appartient à l'expérience, qu'il serait impossible et
d'ailleurs inutile de vouloir analyser dans leur mélange

---

* François Huber, *Nouvelles observations sur les Abeilles*, 2ᵉ édition,
augmentée par son fils, Pierre Huber. Genève, 1814.

inextricable chacun de ces termes. Il suffira de retenir en principe que l'idée *a priori* ou mieux l'hypothèse est le stimulus de l'expérience, et qu'on doit s'y laisser aller librement, pourvu qu'on observe les résultats de l'expérience d'une manière rigoureuse et complète. Si l'hypothèse ne se vérifie pas et disparaît, les faits qu'elle aura servi à trouver resteront néanmoins acquis comme des matériaux inébranlables de la science.

L'observateur et l'expérimentateur répondraient donc à des phases différentes de la recherche expérimentale. L'*observateur* ne raisonne plus, il constate; l'*expérimentateur*, au contraire, raisonne et se fonde sur les faits acquis pour en imaginer et en provoquer rationnellement d'autres. Mais, si l'on peut, dans la théorie et d'une manière abstraite, distinguer l'observateur de l'expérimentateur, il semble impossible dans la pratique de les séparer, puisque nous voyons que nécessairement le même investigateur est alternativement observateur et expérimentateur.

C'est en effet ainsi que cela a lieu constamment quand un même savant découvre et développe à lui seul toute une question scientifique. Mais il arrive le plus souvent que, dans l'évolution de la science, les diverses parties du raisonnement expérimental sont le partage de plusieurs hommes. Ainsi il en est qui, soit en médecine, soit en histoire naturelle, n'ont fait que recueillir et rassembler des observations; d'autres ont pu émettre des hypothèses plus ou moins ingénieuses et plus ou moins probables fondées sur ces observations; puis d'autres sont venus réaliser expérimentalement les conditions propres à faire naître l'expérience qui devait contrôler ces hypothèses; enfin il en est d'autres qui se sont appliqués plus particulièrement à généraliser et à systématiser les résultats obtenus par les divers observateurs et expérimentateurs. Ce morcellement du domaine expérimental est une chose utile, parce que chacune de ses diverses parties s'en trouve mieux cultivée. On conçoit, en effet, que dans certaines sciences les moyens d'observation et d'expérimentation devenant des instruments tout à fait spéciaux, leur maniement et leur emploi exigent une certaine habitude et réclament une certaine habileté manuelle ou le perfectionnement de certains sens. Mais si j'admets la *spécialité* pour ce qui est pratique dans la science, je la repousse d'une manière absolue pour tout ce qui est théorique. Je considère en effet que faire sa spécialité des généralités est un principe antiphilosophique et antiscientifique, quoiqu'il ait été proclamé par une école philosophique moderne qui se pique d'être fondée sur les sciences.

Toutefois la science expérimentale ne saurait avancer par un seul des côtés de la méthode pris séparément; elle ne marche que par la réunion de toutes les parties de la méthode concourant vers un but commun. Ceux qui recueillent des observations ne sont utiles que parce que ces observations sont ultérieurement introduites dans le raisonnement expérimental; autrement l'accumulation indéfinie d'observations ne conduirait à rien. Ceux qui émettent des hypothèses à propos des observations recueillies par les autres, ne sont utiles qu'autant que l'on cherchera à vérifier ces hypothèses en expérimentant; autrement ces hypothèses non vérifiées ou non vérifiables par l'expérience n'engendreraient que des systèmes, et nous reporteraient à la scolastique. Ceux qui expérimentent, malgré toute leur habileté, ne résoudront pas les questions s'ils ne sont inspirés par une hypothèse heureuse fondée sur des observations exactes et bien faites. Enfin ceux qui généralisent ne pourront faire des théories durables qu'autant qu'ils connaîtront par eux-mêmes tous les détails scientifiques que ces théories sont destinées à représenter. Les généralités scientifiques doivent remonter des particularités aux principes; et les principes sont d'autant plus stables qu'ils s'appuient sur des détails plus profonds, de même qu'un pieu est d'autant plus solide qu'il est enfoncé plus avant dans la terre.

On voit donc que tous les termes de la méthode expérimentale sont solidaires les uns des autres. Les faits sont les matériaux nécessaires; mais c'est leur mise en œuvre par le raisonnement expérimental, c'est-à-dire la théorie, qui constitue et édifie véritablement la science. L'idée formulée par les faits représente la science. L'hypothèse expérimentale n'est que l'idée scientifique, préconçue ou anticipée. La théorie n'est que l'idée scientifique contrôlée par l'expérience. Le raisonnement ne sert qu'à donner une forme à nos idées, de sorte que tout se ramène primitivement et finalement à une idée. C'est l'idée qui constitue, ainsi que nous allons le voir, le point de départ ou le *primum movens* de tout raisonnement scientifique, et c'est elle qui en est également le but dans l'aspiration de l'esprit *vers l'inconnu*.

CHAPITRE II

DE L'IDÉE A PRIORI ET DU DOUTE DANS LE RAISONNEMENT EXPÉRIMENTAL

Chaque homme se fait de prime abord des idées sur ce qu'il voit, et il est porté à interpréter les phénomènes de la nature par anticipation, avant de les connaître par expérience. Cette tendance est spontanée; une idée préconçue a toujours été et sera toujours le premier élan d'un esprit investigateur. Mais la méthode expérimentale a pour objet de transformer cette conception *a priori*, fondée sur une intuition ou un sentiment vague des choses, en une interprétation *a posteriori* établie sur l'étude expérimentale des phénomènes. C'est pourquoi on a aussi appelé la méthode expérimentale, la *méthode a posteriori*.

L'homme est naturellement métaphysicien et orgueilleux; il a pu croire que les créations idéales de son esprit qui correspondent à ses sentiments représentaient aussi la réalité. D'où il suit que la méthode expérimentale n'est point primitive et naturelle à l'homme, et que ce n'est qu'après avoir erré longtemps dans les discussions théologiques et scolastiques qu'il a fini par reconnaître la stérilité de ses efforts dans cette voie. L'homme s'aperçut alors qu'il ne peut dicter des lois à la nature, parce qu'il ne possède pas en lui-même la connaissance et le critérium des choses extérieures, et il comprit que, pour arriver à la vérité, il doit, au contraire, étudier les lois naturelles et soumettre ses idées, sinon sa raison, à l'expérience, c'est-à-dire au critérium des faits. Toutefois, la manière de procéder de l'esprit humain n'est pas changée au fond pour cela. Le métaphysicien, le scolastique et l'expérimentateur procèdent tous par une idée *a priori*. La différence consiste en ce que le scolastique impose son idée comme une vérité absolue qu'il a trouvée, et dont il déduit ensuite par la logique seule toutes les conséquences.

L'expérimentateur, plus modeste, pose au contraire son idée comme une question, comme une interprétation anticipée de la nature, plus ou moins probable, dont il déduit logiquement des conséquences qu'il confronte à chaque instant avec la réalité au moyen de l'expérience. Il marche ainsi des vérités partielles à des vérités plus générales, mais sans jamais oser prétendre qu'il tient la vérité absolue. Celle-ci, en effet, si on la possédait sur un point quelconque, on l'aurait partout; car l'absolu ne laisse rien en dehors de lui.

L'idée expérimentale est donc aussi une idée *a priori*, mais c'est une idée qui se présente sous la forme d'une hypothèse dont les conséquences doivent être soumises au critérium expérimental afin d'en juger la valeur. L'esprit de l'expérimentateur se distingue de celui du métaphysicien et du scolastique par la modestie, parce que, à chaque instant, l'expérience lui donne la conscience de son ignorance relative et absolue. En instruisant l'homme, la science expérimentale a pour effet de diminuer de plus en plus son orgueil, en lui prouvant chaque jour que les causes premières, ainsi que la réalité objective des choses, lui seront à jamais cachées, et qu'il ne peut connaître que des relations. C'est là en effet le but unique de toutes les sciences, ainsi que nous le verrons plus loin.

L'esprit humain, aux diverses périodes de son évolution, a passé successivement par le *sentiment*, la *raison* et l'*expérience*. D'abord le sentiment, seul s'imposant à la raison, créa les vérités de foi, c'est-à-dire la théologie. La raison ou la philosophie, devenant ensuite la maîtresse, enfanta la scolastique. Enfin, l'expérience, c'est-à-dire l'étude des phénomènes naturels, apprit à l'homme que les vérités du monde extérieur ne se trouvent formulées de prime abord ni dans le sentiment ni dans la raison. Ce sont seulement nos guides indispensables; mais, pour obtenir ces vérités, il faut nécessairement descendre dans la réalité objective des choses où elles se trouvent cachées avec leur forme phénoménale.

C'est ainsi qu'apparut par le progrès naturel des choses la méthode expérimentale qui résume tout et qui, comme nous le verrons bientôt, s'appuie successivement sur les trois branches de ce trépied immuable : le *sentiment*, la *raison* et l'*expérience*. Dans la recherche de la vérité, au moyen de cette méthode, le sentiment a toujours l'initiative, il engendre l'idée *a priori* ou l'intuition; la raison ou le raisonnement développe ensuite l'idée et déduit ses conséquences logiques. Mais si le sentiment doit être éclairé par les lumières de la raison, la raison à son tour doit être guidée par l'expérience.

I. — LES VÉRITÉS EXPÉRIMENTALES SONT OBJECTIVES OU EXTÉRIEURES

La méthode expérimentale ne se rapporte qu'à la recherche des vérités objectives, et non à celle des vérités subjectives.

De même que dans le corps de l'homme il y a deux ordres de fonctions, les unes qui sont conscientes et les autres qui ne le sont pas, de même dans son esprit il y a deux ordres de vérités ou de notions, les unes conscientes, intérieures ou subjectives, les autres inconscientes, extérieures ou objectives. Les vérités subjectives sont celles qui découlent de principes dont l'esprit a conscience et qui apportent en lui le sentiment d'une évidence absolue et nécessaire. En effet, les plus grandes vérités ne sont au fond qu'un sentiment de notre esprit; c'est ce qu'a voulu dire Descartes dans son fameux aphorisme.

Nous avons dit, d'un autre côté, que l'homme ne connaîtrait jamais ni les causes premières ni l'essence des choses. Dès lors la vérité n'apparaît jamais à son esprit que sous la forme d'une relation ou d'un *rapport* absolu et nécessaire. Mais ce rapport ne peut être absolu qu'autant que les conditions en sont simples et subjectives, c'est-à-dire que l'esprit a la conscience qu'il les connaît toutes. Les mathématiques représentent les rapports des choses dans les conditions d'une simplicité idéale. Il en résulte que ces principes ou rapports, une fois trouvés, sont acceptés par l'esprit comme des vérités absolues, c'est-à-dire indépendantes de la réalité. On conçoit dès lors que toutes les déductions logiques d'un raisonnement mathématique soient aussi certaines que leur principe et qu'elles n'aient pas besoin d'être vérifiées par l'expérience. Ce serait vouloir mettre les sens au-dessus de la raison, et il serait absurde de chercher à prouver ce qui est vrai absolument pour l'esprit et ce qu'il ne pourrait concevoir autrement.

Mais quand, au lieu de s'exercer sur des rapports subjectifs dont son esprit a créé les conditions, l'homme veut connaître les rapports objectifs de la nature qu'il n'a pas créés, immédiatement le critérium intérieur et conscient lui fait défaut. Il a toujours la conscience, sans doute, que dans le monde objectif ou extérieur, la vérité est également constituée par des rapports nécessaires, mais la connaissance des conditions de ces rapports lui manque. Il faudrait, en effet, qu'il eût créé ces conditions pour en posséder la connaissance et la conception absolues.

Toutefois l'homme doit croire que les rapports objectifs des phénomènes du monde extérieur pourraient acquérir la certitude des vérités subjectives s'ils étaient réduits à un état de simplicité que son esprit pût embrasser complètement. C'est ainsi que dans l'étude des phénomènes les plus simples, la science expérimentale a saisi certains rapports qui paraissent absolus. Telles sont les propositions qui servent de principes à la mécanique rationnelle et à quelques branches de la physique mathématique. Dans ces sciences, en effet, on raisonne par une déduction logique que l'on ne soumet pas à l'expérience, parce qu'on admet, comme en mathématiques, que, le principe étant vrai, les conséquences le sont aussi. Toutefois, il y a là une grande différence à signaler, en ce sens que le point de départ n'est plus ici une vérité *subjective* et consciente, mais une vérité *objective* et inconsciente empruntée à l'observation ou à l'expérience. Or, cette vérité n'est jamais que relative au nombre d'expériences et d'observations qui ont été faites. Si jusqu'à présent aucune observation n'a démenti la vérité en question, l'esprit ne conçoit pas pour cela l'impossibilité que les choses se passent autrement. De sorte que c'est toujours par hypothèse qu'on admet le principe absolu. C'est pourquoi l'application de l'analyse mathématique à des phénomènes naturels, quoique très simples, peut avoir des dangers si la vérification expérimentale est repoussée d'une manière complète. Dans ce cas, l'analyse mathématique devient un instrument aveugle si on ne la retrempe de temps en temps au foyer de l'expérience. J'exprime ici une pensée émise par beaucoup de grands mathématiciens et de grands physiciens, et, pour rapporter une des opinions les plus autorisées en pareille matière, je citerai ce que mon savant confrère et ami M. J. Bertrand a écrit à ce sujet dans son bel éloge de Sénarmont : « La géométrie ne doit être pour le physicien qu'un puissant auxiliaire : quand elle a poussé les principes à leurs dernières conséquences, il lui est impossible de faire davantage, et l'incertitude du point de départ ne peut que s'accroître par l'aveugle logique de l'analyse, si l'expérience ne vient à chaque pas servir de boussole et de règle *. »

La mécanique rationnelle et la physique mathématique forment donc le passage entre les mathématiques proprement dites et les sciences expérimentales. Elles renferment les cas les plus simples. Mais, dès que nous entrons dans la physique et dans la chimie, et à plus forte raison dans la biologie, les phénomènes se compliquent de rapports tellement nombreux, que les principes représentés par les théories, auxquels nous avons pu nous élever, ne sont que provisoires et tellement hypothétiques, que nos déductions, bien que très logiques, sont complètement incertaines, et ne sauraient dans aucun cas se passer de la vérification expérimentale.

En un mot, l'homme peut rapporter tous ses raisonnements à deux critériums, l'un intérieur et conscient, qui est certain et absolu; l'autre extérieur et inconscient, qui est expérimental et relatif.

Quand nous raisonnons sur les objets extérieurs, mais en les considérant par rapport à nous suivant l'agrément ou le désagrément qu'ils nous causent, suivant leur utilité ou leurs inconvénients, nous possédons encore dans nos sensations un critérium intérieur. De même, quand nous raisonnons sur nos propres actes, nous avons également un guide certain, parce que nous avons conscience de ce que nous pensons et de ce que nous sentons. Mais si nous voulons juger les actes d'un autre homme et savoir les mobiles qui le font agir, c'est tout différent. Sans doute nous avons devant les yeux les mouvements de cet homme et ses manifestations qui sont, nous en sommes sûrs, les modes d'expression de sa sensibilité et de sa volonté. De plus nous admettons encore qu'il y a un rapport nécessaire entre les actes et leur cause; mais quelle est cette cause ? Nous ne la sentons pas en nous, nous n'en avons pas conscience comme quand il s'agit de nous-même; nous sommes donc obligés de l'interpréter et de la supposer d'après les mouvements que nous voyons et les paroles que nous entendons. Alors nous devons contrôler les actes de cet homme les uns par les autres; nous considérons comment il agit dans telle ou telle circonstance, et, en un mot, nous recourons à la méthode expérimentale. De même

* Discours prononcé à la 6e séance publique et annuelle de la Société de secours des amis des sciences.

quand le savant considère les phénomènes naturels qui
l'entourent et qu'il veut les connaître en eux-mêmes et
dans leurs rapports mutuels et complexes de causalité,
tout critérium intérieur lui fait défaut, et il est obligé
d'invoquer l'expérience pour contrôler les suppositions
et les raisonnements qu'il fait à leur égard. L'expérience,
suivant l'expression de Gœthe, devient alors la seule
médiatrice entre l'objectif et le subjectif *, c'est-à-dire
entre le savant et les phénomènes qui l'environnent.

Le raisonnement expérimental est donc le seul que
le naturaliste et le médecin puissent employer pour
chercher la vérité et en approcher autant que possible.
En effet, par sa nature même de critérium extérieur
et inconscient, l'expérience ne donne que la vérité relative sans jamais pouvoir prouver à l'esprit qu'il la possède
d'une manière absolue.

L'expérimentateur qui se trouve en face des phénomènes
naturels ressemble à un spectateur qui observe des scènes
muettes. Il est en quelque sorte le juge d'instruction de la
nature; seulement, au lieu d'être aux prises avec des
hommes qui cherchent à le tromper par des aveux men-
songers ou par de faux témoignages, il a affaire à des
phénomènes naturels qui sont pour lui des personnages
dont il ne connaît ni le langage ni les mœurs, qui vivent
au milieu de circonstances qui lui sont inconnues, et dont
il veut cependant savoir les intentions. Pour cela il
emploie tous les moyens qui sont en sa puissance. Il
observe leurs actions, leur marche, leurs manifestations,
et il cherche à en démêler la cause au moyen de tentatives
diverses, appelées expériences. Il emploie tous les artifices imaginables et, comme on le dit vulgairement, il
plaide souvent le faux pour savoir le vrai. Dans tout cela
l'expérimentateur raisonne nécessairement d'après lui-
même et prête à la nature ses propres idées. Il fait des
suppositions sur la cause des actes qui se passent devant
lui, et, pour savoir si l'hypothèse qui sert de base à son
interprétation est juste, il s'arrange pour faire apparaître
des faits, qui, dans l'ordre logique, puissent être la
confirmation ou la négation de l'idée qu'il a conçue. Or, je
le répète, c'est ce contrôle logique qui seul peut l'instruire
et lui donner l'*expérience*. Le naturaliste qui observe des
animaux dont il veut connaître les mœurs et les habitudes,

---

* Gœthe, *Œuvres d'histoire naturelle*, traduction de M. Martine.
Introduction, p. 1.

le physiologiste et le médecin qui veulent étudier les fonctions cachées des corps vivants, le physicien et le chimiste qui déterminent les phénomènes de la matière brute; tous sont dans le même cas, ils ont devant eux des manifestations qu'ils ne peuvent interpréter qu'à l'aide du critérium expérimental, le seul dont nous ayons à nous occuper ici.

II. — L'INTUITION OU LE SENTIMENT ENGENDRE L'IDÉE EXPÉRIMENTALE

Nous avons dit plus haut que la méthode expérimentale s'appuie successivement sur le *sentiment*, la *raison* et l'*expérience*.

Le sentiment engendre l'idée ou l'hypothèse expérimentale, c'est-à-dire l'interprétation anticipée des phénomènes de la nature. Toute l'initiative expérimentale est dans l'idée, car c'est elle qui provoque l'expérience. La raison ou le raisonnement ne servent qu'à déduire les conséquences de cette idée et à les soumettre à l'expérience.

Une idée anticipée ou une hypothèse est donc le point de départ nécessaire de tout raisonnement expérimental. Sans cela on ne saurait faire aucune investigation ni s'instruire; on ne pourrait qu'entasser des observations stériles. Si l'on *expérimentait* sans idée préconçue, on irait à l'aventure; mais d'un autre côté, ainsi que nous l'avons dit ailleurs, si l'on *observait* avec des idées préconçues, on ferait de mauvaises observations et l'on serait exposé à prendre les conceptions de son esprit pour la réalité.

Les idées expérimentales ne sont point innées. Elles ne surgissent point spontanément, il leur faut une occasion ou un excitant extérieur, comme cela a lieu dans toutes les fonctions physiologiques. Pour avoir une première idée des choses, il faut voir ces choses; pour avoir une idée sur un phénomène de la nature, il faut d'abord l'*observer*. L'esprit de l'homme ne peut concevoir un effet sans cause, de telle sorte que la vue d'un phénomène éveille toujours en lui une idée de causalité. Toute la connaissance humaine se borne à remonter des effets observés à leur cause. A la suite d'une observation, une idée relative à la cause du phénomène observé se présente à l'esprit; puis on introduit cette idée anticipée dans un

raisonnement en vertu duquel on fait des expériences
pour la contrôler.

Les idées expérimentales, comme nous le verrons
plus tard, peuvent naître soit à propos d'un fait observé
par hasard, soit à la suite d'une tentative expérimentale,
soit comme corollaires d'une théorie admise. Ce qu'il
faut seulement noter pour le moment, c'est que l'idée
expérimentale n'est point arbitraire ni purement imagi-
naire; elle doit avoir toujours un point d'appui dans la
réalité observée, c'est-à-dire dans la nature. L'hypothèse
expérimentale, en un mot, doit toujours être fondée sur
une *observation* antérieure. Une autre condition essentielle
de l'hypothèse, c'est qu'elle soit aussi probable que possible
et qu'elle soit vérifiable expérimentalement. En effet, si
l'on faisait une hypothèse que l'expérience ne pût pas
vérifier, on sortirait par cela même de la méthode expérimentale pour tomber dans les défauts des scolastiques et
des systématiques.

Il n'y a pas de règles à donner pour faire naître dans
le cerveau, à propos d'une observation donnée, une idée
juste et féconde qui soit pour l'expérimentateur une sorte
d'anticipation intuitive de l'esprit vers une recherche
heureuse. L'idée une fois émise, on peut seulement dire
comment il faut la soumettre à des préceptes définis et à
des règles logiques précises dont aucun expérimentateur
ne saurait s'écarter; mais son apparition a été toute spontanée, et sa nature est tout individuelle. C'est un sentiment particulier, un *quid proprium* qui constitue l'originalité, l'invention ou le génie de chacun. Une idée neuve
apparaît comme une relation nouvelle ou inattendue que
l'esprit aperçoit entre les choses. Toutes les intelligences
se ressemblent sans doute et des idées semblables peuvent naître chez tous les hommes, à l'occasion de certains
rapports simples des objets que tout le monde peut saisir.
Mais comme les sens, les intelligences n'ont pas toutes la
même puissance ni la même acuité, et il est des rapports
subtils et délicats qui ne peuvent être sentis, saisis et
dévoilés que par des esprits plus perspicaces, mieux doués
ou placés dans un milieu intellectuel qui les prédispose
d'une manière favorable.

Si les faits donnaient nécessairement naissance aux
idées, chaque fait nouveau devrait engendrer une idée
nouvelle. Cela a lieu, il est vrai, le plus souvent; car
il est des faits nouveaux qui, par leur nature, font venir la
même idée nouvelle à tous les hommes placés dans les

mêmes conditions d'instruction antérieure. Mais il est aussi des faits qui ne disent rien à l'esprit du plus grand nombre, tandis qu'ils sont lumineux pour d'autres. Il arrive même qu'un fait ou une observation reste très longtemps devant les yeux d'un savant sans lui rien inspirer; puis tout à coup vient un trait de lumière, et l'esprit interprète le même fait tout autrement qu'auparavant et lui trouve des rapports tout nouveaux. L'idée neuve apparaît alors avec la rapidité de l'éclair comme une sorte de révélation subite; ce qui prouve bien que dans ce cas la découverte réside dans un sentiment des choses qui est non seulement personnel, mais qui est même relatif à l'état actuel dans lequel se trouve l'esprit.

La méthode expérimentale ne donnera donc pas des idées neuves et fécondes à ceux qui n'en ont pas; elle servira seulement à diriger les idées chez ceux qui en ont et à les développer afin d'en retirer les meilleurs résultats possible. L'idée, c'est la graine; la méthode, c'est le sol qui lui fournit les conditions de se développer, de prospérer et de donner les meilleurs fruits suivant sa nature. Mais de même qu'il ne poussera jamais dans le sol que ce qu'on y sème, de même il ne se développera par la méthode expérimentale que les idées qu'on lui soumet. La méthode par elle-même n'enfante rien, et c'est une erreur de certains philosophes d'avoir accordé trop de puissance à la méthode sous ce rapport.

L'idée expérimentale résulte d'une sorte de pressentiment de l'esprit qui juge que les choses doivent se passer d'une certaine manière. On peut dire sous ce rapport que nous avons dans l'esprit l'intuition ou le sentiment des lois de la nature, mais nous n'en connaissons pas la forme. L'expérience peut seule nous l'apprendre.

Les hommes qui ont le pressentiment des vérités nouvelles sont rares; dans toutes les sciences, le plus grand nombre des hommes développe et poursuit les idées d'un petit nombre d'autres. Ceux qui font des *découvertes* sont les promoteurs d'idées neuves et fécondes. On donne généralement le nom de découverte à la connaissance d'un fait nouveau; mais je pense que c'est l'idée qui se rattache au fait découvert qui constitue en réalité la découverte. Les faits ne sont ni grands ni petits par eux-mêmes. Une grande découverte est un fait qui, en apparaissant dans la science, a donné naissance à des idées lumineuses, dont la clarté a dissipé un grand nombre d'obscurités et montré les voies nouvelles. Il y a d'autres faits qui, bien que nouveaux, n'apprennent que peu de chose; ce sont alors de petites découvertes. Enfin il y a des faits nouveaux qui, quoique bien observés, n'apprennent rien à personne; ils restent, pour le moment, isolés et stériles dans la science; c'est ce qu'on pourrait appeler le fait brut ou le fait brutal.

La découverte est donc l'idée neuve qui surgit à propos d'un fait trouvé par hasard ou autrement. Par conséquent, il ne saurait y avoir de méthode pour faire des découvertes, parce que les théories philosophiques ne peuvent pas plus donner le sentiment inventif et la justesse de l'esprit à ceux qui ne les possèdent pas, que la connaissance des théories acoustiques ou optiques ne peut donner une oreille juste ou une bonne vue à ceux qui en sont naturellement privés. Seulement les bonnes méthodes peuvent nous apprendre à développer et à mieux utiliser les facultés que la nature nous a dévolues, tandis que les mauvaises méthodes peuvent nous empêcher d'en tirer un heureux profit. C'est ainsi que le génie de l'invention, si précieux dans les sciences, peut être diminué ou même étouffé par une mauvaise méthode, tandis qu'une bonne méthode peut l'accroître et le développer. En un mot, une bonne méthode favorise le développement scientifique et prémunit le savant contre les causes d'erreurs si nombreuses qu'il rencontre dans la recherche de la vérité; c'est là le seul objet que puisse se proposer la méthode expérimentale. Dans les sciences biologiques, ce rôle de la méthode est encore plus important que dans les autres, par suite de la complexité immense des phénomènes et des causes d'erreurs sans nombre que cette complexité introduit dans l'expérimentation. Toutefois, même au point de vue biologique, nous ne saurions avoir la prétention de traiter ici de la méthode expérimentale d'une manière complète; nous devons nous borner à donner quelques principes généraux, qui pourront guider l'esprit de celui qui se livre aux recherches de médecine expérimentale.

III. — L'EXPÉRIMENTATEUR DOIT DOUTER, FUIR LES IDÉES FIXES ET GARDER TOUJOURS SA LIBERTÉ D'ESPRIT

La première condition que doit remplir un savant qui se livre à l'investigation dans les phénomènes naturels, c'est de conserver une entière liberté d'esprit assise sur le doute philosophique. Il ne faut pourtant point être sceptique; il faut croire à la science, c'est-à-dire au déterminisme, au rapport absolu et nécessaire des choses, aussi bien dans les phénomènes propres aux êtres vivants que dans tous les autres; mais il faut en même temps être bien convaincu que nous n'avons ce rapport que d'une manière plus ou moins approximative, et que les théories que nous possédons sont loin de représenter des vérités immuables. Quand nous faisons une théorie générale dans nos sciences, la seule chose dont nous soyons certains, c'est que toutes ces théories sont fausses absolument parlant. Elles ne sont que des vérités partielles et provisoires qui nous sont nécessaires, comme des degrés sur lesquels nous nous reposons, pour avancer dans l'investigation; elles ne représentent que l'état actuel de nos connaissances, et, par conséquent, elles devront se modifier avec l'accroissement de la science, et d'autant plus souvent que les sciences sont moins avancées dans leur évolution. D'un autre côté, nos idées, ainsi que nous l'avons dit, nous viennent à la vue de faits qui ont été préalablement observés et que nous interprétons ensuite. Or, des causes d'erreurs sans nombre peuvent se glisser dans nos observations, et, malgré toute notre attention et notre sagacité, nous ne sommes jamais sûrs d'avoir tout vu, parce que souvent les moyens de constatation nous manquent ou sont trop imparfaits. De tout cela, il résulte donc que, si le raisonnement nous guide dans la science expérimentale, il ne nous impose pas nécessairement ses conséquences. Notre esprit peut toujours rester libre de les accepter ou de les discuter. Si une idée se présente à nous, nous ne devons pas la repousser par cela seul qu'elle n'est pas d'accord avec les conséquences logiques d'une théorie régnante. Nous pouvons suivre notre sentiment et notre idée, donner carrière à notre imagination, pourvu que toutes nos idées ne soient que des prétextes à instituer des expériences nouvelles qui puissent nous fournir des faits probants ou inattendus et féconds.

Cette liberté que garde l'expérimentateur est, ainsi que je l'ai dit, fondée sur le doute philosophique. En effet, nous devons avoir conscience de l'incertitude de nos raisonnements à cause de l'obscurité de leur point de départ. Ce point de départ repose toujours au fond sur des hypothèses ou sur des théories plus ou moins imparfaites, suivant l'état d'avancement des sciences. En biologie

et particulièrement en médecine, les théories sont si précaires que l'expérimentateur garde presque toute sa liberté.
En chimie et en physique les faits deviennent plus simples,
les sciences sont plus avancées, les théories sont plus assurées, et l'expérimentateur doit en tenir un plus grand
compte et accorder une plus grande importance aux
conséquences du raisonnement expérimental fondé sur
elles. Mais encore ne doit-il jamais donner une valeur
absolue à ces théories. De nos jours, on a vu des grands
physiciens faire des découvertes du premier ordre à l'occasion d'expériences instituées d'une manière illogique
par rapport aux théories admises. L'astronomie a assez
de confiance dans les principes de sa science pour construire avec eux des théories mathématiques, mais cela
ne l'empêche pas de les vérifier et de les contrôler par des
observations directes; ce précepte même, ainsi que nous
l'avons vu, ne doit pas être négligé en mécanique rationnelle. Mais dans les mathématiques, quand on part d'un
axiome ou d'un principe dont la vérité est absolument
nécessaire et consciente, la liberté n'existe plus; les vérités
acquises sont immuables. Le géomètre n'est pas libre
de mettre en doute si les trois angles d'un triangle sont
égaux ou non à deux droits; par conséquent, il n'est pas
libre de rejeter les conséquences logiques qui se déduisent
de ce principe.

Si un médecin se figurait que ses raisonnements ont la
valeur de ceux d'un mathématicien, il serait dans la plus
grande des erreurs et il serait conduit aux conséquences
les plus fausses. C'est malheureusement ce qui est arrivé
et ce qui arrive encore pour les hommes que j'appelle-
rai des systématiques. En effet, ces hommes partent d'une
idée fondée plus ou moins sur l'observation et qu'ils
considèrent comme une vérité absolue. Alors ils raisonnent
logiquement et sans expérimenter, et arrivent, de conséquence en conséquence, à construire un système qui est
logique, mais qui n'a aucune réalité scientifique. Souvent
les personnes superficielles se laissent éblouir par cette
apparence de logique, et c'est ainsi que se renouvellent
parfois de nos jours des discussions dignes de l'ancienne
scolastique. Cette foi trop grande dans le raisonnement,
qui conduit un physiologiste à une fausse simplification
des choses, tient d'une part à l'ignorance de la science dont
il parle, et d'autre part à l'absence du sentiment de complexité des phénomènes naturels. C'est pourquoi nous
voyons quelquefois des mathématiciens purs, très grands

esprits d'ailleurs, tomber dans des erreurs de ce genre; ils simplifient trop et raisonnent sur les phénomènes tels qu'il les font dans leur esprit, mais non tels qu'ils sont dans la nature.

Le grand principe expérimental est donc le doute, le doute philosophique qui laisse à l'esprit sa liberté et son initiative, et d'où dérivent les qualités les plus précieuses pour un investigateur en physiologie et en médecine. Il ne faut croire à nos observations, à nos théories que sous bénéfice d'inventaire expérimental. Si l'on croit trop, l'esprit se trouve lié et rétréci par les conséquences de son propre raisonnement; il n'a plus de liberté d'action et manque par suite de l'initiative que possède celui qui sait se dégager de cette foi aveugle dans les théories, qui n'est au fond qu'une superstition scientifique.

On a souvent dit que, pour faire des découvertes, il fallait être ignorant. Cette opinion fausse en elle-même cache cependant une vérité. Elle signifie qu'il vaut mieux ne rien savoir que d'avoir dans l'esprit des *idées fixes* appuyées sur des théories dont on cherche toujours la confirmation en négligeant tout ce qui ne s'y rapporte pas. Cette disposition d'esprit est des plus mauvaises, et elle est éminemment opposée à l'invention. En effet, une découverte est en général un rapport imprévu qui ne se trouve pas compris dans la théorie, car sans cela il serait prévu. Un homme ignorant, qui ne connaîtrait pas la théorie, serait, en effet, sous ce rapport, dans de meilleures conditions d'esprit; la théorie ne le gênerait pas et ne l'empêcherait pas de voir des faits nouveaux que n'aperçoit pas celui qui est préoccupé d'une théorie exclusive. Mais hâtons-nous de dire qu'il ne s'agit point ici d'élever l'ignorance en principe. Plus on est instruit, plus on possède de connaissances antérieures, mieux on aura l'esprit disposé pour faire des découvertes grandes et fécondes. Seulement il faut garder sa liberté d'esprit, ainsi que nous l'avons dit plus haut, et croire que dans la nature l'absurde suivant nos théories n'est pas toujours impossible.

Les hommes qui ont une foi excessive dans leurs théories ou dans leurs idées sont non seulement mal disposés pour faire des découvertes, mais ils font aussi de très mauvaises observations. Ils observent nécessairement avec une idée préconçue, et quand ils ont institué une expérience, ils ne veulent voir dans ses résultats qu'une confirmation de leur théorie. Ils défigurent ainsi l'observation et négligent souvent des faits très importants, parce qu'ils ne concourent pas à leur but. C'est ce qui nous a fait dire ailleurs qu'il ne fallait jamais faire des expériences pour confirmer ses idées, mais simplement pour les contrôler *; ce qui signifie, en d'autres termes, qu'il faut accepter les résultats de l'expérience tels qu'ils se présentent, avec tout leur imprévu et leurs accidents.

Mais il arrive encore tout naturellement que ceux qui croient trop à leurs théories ne croient pas assez à celles des autres. Alors l'idée dominante de ces contempteurs d'autrui est de trouver les théories des autres en défaut et de chercher à les contredire. L'inconvénient pour la science reste le même. Ils ne font des expériences que pour détruire une théorie, au lieu de les faire pour chercher la vérité. Ils font également de mauvaises observations parce qu'ils ne prennent dans les résultats de leurs expériences que ce qui convient à leur but en négligeant ce qui ne s'y rapporte pas, et en écartant bien soigneusement tout ce qui pourrait aller dans le sens de l'idée qu'ils veulent combattre. On est donc conduit ainsi par ces deux voies opposées au même résultat, c'est-à-dire à fausser la science et les faits.

La conclusion de tout ceci est qu'il faut effacer son opinion aussi bien que celle des autres devant les décisions de l'expérience. Quand on discute et que l'on expérimente comme nous venons de le dire, pour prouver quand même une idée préconçue, on n'a plus l'esprit libre et l'on ne cherche plus la vérité. On fait de la science étroite à laquelle se mêlent la vanité personnelle ou les diverses passions humaines. L'amour-propre, cependant, ne devrait rien avoir à faire dans toutes ces vaines disputes. Quand deux physiologistes ou deux médecins se querellent pour soutenir chacun leurs idées ou leurs théories, il n'y a au milieu de leurs arguments contradictoires qu'une seule chose qui soit absolument certaine : c'est que les deux théories sont insuffisantes et ne représentent la vérité ni l'une ni l'autre. L'esprit vraiment scientifique devrait donc nous rendre modestes et bienveillants. Nous savons tous bien peu de chose en réalité, et nous sommes tous faillibles en face des difficultés immenses que nous offre l'investigation dans les phénomènes naturels. Nous n'aurions donc rien de mieux à faire que de réunir nos efforts au lieu de les diviser et de les neutrali-

---

* *Leçons sur les propriétés et les altérations des liquides de l'organisme.* Paris, 1859. 1re leçon.

ser par des disputes personnelles. En un mot, le savant qui veut trouver la vérité doit conserver son esprit libre, calme, et, si c'était possible, ne jamais avoir, comme dit Bacon, l'œil humecté par les passions humaines.

Dans l'éducation scientifique, il importerait beaucoup de distinguer, ainsi que nous le ferons plus loin, le déterminisme qui est le principe absolu de la science d'avec les théories qui ne sont que des principes relatifs auxquels on ne doit accorder qu'une valeur provisoire dans la recherche de la vérité. En un mot il ne faut point enseigner les théories comme des dogmes ou des articles de foi. Par cette croyance exagérée dans les théories, on donnerait une idée fausse de la science, on surchargerait et l'on asservirait l'esprit en lui enlevant sa liberté et étouffant son originalité, et en lui donnant le goût des systèmes.

Les théories qui représentent l'ensemble de nos idées scientifiques sont sans doute indispensables pour représenter la science. Elles doivent aussi servir de point d'appui à des idées investigatrices nouvelles. Mais ces théories et ces idées n'étant point la vérité immuable, il faut être toujours prêt à les abandonner, à les modifier ou à les changer dès qu'elles ne représentent plus la réalité. En un mot, il faut modifier la théorie pour l'adapter à la nature, et non la nature pour l'adapter à la théorie.

En résumé, il y a deux choses à considérer dans la science expérimentale : la méthode et l'idée. La méthode a pour objet de diriger l'idée qui s'élance en avant dans l'interprétation des phénomènes naturels et dans la recherche de la vérité. L'idée doit toujours rester indépendante, et il ne faut point l'enchaîner, pas plus par des *croyances scientifiques* que par des croyances philosophiques ou religieuses; il faut être hardi et libre dans la manifestation de ses idées, suivre son sentiment et ne point trop s'arrêter à ces craintes puériles de la contradiction des théories. Si l'on est bien imbu des principes de la méthode expérimentale, on n'a rien à craindre; car, tant que l'idée est juste, on continue à la développer; quand elle est erronée, l'expérience est là pour la rectifier. Il faut donc savoir trancher les questions, même au risque d'errer. On rend plus de service à la science, a-t-on dit, par l'erreur que par la confusion, ce qui signifie qu'il faut pousser sans crainte les idées dans tout leur développement pourvu qu'on les règle et que l'on ait toujours soin de les juger par l'expérience. L'idée, en un mot, est le mobile de tout raisonnement en science comme ailleurs.

Mais partout l'idée doit être soumise à un critérium. En science, ce critérium est la méthode expérimentale ou l'expérience, ce critérium est indispensable, et nous devons l'appliquer à nos propres idées comme à celles des autres.

IV. — CARACTÈRE INDÉPENDANT DE LA MÉTHODE EXPÉRIMENTALE

De tout ce qui a été dit précédemment il résulte nécessairement que l'opinion d'aucun homme, formulée en théorie ou autrement, ne saurait être considérée comme représentant la vérité complète dans les sciences. C'est un guide, une lumière, mais non une autorité absolue. La révolution que la méthode expérimentale a opérée dans les sciences consiste à avoir substitué un critérium scientifique à l'autorité personnelle.

Le caractère de la méthode expérimentale est de ne relever que d'elle-même, parce qu'elle renferme en elle son critérium, qui est l'expérience. Elle ne reconnaît d'autre autorité que celle des faits, et elle s'affranchit de l'autorité personnelle. Quand Descartes disait qu'il faut ne s'en rapporter qu'à l'évidence ou à ce qui est suffisamment démontré, cela signifiait qu'il fallait ne plus s'en référer à l'autorité, comme faisait la scolastique, mais ne s'appuyer que sur les faits bien établis par l'expérience.

De là il résulte que, lorsque dans la science nous avons émis une idée ou une théorie, nous ne devons pas avoir pour but de la conserver en cherchant tout ce qui peut l'appuyer et en écartant tout ce qui peut l'infirmer. Nous devons, au contraire, examiner avec le plus grand soin les faits qui semblent la renverser, parce que le progrès réel consiste toujours à changer une théorie ancienne qui renferme moins de faits contre une nouvelle qui en renferme davantage. Cela prouve que l'on a marché, car en science le grand précepte est de modifier et de changer ses idées à mesure que la science avance. Nos idées ne sont que des instruments intellectuels qui nous servent à pénétrer dans les phénomènes ; il faut les changer quand elles ont rempli leur rôle, comme on change un bistouri émoussé quand il a servi assez longtemps.

Les idées et les théories de nos prédécesseurs ne doivent être conservées qu'autant qu'elles représentent l'état de la science, mais elles sont évidemment destinées à changer, à moins que l'on admette que la science ne doive plus faire de progrès, ce qui est impossible. Sous ce rapport, il y aurait peut-être une distinction à établir entre les sciences mathématiques et les sciences expérimentales. Les vérités mathématiques étant immuables et absolues, la science s'accroît par juxtaposition simple et successive de toutes les vérités acquises. Dans les sciences expérimentales, au contraire, les vérités n'étant que relatives, la science ne peut avancer que par révolution et par absorption des vérités anciennes dans une forme scientifique nouvelle.

Dans les sciences expérimentales, le respect mal entendu de l'autorité personnelle serait de la superstition et constituerait un véritable obstacle aux progrès de la science ; ce serait en même temps contraire aux exemples que nous ont donnés les grands hommes de tous les temps. En effet, les grands hommes sont précisément ceux qui ont apporté des idées nouvelles et détruit des erreurs. Ils n'ont donc pas respecté eux-mêmes l'autorité de leurs prédécesseurs, et ils n'entendent pas qu'on agisse autrement envers eux.

Cette non-soumission à l'autorité, que la méthode expérimentale consacre comme un précepte fondamental, n'est nullement en désaccord avec le respect et l'admiration que nous vouons aux grands hommes qui nous ont précédés et auxquels nous devons les découvertes qui sont les bases des sciences actuelles *.

Dans les sciences expérimentales les grands hommes ne sont jamais les promoteurs de vérités absolues et immuables. Chaque grand homme tient à son temps et ne peut venir qu'à son moment, en ce sens qu'il y a une succession nécessaire et subordonnée dans l'apparition des découvertes scientifiques. Les grands hommes peuvent être comparés à des flambeaux qui brillent de loin en loin pour guider la marche de la science. Ils éclairent leur temps, soit en découvrant des phénomènes imprévus et féconds qui ouvrent des voies nouvelles et montrent des horizons inconnus, soit en généralisant les faits scientifiques acquis et en en faisant sortir des vérités que leurs devanciers n'avaient point aperçues. Si chaque grand homme fait accomplir un grand pas à la science qu'il féconde, il n'a jamais eu la prétention d'en poser les

---

* Voy. *Cours de médecine expérimentale ; leçon d'ouverture* (*Gazette méd.*, 15 avril 1864).

dernières limites, et il est nécessairement destiné à être dépassé et laissé en arrière par les progrès des générations qui suivront. Les grands hommes ont été comparés à des géants sur les épaules desquels sont montés des pygmées, qui cependant voient plus loin qu'eux. Ceci veut dire simplement que les sciences font des progrès après ces grands hommes et précisément à cause de leur influence. D'où il résulte que leurs successeurs auront des connaissances scientifiques acquises plus nombreuses que celles que ces grands hommes possédaient de leur temps. Mais le grand homme n'en reste pas moins le grand homme, c'est-à-dire le géant.

Il y a, en effet, deux parties dans les sciences en évolution; il y a d'une part ce qui est acquis et d'autre part ce qui reste à acquérir. Dans ce qui est acquis, tous les hommes se valent à peu près, et les grands ne sauraient se distinguer des autres. Souvent même les hommes médiocres sont ceux qui possèdent le plus de connaissances acquises. C'est dans les parties obscures de la science que le grand homme se reconnaît; il se caractérise par des idées de génie qui illuminent des phénomènes restés obscurs et portent la science en avant.

En résumé, la méthode expérimentale puise en elle-même une autorité *impersonnelle* qui domine la science. Elle l'impose même aux grands hommes au lieu de chercher comme les scolastiques à prouver par les textes qu'ils sont infaillibles et qu'ils ont vu, dit ou pensé tout ce qu'on a découvert après eux. Chaque temps a sa somme d'erreurs et de vérités. Il y a des erreurs qui sont en quelque sorte inhérentes à leur temps, et que les progrès ultérieurs de la science peuvent seuls faire reconnaître. Les progrès de la méthode expérimentale consistent en ce que la somme des vérités augmente à mesure que la somme des erreurs diminue. Mais chacune de ces vérités particulières s'ajoute aux autres pour constituer des vérités plus générales. Les noms des promoteurs de la science disparaissent peu à peu dans cette fusion, et plus la science avance, plus elle prend la forme impersonnelle et se détache du passé. Je me hâte d'ajouter, pour éviter une confusion qui a parfois été commise, que je n'entends parler ici que de l'évolution de la science. Pour les arts et les lettres, la personnalité domine tout. Il s'agit là d'une création spontanée de l'esprit, et cela n'a plus rien de commun avec la constatation des phénomènes naturels, dans lesquels notre esprit ne doit rien créer. Le passé conserve toute sa valeur dans ces créations des arts et des lettres ; chaque individualité reste immuable dans le temps et ne peut se confondre avec les autres. Un poète contemporain a caractérisé ce sentiment de la personnalité de l'art et de l'impersonnalité de la science par ces mots : l'art, c'est *moi ;* la science, c'est *nous.*

La méthode expérimentale est la méthode scientifique qui proclame la liberté de l'esprit et de la pensée. Elle secoue non seulement le joug philosophique et théologique, mais elle n'admet pas non plus d'autorité scientifique personnelle. Ceci n'est point de l'orgueil et de la jactance ; l'expérimentateur, au contraire, fait acte d'humilité en niant l'autorité personnelle, car il doute aussi de ses propres connaissances, et il soumet l'autorité des hommes à celle de l'expérience et des lois de la nature.

La physique et la chimie étant des sciences constituées, nous présentent cette indépendance et cette impersonnalité que réclame la méthode expérimentale. Mais la médecine est encore dans les ténèbres de l'empirisme, et elle subit les conséquences de son état arriéré. On la voit encore plus ou moins mêlée à la religion et au surnaturel. Le merveilleux et la superstition y jouent un grand rôle. Les sorciers, les somnambules, les guérisseurs en vertu d'un don du ciel, sont écoutés à l'égal des médecins. La personnalité médicale est placée au-dessus de la science par les médecins eux-mêmes, ils cherchent leurs autorités dans la tradition, dans les doctrines, ou dans le tact médical. Cet état de choses est la preuve la plus claire que la méthode expérimentale n'est point encore arrivée dans la médecine.

La méthode expérimentale, méthode du libre penseur, ne cherche que la vérité scientifique. Le *sentiment*, d'où tout émane, doit conserver sa spontanéité entière et toute sa liberté pour la manifestation des idées expérimentales ; la *raison* doit, elle aussi, conserver la liberté de douter, et par cela elle s'impose de soumettre toujours l'idée au contrôle de l'expérience. De même que dans les autres actes humains, le sentiment détermine à agir en manifestant l'idée qui donne le motif de l'action, de même dans la méthode expérimentale, c'est le sentiment qui a l'initiative par l'idée. C'est le sentiment seul qui dirige l'esprit et qui constitue le *primum movens* de la science. Le génie se traduit par un sentiment délicat qui pressent d'une manière juste les lois des phénomènes de la nature ; mais, ce qu'il ne faut jamais oublier, c'est que la justesse du sentiment et la fécondité de l'idée ne peuvent être établies et prouvées que par l'expérience.

V. — DE L'INDUCTION ET DE LA DÉDUCTION DANS LE RAISONNEMENT EXPÉRIMENTAL

Après avoir traité dans tout ce qui précède de l'influence de l'idée expérimentale, examinons actuellement comment la méthode doit, en imposant toujours au raisonnement la forme dubitative, le diriger d'une manière plus sûre dans la recherche de la vérité.

Nous avons dit ailleurs que le raisonnement expérimental s'exerce sur des phénomènes observés, c'est-à-dire sur des observations; mais, en réalité, il ne s'applique qu'aux idées que l'aspect de ces phénomènes a éveillées en notre esprit. Le principe du raisonnement expérimental sera donc toujours une idée qu'il s'agit d'introduire dans un raisonnement expérimental pour la soumettre au critérium des faits, c'est-à-dire à l'expérience.

Il y a deux formes de raisonnement : 1º la forme *investigative* ou interrogative qu'emploie l'homme qui ne sait pas et qui veut s'instruire; 2º la forme *démonstrative* ou affirmative qu'emploie l'homme qui sait ou croit savoir, et qui veut instruire les autres.

Les philosophes paraissent avoir distingué ces deux formes de raisonnement sous les noms de raisonnement *inductif* et de raisonnement *déductif*. Ils ont encore admis deux méthodes scientifiques, la méthode *inductive* ou l'*induction*, propre aux sciences physiques expérimentales, et la méthode *déductive* ou la *déduction*, appartenant plus spécialement aux sciences mathématiques.

Il résulterait de là que la forme spéciale du raisonnement expérimental dont nous devons seulement nous occuper ici serait l'*induction*.

On définit l'induction en disant que c'est un procédé de l'esprit qui va du particulier au général, tandis que la déduction serait le procédé inverse qui irait du général au particulier. Je n'ai certainement pas la prétention d'entrer dans une discussion philosophique qui serait ici hors de sa place et de ma compétence; seulement, en qualité d'expérimentateur, je me bornerai à dire que dans la pratique il me paraît bien difficile de justifier cette distinction et de séparer nettement l'induction de la déduction. Si l'esprit de l'expérimentateur procède ordinairement en partant d'observations particulières pour remonter à des principes, à des lois ou à des propositions générales, il procède aussi nécessairement de ces mêmes propositions générales ou lois pour aller à des faits particuliers qu'il déduit logiquement de ces principes. Seulement quand la certitude du principe n'est pas absolue, il s'agit toujours d'une déduction provisoire qui réclame la vérification expérimentale. Toutes les variétés apparentes du raisonnement ne tiennent qu'à la nature du sujet que l'on traite et à sa plus ou moins grande complexité. Mais, dans tous ces cas, l'esprit de l'homme fonctionne toujours de même par syllogisme; il ne pourrait pas se conduire autrement.

De même que dans la marche naturelle du corps, l'homme ne peut avancer qu'en posant un pied devant l'autre, de même dans la marche naturelle de l'esprit, l'homme ne peut avancer qu'en mettant une idée devant l'autre. Ce qui veut dire, en d'autres termes, qu'il faut toujours un premier point d'appui à l'esprit comme au corps. Le point d'appui du corps, c'est le sol dont le pied a la sensation; le point d'appui de l'esprit, c'est le connu, c'est-à-dire une vérité ou un principe dont l'esprit a conscience. L'homme ne peut rien apprendre qu'en allant du connu à l'inconnu; mais, d'un autre côté, comme l'homme n'a pas en naissant la science infuse et qu'il ne sait rien que ce qu'il apprend, il semble que nous soyons dans un cercle vicieux et que l'homme soit condamné à ne pouvoir rien connaître. Il en serait ainsi, en effet, si l'homme n'avait dans sa raison le sentiment des rapports et du déterminisme qui deviennent critérium de la vérité : mais, dans tous les cas, il ne peut obtenir cette vérité ou en approcher que par le raisonnement et par l'expérience.

D'abord il ne serait pas exact de dire que la *déduction* n'appartient qu'aux mathématiques et l'*induction* aux autres sciences exclusivement. Les deux formes de raisonnement *investigatif* (inductif) et *démonstratif* (déductif) appartiennent à toutes les sciences possibles, parce que dans toutes les sciences il y a des choses qu'on ne sait pas et d'autres qu'on sait ou qu'on croit savoir.

Quand les mathématiciens étudient des sujets qu'ils ne connaissent pas, ils induisent comme les physiciens, comme les chimistes ou comme les physiologistes.

Pour prouver ce que j'avance, il suffira de citer les paroles
d'un grand mathématicien.

Voici comment Euler s'exprime dans un mémoire
intitulé : *De inductione ad plenam certitudinem evehenda* :

« Notum est plerumque numerum proprietates pri-
« mum per solam inductionem observatas, quas dein-
« ceps geometræ solidis demonstrationibus confirmare
« elaboraverunt; quo negotio in primis Fermatius
« summo studio et satis felici successu fuit occupatus *. »

Les principes ou les théories qui servent de base à
une science, quelle qu'elle soit, ne sont pas tombés
du ciel; il a fallu nécessairement y arriver par un raisonnement investigatif, inductif ou interrogatif, comme
on voudra l'appeler. Il a fallu d'abord observer quelque
chose qui se soit passé au-dedans ou au-dehors de nous.
Dans les sciences, il y a, au point de vue expérimental,
des idées qu'on appelle *a priori* parce qu'elles sont le
point de départ d'un raisonnement expérimental (voy.
p. 59 et suivantes), mais au point de vue de l'idéogénèse,
ce sont en réalité des idées *a posteriori*. En un mot,
l'*induction* a dû être la forme de raisonnement primitive
et générale, et les idées que les philosophes et les savants
prennent constamment pour des idées *a priori*, ne sont
au fond que des idées *a posteriori*.

Le mathématicien et le naturaliste ne diffèrent pas
quand ils vont à la recherche des principes. Les uns
et les autres induisent, font des hypothèses et expérimentent, c'est-à-dire font des tentatives pour vérifier
l'exactitude de leurs idées. Mais quand le mathématicien
et le naturaliste sont arrivés à leurs principes, ils diffèrent
complètement alors. En effet, ainsi que je l'ai déjà dit
ailleurs, le principe du mathématicien devient absolu,
parce qu'il ne s'applique point à la réalité objective telle
qu'elle est, mais à des relations de choses considérées
dans des conditions extrêmement simples et que le
mathématicien choisit et crée en quelque sorte dans son
esprit. Or, ayant ainsi la certitude qu'il n'y a pas à faire
intervenir dans le raisonnement d'autres conditions que
celles qu'il a déterminées, le principe reste absolu,
conscient, adéquat à l'esprit, et la déduction logique est
également absolue et certaine; il n'a plus besoin de
vérification expérimentale, la logique suffit.

---

* Euler, *Acta academiæ scientiarum imperialis Petropolitanæ, pro anno
MDCCLXXX, pars posterior,* p. 38, § 1.

La situation du naturaliste est bien différente; la proposition générale à laquelle il est arrivé, ou le principe sur lequel il s'appuie, reste relatif et provisoire parce qu'il représente des relations complexes qu'il n'a jamais la certitude de pouvoir connaître toutes. Dès lors, son principe est incertain, puisqu'il est inconscient et non adéquat à l'esprit; dès lors les *déductions*, quoique très logiques, restent toujours douteuses, et il faut nécessairement alors invoquer l'expérience pour contrôler la conclusion de ce raisonnement déductif. Cette différence entre les mathématiciens et les naturalistes est capitale au point de vue de la certitude de leurs principes et des conclusions à en tirer; mais le mécanisme du raisonnement déductif est exactement le même pour les deux. Tous deux partent d'une proposition; seulement le mathématicien dit : *Ce point de départ étant donné*, tel cas particulier en résulte nécessairement. Le naturaliste dit : *Si ce point de départ était juste*, tel cas particulier en résulterait comme conséquence.

Quand ils partent d'un principe, le mathématicien et le naturaliste emploient donc l'un et l'autre la *déduction*. Tous deux raisonnent en faisant un syllogisme; seulement, pour le naturaliste, c'est un syllogisme dont la conclusion reste dubitative et demande vérification, parce que son principe est inconscient. C'est là le raisonnement expérimental ou dubitatif, le seul qu'on puisse employer quand on raisonne sur les phénomènes naturels; si l'on voulait supprimer le doute et si l'on se passait de l'expérience, on n'aurait plus aucun critérium pour savoir si l'on est dans le faux ou dans le vrai, parce que, je le répète, le principe est inconscient et qu'il faut en appeler alors à nos sens.

De tout cela je conclurai que l'*induction* et la *déduction* appartiennent à toutes les sciences. Je ne crois pas que l'induction et la déduction constituent réellement deux formes de raisonnement essentiellement distinctes. L'esprit de l'homme a, par nature, le sentiment ou l'idée d'un principe qui régit les cas particuliers. Il procède toujours instinctivement d'un principe qu'il a acquis ou qu'il invente par hypothèse; mais il ne peut jamais marcher dans les raisonnements autrement que par syllogisme, c'est-à-dire en procédant du général au particulier.

En physiologie, un organe déterminé fonctionne toujours par un seul et même mécanisme; seulement, quand le phénomène se passe dans d'autres conditions ou dans un milieu différent, la fonction prend des aspects divers; mais, au fond, sa nature reste la même. Je pense qu'il n'y a pour l'esprit qu'une seule manière de raisonner, comme il n'y a pour le corps qu'une seule manière de marcher. Seulement, quand un homme s'avance, sur un terrain solide et plan, dans un chemin direct qu'il connaît et voit dans toute son étendue, il marche vers son but d'un pas sûr et rapide. Quand au contraire un homme suit un chemin tortueux dans l'obscurité et sur un terrain accidenté et inconnu, il craint les précipices, et n'avance qu'avec précaution et pas à pas. Avant de procéder à un second pas, il doit s'assurer que le pied placé le premier repose sur un point résistant puis s'avancer ainsi en vérifiant à chaque instant par l'expérience la solidité du sol, et en modifiant toujours la direction de sa marche suivant ce qu'il rencontre. Tel est l'expérimentateur qui ne doit jamais dans ses recherches aller au-delà du fait, sans quoi il courrait le risque de s'égarer. Dans les deux exemples précédents l'homme s'avance sur des terrains différents et dans des conditions variables, mais n'en marche pas moins par le même procédé physiologique. De même, quand l'expérimentateur déduira des rapports simples de phénomènes précis et d'après des principes connus et établis, le raisonnement se développera d'une façon certaine et nécessaire, tandis que, quand il se trouvera au milieu de rapports complexes, ne pouvant s'appuyer que sur des principes incertains et provisoires, le même expérimentateur devra alors avancer avec précaution et soumettre à l'expérience chacune des idées qu'il met successivement en avant. Mais, dans ces deux cas, l'esprit raisonnera toujours de même et par le même procédé physiologique, seulement il partira d'un principe plus ou moins certain.

Quand un phénomène quelconque nous frappe dans la nature, nous nous faisons une idée sur la cause qui le détermine. L'homme, dans sa première ignorance, supposa des divinités attachées à chaque phénomène. Aujourd'hui le savant admet des forces ou des lois; c'est toujours quelque chose qui gouverne le phénomène. L'idée, qui nous vient à la vue d'un phénomène, est dite *a priori*. Or, il nous sera facile de montrer plus tard que cette idée *a priori*, qui surgit en nous à propos d'un fait particulier, renferme toujours implicitement, et en quelque sorte à notre insu, un *principe* auquel nous voulons ramener le fait particulier. De sorte que, quand nous croyons aller d'un cas particulier à un principe, c'est-à-dire induire, nous déduisons réellement ; seulement, l'expérimentateur se dirige d'après un principe supposé ou provisoire qu'il modifie à chaque instant, parce qu'il cherche dans une obscurité plus ou moins complète. A mesure que nous rassemblons les faits, nos principes deviennent de plus en plus généraux et plus assurés ; alors nous acquérons la certitude que nous déduisons. Mais néanmoins, dans les sciences expérimentales, notre principe doit toujours rester provisoire, parce que nous n'avons jamais la certitude qu'il ne renferme que les faits et les conditions que nous connaissons. En un mot, nous déduisons toujours par hypothèse, jusqu'à vérification expérimentale. Un expérimentateur ne peut donc jamais se trouver dans le cas des mathématiciens, précisément parce que le raisonnement expérimental reste de sa nature toujours dubitatif. Maintenant, on pourra, si l'on veut, appeler le raisonnement dubitatif de l'expérimentateur l'*induction*, et le raisonnement affirmatif du mathématicien, la *déduction ;* mais ce sera là une distinction qui portera sur la certitude ou l'incertitude du point de départ du raisonnement, mais non sur la manière dont on raisonne.

VI. — DU DOUTE DANS LE RAISONNEMENT EXPÉRIMENTAL

Je résumerai le paragraphe précédent en disant qu'il me semble n'y avoir qu'une seule forme de raisonnement : la *déduction* par syllogisme. Notre esprit, quand il le voudrait, ne pourrait pas raisonner autrement, et, si c'était ici le lieu, je pourrais essayer d'appuyer ce que j'avance par des arguments physiologiques. Mais pour trouver la vérité scientifique, il importe peu au fond de savoir comment notre esprit raisonne ; il suffit de le laisser raisonner naturellement, et dans ce cas il partira toujours d'un principe pour arriver à une conclusion. La seule chose que nous ayons à faire ici, c'est d'insister sur un précepte qui prémunira toujours l'esprit contre les causes innombrables d'erreur qu'on peut rencontrer dans l'application de la méthode expérimentale.

Ce précepte général, qui est une des bases de la méthode expérimentale, c'est le doute ; et il s'exprime en disant que la conclusion de notre raisonnement doit toujours rester dubitative quand le point de départ ou

le principe n'est pas une vérité absolue. Or nous avons
vu qu'il n'y a de vérité absolue que pour les principes
mathématiques; pour tous les phénomènes naturels,
les principes desquels nous partons, de même que les
conclusions auxquelles nous arrivons, ne représentent
que des vérités relatives. L'écueil de l'expérimentateur
consistera donc à croire connaître ce qu'il ne connaît
pas, et à prendre pour des vérités absolues des vérités
qui ne sont que relatives. De sorte que la règle unique
et fondamentale de l'investigation scientifique se réduit
au doute, ainsi que l'ont déjà proclamé d'ailleurs de
grands philosophes.

Le raisonnement expérimental est précisément l'inverse du raisonnement scolastique. La scolastique veut
toujours un point de départ fixe et indubitable, et ne
pouvant le trouver ni dans les choses extérieures, ni dans
la raison, elle l'emprunte à une source *irrationnelle*
quelconque : telle qu'une révélation, une tradition ou
une autorité conventionnelle ou arbitraire. Une fois le
point de départ posé, le scolastique ou le systématique
en déduit logiquement toutes les conséquences, en
invoquant même l'observation ou l'expérience des faits
comme arguments quand ils sont en sa faveur; la seule
condition est que le point de départ restera immuable
et ne variera pas selon les expériences et les observations,
mais qu'au contraire, les faits seront interprétés pour s'y
adapter. L'expérimentateur au contraire n'admet jamais
de point de départ immuable; son principe est un pos-
tulat dont il déduit logiquement toutes les conséquences,
mais sans jamais le considérer comme absolu et en
dehors des atteintes de l'expérience. Les corps simples
des chimistes ne sont des corps simples que jusqu'à
preuve du contraire. Toutes les théories qui servent de
point de départ au physicien, au chimiste, et à plus
forte raison au physiologiste, ne sont vraies que jusqu'à
ce qu'on découvre qu'il y a des faits qu'elles ne renferment
pas ou qui les contredisent. Lorsque ces faits contradictoires se montreront bien solidement établis, loin de
se roidir, comme le scolastique ou le systématique, contre
l'expérience, pour sauvegarder son point de départ,
l'expérimentateur s'empressera, au contraire, de modifier
sa théorie, parce qu'il sait que c'est la seule manière
d'avancer et de faire des progrès dans les sciences. L'expérimentateur doute donc toujours, même de son point de
départ; il a l'esprit nécessairement modeste et souple, et

accepte la contradiction à la seule condition qu'elle lui soit prouvée. Le scolastique ou le systématique, ce qui est la même chose, ne doute jamais de son point de départ, auquel il veut tout ramener; il a l'esprit orgueilleux et intolérant et n'accepte pas la contradiction, puisqu'il n'admet pas que son point de départ puisse changer. Ce qui sépare encore le savant systématique du savant expérimentateur, c'est que le premier impose son idée, tandis que le second ne la donne jamais que pour ce qu'elle vaut. Enfin, un autre caractère essentiel qui distingue le raisonnement expérimental du raisonnement scolastique, c'est la fécondité de l'un et la stérilité de l'autre. C'est précisément le scolastique qui croit avoir la certitude absolue qui n'arrive à rien : cela se conçoit puisque, par son principe absolu, il se place en dehors de la nature dans laquelle tout est relatif. C'est au contraire l'expérimentateur, qui doute toujours et qui ne croit posséder la certitude absolue sur rien, qui arrive à maîtriser les phénomènes qui l'entourent et à étendre sa puissance sur la nature. L'homme *peut donc plus qu'il ne sait*, et la vraie science expérimentale ne lui donne la puissance qu'en lui montrant qu'il ignore. Peu importe au savant d'avoir la vérité absolue, pourvu qu'il ait la certitude des relations des phénomènes entre eux. Notre esprit est, en effet, tellement borné, que nous ne pouvons connaître ni le commencement ni la fin des choses; mais nous pouvons saisir le milieu, c'est-à-dire ce qui nous entoure immédiatement.

Le raisonnement systématique ou scolastique est naturel à l'esprit inexpérimenté et orgueilleux; ce n'est que par l'étude expérimentale approfondie de la nature qu'on parvient à acquérir l'esprit douteur de l'expérimentateur. Il faut longtemps pour cela; et, parmi ceux qui croient suivre la voie expérimentale en physiologie et en médecine, il y a, comme nous le verrons plus loin, encore beaucoup de scolastiques. Je suis quant à moi convaincu qu'il n'y a que l'étude seule de la nature qui puisse donner au savant le sentiment vrai de la science. La philosophie, que je considère comme une excellente gymnastique de l'esprit, a malgré elle des tendances systématiques et scolastiques, qui deviendraient nuisibles pour le savant proprement dit. D'ailleurs, aucune méthode ne peut remplacer cette étude de la nature qui fait le vrai savant; sans cette étude, tout ce que les philosophes ont pu dire et tout ce que j'ai pu répéter après eux dans cette introduction, resterait inapplicable et stérile.

Je ne crois donc pas, ainsi que je l'ai dit plus haut, qu'il y ait grand profit pour le savant à discuter la définition de l'induction et de la déduction, non plus que la question de savoir si l'on procède par l'un ou l'autre de ces soi-disant procédés de l'esprit. Cependant l'induction baconienne est devenue célèbre et on en a fait le fondement de toute la philosophie scientifique. Bacon est un grand génie et l'idée de sa grande restauration des sciences est une idée sublime; on est séduit et entraîné malgré soi par la lecture du *Novum Organum* et de l'*Augmentum scientiarum*. On reste dans une sorte de fascination devant cet amalgame de lueurs scientifiques, revêtues des formes poétiques les plus élevées. Bacon a senti la stérilité de la scolastique; il a bien compris et pressenti toute l'importance de l'expérience pour l'avenir des sciences. Cependant Bacon n'était point un savant, et il n'a point compris le mécanisme de la méthode expérimentale. Il suffirait de citer, pour le prouver, les essais malheureux qu'il en a faits. Bacon recommande de fuir les hypothèses et les théories *; nous avons vu cependant que ce sont les auxiliaires de la méthode, indispensables comme les échafaudages sont nécessaires pour construire une maison. Bacon a eu, comme toujours, des admirateurs outrés et des détracteurs. Sans me mettre ni d'un côté ni de l'autre, je dirai que, tout en reconnaissant le génie de Bacon, je ne crois pas plus que J. de Maistre **, qu'il ait doté l'intelligence humaine d'un nouvel instrument, et il me semble, avec M. de Rémusat ***, que l'induction ne diffère pas du syllogisme. D'ailleurs je crois que les grands expérimentateurs ont apparu avant les préceptes de l'expérimentation, de même que les grands orateurs ont précédé les traités de rhétorique. Par conséquent, il ne me paraît pas permis de dire, même en parlant de Bacon, qu'il a inventé la méthode expérimentale; méthode que Galilée et Torricelli ont si admirablement pratiquée, et dont Bacon n'a jamais pu se servir.

Quand Descartes **** part du doute universel et répu-

---

* Bacon, *Œuvres*, édition par Fr. Riaux. *Introduction*, p. 30.
** J. de Maistre, *Examen de la philosophie de Bacon*.
*** De Rémusat, *Bacon, sa vie, son temps et sa philosophie*, 1857.
**** Descartes, *Discours sur la méthode*.

die l'autorité, il donne des préceptes bien plus pratiques pour l'expérimentateur que ceux que donne Bacon pour l'induction. Nous avons vu, en effet, que c'est le doute seul qui provoque l'expérience; c'est le doute enfin qui détermine la forme du raisonnement expérimental.

Toutefois, quand il s'agit de la médecine et des sciences physiologiques, il importe de bien déterminer sur quel point doit porter le doute, afin de le distinguer du scepticisme et de montrer comment le doute scientifique devient un élément de plus grande certitude. Le sceptique est celui qui ne croit pas à la science et qui croit à lui-même; il croit assez en lui pour oser nier la science et affirmer qu'elle n'est pas soumise à des lois fixes et déterminées. Le douteur est le vrai savant; il ne doute que de lui-même et de ses interprétations, mais il croit à la science; il admet même dans les sciences expérimentales un critérium ou un principe scientifique absolu. Ce principe est le *déterminisme* des phénomènes, qui est absolu aussi bien dans les phénomènes des corps vivants que dans ceux des corps bruts ainsi que nous le dirons plus tard (p. 108).

Enfin, comme conclusion de ce paragraphe nous pouvons dire que, dans tout raisonnement expérimental, il y a deux cas possibles : ou bien l'hypothèse de l'expérimentateur sera infirmée, ou bien elle sera confirmée par l'expérience. Quand l'expérience infirme l'idée préconçue, l'expérimentateur doit rejeter ou modifier son idée. Mais lors même que l'expérience confirme pleinement l'idée préconçue, l'expérimentateur doit encore douter; car comme il s'agit d'une vérité inconsciente, sa raison lui demande encore une contre-épreuve.

VII. — DU PRINCIPE DU CRITÉRIUM EXPÉRIMENTAL

Nous venons de dire qu'il faut douter, mais ne point être sceptique. En effet, le sceptique, qui ne croit à rien, n'a plus de base pour établir son critérium, et par conséquent il se trouve dans l'impossibilité d'édifier la science; la stérilité de son triste esprit résulte à la fois des défauts de son sentiment et de l'imperfection de sa raison. Après avoir posé en principe que l'investigateur doit douter, nous avons ajouté que le doute ne portera que sur la justesse de son sentiment ou de ses idées en tant qu'*expérimentateur*, ou sur la valeur de ses moyens d'investigation, en tant qu'*observateur*, mais jamais sur le déterminisme, le *principe* même de la science expérimentale. Revenons en quelques mots sur ce point fondamental.

L'expérimentateur doit douter de son sentiment, c'est-à-dire de l'idée *a priori* ou de la théorie qui lui servent de point de départ; c'est pourquoi il est de précepte absolu de soumettre toujours son *idée* au critérium expérimental pour en contrôler la valeur. Mais quelle est au juste la base de ce *critérium expérimental*? Cette question pourra paraître superflue après avoir dit et répété avec tout le monde que ce sont les *faits* qui jugent l'idée et nous donnent l'expérience. Les faits seuls sont réels, dit-on, et il faut s'en rapporter à eux d'une manière entière et exclusive. *C'est un fait*, un fait brutal, répète-t-on encore souvent; il n'y a pas à raisonner, il faut s'y soumettre. Sans doute, j'admets que les faits sont les seules réalités qui puissent donner la formule à l'idée expérimentale et lui servir en même temps de contrôle; mais c'est à la condition que la raison les accepte. Je pense que la *croyance* aveugle dans le fait qui prétend faire taire la raison est aussi dangereuse pour les sciences expérimentales que les *croyances* de sentiment ou de foi qui, elles aussi, imposent silence à la raison. En un mot, dans la méthode expérimentale comme partout, *le seul critérium réel est la raison.*

Un fait n'est rien par lui-même, il ne vaut que par l'idée qui s'y rattache ou par la preuve qu'il fournit. Nous avons dit ailleurs que, quand on qualifie un fait nouveau de *découverte*, ce n'est pas le fait lui-même qui constitue la découverte, mais bien l'idée nouvelle qui en dérive; de même, quand un fait prouve, ce n'est point le fait lui-même qui donne la *preuve*, mais seulement le rapport rationnel qu'il établit entre le phénomène et sa cause. C'est ce rapport qui est la vérité scientifique et qu'il s'agit maintenant de préciser davantage.

Rappelons-nous comment nous avons caractérisé les vérités mathématiques et les vérités expérimentales. Les vérités mathématiques une fois acquises, avons-nous dit, sont des vérités conscientes et absolues, parce que les conditions *idéales* de leur existence sont également conscientes et connues par nous d'une manière absolue. Les vérités expérimentales, au contraire, sont inconscientes et relatives, parce que les conditions *réelles* de leur existence sont inconscientes et ne peuvent nous être

connues que d'une manière relative à l'état actuel de
notre science. Mais si les vérités expérimentales qui
servent de base à nos raisonnements sont tellement
enveloppées dans la réalité complexe des phénomènes
naturels qu'elles ne nous apparaissent que par lambeaux,
ces vérités expérimentales n'en reposent pas moins sur
des principes qui sont *absolus* parce que, comme ceux
des vérités mathématiques, ils s'adressent à notre conscience et à notre raison. En effet, le principe absolu
des sciences expérimentales est un *déterminisme nécessaire* et conscient dans les conditions des phénomènes.
De telle sorte qu'un phénomène naturel, quel qu'il soit,
étant donné, jamais un expérimentateur ne pourra
admettre qu'il y ait une variation dans l'expression de ce
phénomène sans qu'en même temps il ne soit survenu
des conditions nouvelles dans sa manifestation; de plus,
il a la certitude *a priori* que ces variations sont déterminées
par des rapports rigoureux et mathématiques. L'expérience ne fait que nous montrer la forme des phénomènes ; mais le rapport d'un phénomène à une cause
déterminée est nécessaire et indépendant de l'expérience, et il est forcément mathématique et absolu. Nous
arrivons ainsi à voir que le principe du *critérium* des
sciences expérimentales est identique au fond à celui
des sciences mathématiques, puisque de part et d'autre,
ce principe est exprimé par un rapport des choses
nécessaire et absolu. Seulement dans les sciences
expérimentales ces rapports sont entourés par des phénomènes nombreux, complexes et variés à l'infini, qui
les cachent à nos regards. A l'aide de l'expérience nous
analysons, nous dissocions ces phénomènes, afin de les
réduire à des relations et à des conditions de plus en
plus simples. Nous voulons ainsi saisir la forme de la
vérité scientifique, c'est-à-dire trouver la loi qui nous
donnerait la clef de toutes les variations des phénomènes.
Cette analyse expérimentale est le seul moyen que nous
ayons pour aller à la recherche de la vérité dans les
sciences naturelles, et le *déterminisme absolu* des phénomènes dont nous avons conscience *a priori* est le seul
critérium ou le seul principe qui nous dirige et nous
soutienne. Malgré nos efforts, nous sommes encore bien
loin de cette vérité absolue; et il est probable, surtout
dans les sciences biologiques, qu'il ne nous sera jamais
donné de la voir dans sa nudité. Mais cela n'a pas de
quoi nous décourager, car nous en approchons toujours;

et d'ailleurs nous saisissons, à l'aide de nos expériences, des relations de phénomènes qui, bien que partielles et relatives, nous permettent d'étendre de plus en plus notre puissance sur la nature.

De ce qui précède, il résulte que, si un phénomène se présentait dans une expérience avec une apparence tellement contradictoire, qu'il ne se rattachât pas d'une manière nécessaire à des conditions d'existence déterminées, la raison devrait *repousser le fait* comme un fait non scientifique. Il faudrait attendre ou chercher par des expériences directes quelle est la cause d'erreur qui a pu se glisser dans l'observation. Il faut, en effet, qu'il y ait eu erreur ou insuffisance dans l'observation; car l'admission d'un fait sans cause, c'est-à-dire indéterminable dans ses conditions d'existence, n'est ni plus ni moins que la négation de la science. De sorte qu'en présence d'un tel fait un savant ne doit jamais hésiter; il doit croire à la science et douter de ses moyens d'investigation. Il perfectionnera donc ses moyens d'observation et cherchera par ses efforts à sortir de l'obscurité; mais jamais il ne pourra lui venir à l'idée de nier le *déterminisme* absolu des phénomènes, parce que c'est précisément le sentiment de ce déterminisme qui caractérise le vrai savant.

Il se présente souvent en médecine des faits mal observés et indéterminés qui constituent de véritables obstacles à la science, en ce qu'on les oppose toujours en disant : *C'est un fait*, il faut l'admettre. La science rationnelle fondée, ainsi que nous l'avons dit, sur un déterminisme nécessaire, ne doit jamais répudier un fait exact et bien observé; mais par le même principe, elle ne saurait s'embarrasser de ces faits recueillis sans précision, n'offrant aucune signification, et qu'on fait servir d'arme à double tranchant pour appuyer ou infirmer les opinions les plus diverses. En un mot, la science repousse l'indéterminé ; et quand, en médecine, on vient fonder ses opinions sur le tact médical, sur l'inspiration ou sur une intuition plus ou moins vague des choses, on est en dehors de la science et on donne l'exemple de cette médecine de fantaisie qui peut offrir les plus grands périls en livrant la santé et la vie des malades aux lubies d'un ignorant inspiré. La vraie science apprend à douter et à s'abstenir dans l'ignorance.

VIII. — DE LA PREUVE ET DE LA CONTRE-ÉPREUVE

Nous avons dit plus haut qu'un expérimentateur qui voit son idée confirmée par une expérience, doit douter encore et demander une contre-épreuve.

En effet, pour conclure avec certitude qu'une condition donnée est la cause prochaine d'un phénomène, il ne suffit pas d'avoir prouvé que cette condition précède ou accompagne toujours le phénomène ; mais il faut encore établir que, cette condition étant supprimée, le phénomène ne se montrera plus. Si l'on se bornait à la seule preuve de présence, on pourrait à chaque instant tomber dans l'erreur et croire à des relations de cause à effet quand il n'y a que simple coïncidence. Les coïncidences constituent, ainsi que nous le verrons plus loin, un des écueils les plus graves que rencontre la méthode expérimentale dans les sciences complexes comme la biologie. C'est le *post hoc, ergo propter hoc* des médecins auquel on peut se laisser très facilement entraîner, surtout si le résultat de l'expérience ou de l'observation favorise une idée préconçue.

La contre-épreuve devient donc le caractère essentiel et nécessaire de la conclusion du raisonnement expérimental. Elle est l'expression du doute philosophique porté aussi loin que possible. C'est la contre-épreuve qui juge si la relation de cause à effet que l'on cherche dans les phénomènes est trouvée. Pour cela, elle supprime la cause admise pour voir si l'effet persiste, s'appuyant sur cet adage ancien et absolument vrai : *Sublata causa, tollitur effectus*. C'est ce qu'on appelle encore l'*experimentum crucis*.

Il ne faut pas confondre la *contre-expérience* ou contre-épreuve avec ce qu'on a appelé l'*expérience comparative*. Celle-ci, ainsi que nous le verrons plus tard, n'est qu'une observation comparative invoquée dans les circonstances complexes afin de simplifier les phénomènes et de se prémunir contre les causes d'erreur imprévues ; la contre-épreuve, au contraire, est un contre-jugement s'adressant directement à la conclusion expérimentale et formant un de ses termes nécessaires. En effet, jamais en science la preuve ne constitue une certitude sans la contre-épreuve. L'analyse ne peut se prouver d'une manière absolue que par la synthèse qui la démontre en fournissant la contre-épreuve ou la contre-expérience ; de même une synthèse qu'on effectuerait d'abord, devrait être démontrée ensuite par l'analyse. Le sentiment de cette contre-épreuve expérimentale nécessaire constitue le sentiment scientifique par excellence. Il est familier aux physiciens et aux chimistes ; mais il est loin d'être aussi bien compris par les médecins. Le plus souvent, quand en physiologie et en médecine on voit deux phénomènes marcher ensemble et se succéder dans un ordre constant, on se croit autorisé à conclure que le premier est la cause du second. Ce serait là un jugement faux dans un très grand nombre de cas ; les tableaux statistiques de présence ou d'absence ne constituent jamais des démonstrations expérimentales. Dans les sciences complexes comme la médecine, il faut faire en même temps usage de l'expérience comparative et de la contre-épreuve. Il y a des médecins qui craignent et fuient la contre-épreuve ; dès qu'ils ont des observations qui marchent dans le sens de leurs idées, ils ne veulent pas chercher des faits contradictoires dans la crainte de voir leurs hypothèses s'évanouir. Nous avons déjà dit que c'est là un très mauvais esprit : quand on veut trouver la vérité, on ne peut asseoir solidement ses idées qu'en cherchant à détruire ses propres conclusions par des contre-expériences. Or, la seule preuve qu'un phénomène joue le rôle de cause par rapport à un autre, c'est qu'en supprimant le premier, on fait cesser le second.

Je n'insiste pas davantage ici sur ce principe de la méthode expérimentale, parce que plus tard j'aurai l'occasion d'y revenir en donnant des exemples particuliers qui développeront ma pensée. Je me résumerai en disant que l'expérimentateur doit toujours pousser son investigation jusqu'à la contre-épreuve ; sans cela le raisonnement expérimental ne serait pas complet. C'est la contre-épreuve qui prouve le déterminisme nécessaire des phénomènes, et en cela elle est seule capable de satisfaire la raison à laquelle, ainsi que nous l'avons dit, il faut toujours faire remonter le véritable critérium scientifique.

Le raisonnement expérimental, dont nous avons dans ce qui précède examiné les différents termes, se propose le même but dans toutes les sciences. L'expérimentateur veut arriver au *déterminisme*, c'est-à-dire qu'il cherche à rattacher à l'aide du raisonnement et de l'expérience, les phénomènes naturels à leurs conditions d'existence, ou autrement dit, à leurs causes prochaines. Il arrive par ce moyen à la loi qui lui permet de se rendre maître du phénomène. Toute la philosophie naturelle se résume en cela : *Connaître la loi des phénomènes*. Tout le problème expérimental se réduit à ceci : *Prévoir et diriger les phénomènes*. Mais ce double but ne peut être atteint dans les corps vivants que par certains principes spéciaux d'expérimentation qu'il nous reste à indiquer dans les chapitres qui vont suivre.

DEUXIÈME PARTIE

DE L'EXPÉRIMENTATION CHEZ LES ÊTRES VIVANTS

CHAPITRE PREMIER

CONSIDÉRATIONS EXPÉRIMENTALES COMMUNES AUX ÊTRES VIVANTS ET AUX CORPS BRUTS

I. — LA SPONTANÉITÉ DES CORPS VIVANTS NE S'OPPOSE PAS A L'EMPLOI DE L'EXPÉRIMENTATION

La spontanéité dont jouissent les êtres doués de la vie a été une des principales objections que l'on a élevées contre l'emploi de l'expérimentation dans les études biologiques. En effet, chaque être vivant nous apparaît comme pourvu d'une espèce de force intérieure qui préside à des manifestations vitales de plus en plus indépendantes des influences cosmiques générales, à mesure que l'être s'élève davantage dans l'échelle de l'organisation. Chez les animaux supérieurs et chez l'homme, par exemple, cette force vitale paraît avoir pour résultat de soustraire le corps vivant aux influences physico-chimiques générales et de le rendre ainsi très difficilement accessible à l'expérimentation.

Les corps bruts n'offrent rien de semblable, et, quelle que soit leur nature, ils sont tous dépourvus de spontanéité. Dès lors la manifestation de leurs propriétés étant enchaînée d'une manière absolue aux conditions physico-chimiques qui les environnent et leur servent de milieu, il en résulte que l'expérimentateur peut facilement les atteindre et les modifier à son gré.

D'un autre côté, tous les phénomènes d'un corps vivant sont dans une harmonie réciproque telle, qu'il paraît impossible de séparer une partie de l'organisme, sans amener immédiatement un trouble dans tout l'ensemble. Chez les animaux supérieurs en particulier, la sensibilité plus exquise amène des réactions et des perturbations encore plus considérables.

Beaucoup de médecins et de physiologistes spéculatifs, de même que des anatomistes et des naturalistes, ont exploité ces divers arguments pour s'élever contre l'expérimentation chez les êtres vivants. Ils ont admis que la force vitale était en opposition avec les forces physico-chimiques, qu'elle dominait tous les phénomènes de la vie, les assujettissait à des lois tout à fait spéciales et faisait de l'organisme un tout organisé auquel l'expérimentateur ne pouvait toucher sans détruire le caractère de la vie même. Ils ont même été jusqu'à dire que les corps bruts et les corps vivants différaient radicalement à ce point de vue, de telle sorte que l'expérimentation était applicable aux uns et ne l'était pas aux autres. Cuvier, qui partage cette opinion, et qui pense que la physiologie doit être une science d'observation et de déduction anatomique, s'exprime ainsi : « Toutes les parties d'un corps vivant sont liées ; elles ne peuvent agir qu'autant qu'elles agissent toutes ensemble : vouloir en séparer une de la masse, c'est la reporter dans l'ordre des substances mortes, c'est en changer entièrement l'essence *. »

Si les objections précédentes étaient fondées, ce serait reconnaître, ou bien qu'il n'y a pas de déterminisme possible dans les phénomènes de la vie, ce qui serait nier simplement la science biologique ; ou bien ce serait admettre que la force vitale doit être étudiée par des procédés particuliers et que la science de la vie doit reposer sur d'autres principes que la science des corps inertes. Ces idées, qui ont eu cours à d'autres époques, s'évanouissent sans doute aujourd'hui de plus en plus ; mais cependant il importe d'en extirper les derniers germes, parce que ce qu'il reste encore, dans certains esprits, de ces idées dites vitalistes constitue un véritable obstacle aux progrès de la médecine expérimentale.

Je me propose donc d'établir que la science des phénomènes de la vie ne peut pas avoir d'autres bases que la science des phénomènes des corps bruts, et qu'il n'y a sous ce rapport aucune différence entre les principes des sciences biologiques et ceux des sciences physico-chimiques. En effet, ainsi que nous l'avons dit précédemment, le but que se propose la méthode expérimentale est le même partout ; il consiste à rattacher par l'expérience les phénomènes naturels à leurs conditions d'existence ou à leurs causes prochaines. En biologie, ces conditions étant connues, le physiologiste pourra

* *Lettre à J. C. Mertrud*, p. 5. An VIII.

diriger la manifestation des phénomènes de la vie comme le physicien et le chimiste dirigent les phénomènes naturels, dont ils ont découvert les lois; mais pour cela l'expérimentateur n'agira pas sur la vie.

Seulement, il y a un déterminisme absolu dans toutes les sciences parce que chaque phénomène étant enchaîné d'une manière nécessaire à des conditions physico-chimiques, le savant peut les modifier pour maîtriser le phénomène, c'est-à-dire pour empêcher ou favoriser sa manifestation. Il n'y a aucune contestation à ce sujet pour les corps bruts. Je veux prouver qu'il en est de même pour les corps vivants, et que, pour eux aussi, le déterminisme existe.

II. — LES MANIFESTATIONS DES PROPRIÉTÉS DES CORPS VIVANTS SONT LIÉES A L'EXISTENCE DE CERTAINS PHÉNOMÈNES PHYSICO-CHIMIQUES QUI EN RÈGLENT L'APPARITION

La manifestation des propriétés des corps bruts est liée à des conditions ambiantes de température et d'humidité, par l'intermédiaire desquelles l'expérimentateur peut gouverner directement le phénomène minéral. Les corps vivants ne paraissent pas susceptibles au premier abord d'être ainsi influencés par les conditions physico-chimiques environnantes; mais ce n'est là qu'une illusion qui tient à ce que l'animal possède et maintient en lui les conditions de chaleur et d'humidité nécessaires aux manifestations des phénomènes vitaux. De là résulte que le corps inerte subordonné à toutes les conditions cosmiques se trouve enchaîné à toutes leurs variations, tandis que le corps vivant reste au contraire indépendant et libre dans ses manifestations; ce dernier semble animé par une force intérieure qui régit tous ses actes et qui l'affranchit de l'influence des variations et des perturbations physico-chimiques ambiantes. C'est cet aspect si différent dans les manifestations des corps vivants comparées aux manifestations des corps bruts qui a porté les physiologistes, dits vitalistes, à admettre dans les premiers une force vitale qui serait en lutte incessante avec les forces physico-chimiques, et qui neutraliserait leur action destructrice sur l'organisme vivant. Dans cette manière de voir, les manifestations de la vie seraient déterminées par l'action spontanée de cette force vitale particulière, au lieu d'être comme celles des corps bruts le résultat nécessaire des conditions ou des influences physico-chimiques d'un milieu ambiant. Mais si l'on y réfléchit, on verra bientôt que cette spontanéité des corps vivants n'est qu'une simple apparence et la conséquence de certain mécanisme de milieux parfaitement déterminés; de sorte qu'au fond il sera facile de prouver que les manifestations des corps vivants, aussi bien que celles des corps bruts, sont dominées par un déterminisme nécessaire qui les enchaîne à des conditions d'ordre purement physico-chimiques.

Notons d'abord que cette sorte d'indépendance de l'être vivant dans le milieu cosmique ambiant n'apparaît que dans les organismes complexes et élevés. Dans les êtres inférieurs réduits à un organisme élémentaire, tels que les infusoires, il n'y a pas d'indépendance réelle. Ces êtres ne manifestent les propriétés vitales dont ils sont doués que sous l'influence de l'humidité, de la lumière, de la chaleur extérieure, et, dès qu'une ou plusieurs de ces conditions viennent à manquer, la manifestation vitale cesse, parce que le phénomène physico-chimique qui lui est parallèle s'arrête. Dans les végétaux, les phénomènes de la vie sont également liés pour leurs manifestations aux conditions de chaleur, d'humidité et de lumière du milieu ambiant. De même encore pour les animaux à sang froid; les phénomènes de la vie s'engourdissent ou s'activent suivant les mêmes conditions. Or, ces influences qui provoquent, accélèrent ou ralentissent les manifestations vitales chez les êtres vivants, sont exactement les mêmes que celles qui provoquent, accélèrent ou ralentissent les manifestations des phénomènes physico-chimiques dans les corps bruts. De sorte qu'au lieu de voir, à l'exemple des vitalistes, une sorte d'opposition et d'incompatibilité entre les conditions des manifestations vitales et les conditions des manifestations physico-chimiques, il faut, au contraire, constater entre ces deux ordres de phénomènes un parallélisme complet et une relation directe et nécessaire. C'est seulement chez les animaux à sang chaud, qu'il paraît y avoir indépendance entre les conditions de l'organisme et celles du milieu ambiant; chez ces animaux, en effet, la manifestation des phénomènes vitaux ne subit plus les alternatives et les variations qu'éprouvent les conditions cosmiques, et il semble qu'une force intérieure vienne lutter contre ces influences et maintenir malgré elles l'équilibre des fonctions vitales. Mais au fond il n'en est rien, et cela tient simplement à ce que, par suite d'un mécanisme protecteur plus complet que nous aurons à étudier, le milieu intérieur de l'animal à sang chaud se met plus difficilement en équilibre avec le milieu cosmique extérieur. Les influences extérieures n'amènent, conséquemment, des modifications et des perturbations dans l'intensité des fonctions de l'organisme, qu'autant que le système protecteur du milieu organique devient insuffisant dans des conditions données.

III. — LES PHÉNOMÈNES PHYSIOLOGIQUES DES ORGANISMES SUPÉRIEURS SE PASSENT DANS DES MILIEUX ORGANIQUES INTÉRIEURS PERFECTIONNÉS ET DOUÉS DE PROPRIÉTÉS PHYSICO-CHIMIQUES CONSTANTES

Il est très important, pour bien comprendre l'application de l'expérimentation aux êtres vivants, d'être parfaitement fixé sur les notions que nous développons en ce moment. Quand on examine un organisme vivant supérieur, c'est-à-dire complexe, et qu'on le voit accomplir ses différentes fonctions dans le milieu cosmique général et commun à tous les phénomènes de la nature, il semble, jusqu'à un certain point, indépendant dans ce milieu. Mais cette apparence tient simplement à ce que nous nous faisons illusion sur la simplicité des phénomènes de la vie. Les phénomènes extérieurs que nous apercevons dans cet être vivant sont au fond très complexes, ils sont la résultante d'une foule de propriétés intimes d'éléments organiques dont les manifestations sont liées aux conditions physico-chimiques de milieux internes dans lesquels ils sont plongés. Nous supprimons, dans nos explications, le milieu interne, pour ne voir que le milieu extérieur qui est sous nos yeux. Mais l'explication réelle des phénomènes de la vie repose sur l'étude et sur la connaissance des particules les plus ténues et les plus déliées qui constituent les éléments organiques du corps. Cette idée, émise en biologie depuis longtemps par de grands physiologistes, paraît de plus en plus vraie à mesure que la science de l'organisation des êtres vivants fait plus de progrès. Ce qu'il faut savoir en outre, c'est que ces *particules intimes* de l'organisme ne manifestent leur activité vitale que par une relation physico-chimique nécessaire avec des *milieux intimes* que nous devons également étudier et connaître. Autrement, si nous nous bornons à l'examen des phénomènes d'ensemble visibles à l'extérieur, nous pourrons croire faussement qu'il y a dans l'être vivant une force propre qui viole les lois physico-chimiques du milieu cosmique général, de même qu'un ignorant pourrait croire que, dans une machine qui monte dans les airs ou qui court sur la terre, il y a une force spéciale qui viole les lois de la gravitation. Or l'organisme vivant n'est qu'une machine admirable douée des propriétés les plus merveilleuses et mise en activité à l'aide des mécanismes les plus complexes et les plus délicats. Il n'y a pas des forces en opposition et en lutte les unes avec les autres ; dans la nature il ne saurait y avoir qu'arrangement et dérangement, qu'harmonie et désharmonie.

Dans l'expérimentation sur les corps bruts, il n'y a à tenir compte que d'un seul milieu, c'est le milieu cosmique extérieur : tandis que chez les êtres vivants élevés, il y a au moins deux milieux à considérer : le *milieu extérieur* ou extra-organique et le *milieu intérieur* ou intra-organique. Chaque année, je développe dans mon cours de physiologie à la Faculté des sciences ces idées nouvelles sur les milieux organiques, idées que je considère comme la base de la physiologie générale ; elles sont nécessairement aussi la base de la pathologie générale, et ces mêmes notions nous guideront dans l'application de l'expérimentation aux êtres vivants. Car, ainsi que je l'ai déjà dit ailleurs, la complexité due à l'existence d'un milieu organique intérieur est la seule raison des grandes difficultés que nous rencontrons dans la détermination expérimentale des phénomènes de la vie et dans l'application des moyens capables de les modifier *.

Le physicien et le chimiste qui expérimentent sur les corps inertes, n'ayant à considérer que le milieu extérieur, peuvent, à l'aide du thermomètre, du baromètre et de tous les instruments qui constatent et mesurent les propriétés de ce milieu extérieur, se placer toujours dans des conditions identiques. Pour le physiologiste, ces instruments ne suffisent plus, et d'ailleurs, c'est dans le milieu intérieur qu'il devrait les faire agir. En effet c'est le milieu intérieur des êtres vivants qui est toujours

---

* Claude Bernard, *Leçons sur la physiologie et la pathologie du système nerveux*. Leçon d'ouverture, 17 déc. 1856. Paris, 1858, t. I. — Cours de pathologie expérimentale, *The medical Times*, 1860.

en rapport immédiat avec les manifestations vitales, normales ou pathologiques des éléments organiques. A mesure qu'on s'élève dans l'échelle des êtres vivants, l'organisation se complique, les éléments organiques deviennent plus délicats et ont besoin d'un milieu intérieur plus perfectionné. Tous les liquides circulant, la liqueur du sang et les fluides intra-organiques constituent en réalité ce milieu intérieur.

Chez tous les êtres vivants le milieu intérieur, qui est un véritable *produit de l'organisme,* conserve des rapports nécessaires d'échanges et d'équilibres avec le milieu cosmique extérieur; mais, à mesure que l'organisme devient plus parfait, le milieu organique se spécialise et s'isole en quelque sorte de plus en plus du milieu ambiant. Chez les végétaux et chez les animaux à sang froid, ainsi que nous l'avons dit, cet isolement est moins complet que chez les animaux à sang chaud; chez ces derniers le liquide sanguin possède une température et une constitution à peu près fixe et semblable. Mais ces conditions diverses ne sauraient établir une différence de nature entre les divers êtres vivants; elles ne constituent que des perfectionnements dans les mécanismes isolateurs et protecteurs des milieux. Les manifestations vitales des animaux ne varient que parce que les conditions physico-chimiques de leurs milieux internes varient; c'est ainsi qu'un mammifère dont le sang a été refroidi, soit par l'hibernation naturelle, soit par certaines lésions du système nerveux, se rapproche complètement, par les propriétés de ses tissus, d'un animal à sang froid proprement dit.

En résumé, on peut, d'après ce qui précède, se faire une idée de la complexité énorme des phénomènes de la vie et des difficultés presque insurmontables que leur détermination exacte présente au physiologiste, quand il est obligé de porter l'expérimentation dans ces milieux intérieurs ou organiques. Toutefois, ces obstacles ne nous épouvanteront pas si nous sommes bien convaincus que nous marchons dans la bonne voie. En effet, il y a un déterminisme absolu dans tout phénomène vital; dès lors il y a une science biologique, et, par conséquent, toutes les études auxquelles nous nous livrons ne seront point inutiles. La physiologie générale est la science biologique fondamentale vers laquelle toutes les autres convergent. Son problème consiste à déterminer la condition élémentaire des phénomènes de la vie. La pathologie et la thérapeutique reposent également sur cette base commune. C'est par l'activité normale des éléments organiques que la vie se manifeste à l'état de santé; c'est par la manifestation anormale des mêmes éléments que se caractérisent les maladies, et enfin c'est par l'intermédiaire du milieu organique modifié au moyen de certaines substances toxiques ou médicamenteuses que la thérapeutique peut agir sur les éléments organiques. Pour arriver à résoudre ces divers problèmes, il faut en quelque sorte décomposer successivement l'organisme, comme on démonte une machine pour en reconnaître et en étudier tous les rouages; ce qui veut dire, qu'avant d'arriver à l'expérimentation sur les éléments, il faut expérimenter d'abord sur les appareils et sur les organes. Il faut donc recourir à une étude analytique successive des phénomènes de la vie en faisant usage de la même méthode expérimentale qui sert au physicien et au chimiste pour analyser les phénomènes des corps bruts. Les difficultés qui résultent de la complexité des phénomènes des corps vivants, se présentent uniquement dans l'application de l'expérimentation; car au fond le but et les principes de la méthode restent toujours exactement les mêmes.

IV. — LE BUT DE L'EXPÉRIMENTATION EST LE MÊME DANS L'ÉTUDE DES PHÉNOMÈNES DES CORPS VIVANTS ET DANS L'ÉTUDE DES PHÉNOMÈNES DES CORPS BRUTS

Si le physicien et le physiologiste se distinguent en ce que l'un s'occupe des phénomènes qui se passent dans la matière brute, et l'autre des phénomènes qui s'accomplissent dans la matière vivante, ils ne diffèrent cependant pas, quant au but qu'ils veulent atteindre. En effet, *l'un et l'autre se proposent pour but commun de remonter à la cause prochaine des phénomènes qu'ils étudient.* Or, ce que nous appelons la cause prochaine d'un phénomène n'est rien autre chose que la condition physique et matérielle de son existence ou de sa manifestation. Le but de la méthode expérimentale ou le terme de toute recherche scientifique est donc identique pour les corps vivants et pour les corps bruts; il consiste à trouver les relations qui rattachent un phénomène quelconque à sa cause prochaine, ou autrement dit, à déterminer les conditions nécessaires à la manifestation de ce phénomène. En effet, quand l'expérimentateur est parvenu à connaître les conditions d'existence d'un phénomène, il en est en quelque sorte le maître; il peut prédire sa marche et sa manifestation, la favoriser ou l'empêcher à volonté. Dès lors le but de l'expérimentateur est atteint; il a, par la science, étendu sa puissance sur un phénomène naturel.

Nous définirons donc la physiologie : la science qui a pour objet d'étudier les phénomènes des êtres vivants et de *déterminer* les conditions matérielles de leur manifestation. C'est par la méthode analytique ou expérimentale seule que nous pouvons arriver à cette détermination des conditions des phénomènes, aussi bien dans les corps vivants que dans les corps bruts; car nous raisonnons de même pour expérimenter dans toutes les sciences.

Pour l'expérimentateur physiologiste, il ne saurait y avoir ni spiritualisme ni matérialisme. Ces mots appartiennent à une philosophie naturelle qui a vieilli, ils tomberont en désuétude par le progrès même de la science. Nous ne connaîtrons jamais ni l'esprit ni la matière, et, si c'était ici le lieu, je montrerais facilement que d'un côté comme de l'autre on arrive bientôt à des négations scientifiques, d'où il résulte que toutes les considérations de cette espèce sont oiseuses et inutiles. Il n'y a pour nous que des phénomènes à étudier, les conditions matérielles de leurs manifestations à connaître, et les lois de ces manifestations à déterminer.

Les causes premières ne sont point du domaine scientifique et elles nous échapperont à jamais aussi bien dans les sciences des corps vivants que dans les sciences des corps bruts. La méthode expérimentale détourne nécessairement de la recherche chimérique du principe vital; il n'y a pas plus de force vitale que de force minérale, ou, si l'on veut, l'une existe tout autant que l'autre. Le mot force que nous employons n'est qu'une abstraction dont nous nous servons pour la commodité du langage. Pour le mécanicien la force est le rapport d'un mouvement à sa cause. Pour le physicien, le chimiste et le physiologiste, c'est au fond de même. L'essence des choses devant nous rester toujours ignorée, nous ne pouvons connaître que les relations de ces choses, et les phénomènes ne sont que des résultats de ces relations. Les propriétés des corps vivants ne se manifestent à nous que par des rapports de réciprocité organique. Une glande salivaire, par exemple, n'existe que parce qu'elle est en rapport avec le système digestif, et que parce que ses éléments histologiques sont dans certains rapports entre eux et avec le sang; supprimez toutes ces relations en isolant par la pensée les éléments de l'organe les uns des autres, la glande salivaire n'existe plus.

La loi nous donne le rapport numérique de l'effet à sa cause, et c'est là le but auquel s'arrête la science. Lorsqu'on possède la loi d'un phénomène, on connaît donc non seulement le déterminisme absolu des conditions de son existence, mais on a encore les rapports qui sont relatifs à toutes ses variations, de sorte qu'on peut prédire les modifications de ce phénomène dans toutes les circonstances données.

Comme corollaire de ce qui précède, nous ajouterons que le physiologiste ou le médecin ne doivent pas s'imaginer qu'ils ont à rechercher la cause de la vie ou l'essence des maladies. Ce serait perdre complètement son temps à poursuivre un fantôme. Il n'y a aucune réalité objective dans les mots vie, mort, santé, maladie. Ce sont des expressions littéraires dont nous nous servons parce qu'elles représentent à notre esprit l'apparence de certains phénomènes. Nous devons imiter en cela les physiciens et dire comme Newton, à propos de l'attraction : « Les corps tombent d'après un mouvement accéléré dont on connaît la loi : voilà le fait, voilà le réel. Mais la cause première qui fait tomber ces corps est absolument inconnue. On peut dire, pour se représenter le phénomène à l'esprit, que les corps tombent comme s'il y avait une force d'attraction qui les sollicite vers le centre de la terre, *quasi esset attractio*. Mais la force d'attraction n'existe pas, ou on ne la voit pas, ce n'est qu'un mot pour abréger le discours. » De même quand un physiologiste invoque la force vitale ou la vie, il ne la voit pas, il ne fait que prononcer un mot; le phénomène vital seul existe avec ses conditions matérielles et c'est là la seule chose qu'il puisse étudier et connaître.

En résumé, le but de la science est partout identique : connaître les conditions matérielles des phénomènes. Mais si ce but est le même dans les sciences physico-chimiques et dans les sciences biologiques, il est beaucoup plus difficile à atteindre dans les dernières, à cause de la mobilité et de la complexité des phénomènes qu'on y rencontre.

V. — IL Y A UN DÉTERMINISME ABSOLU DANS LES CONDI-
TIONS D'EXISTENCE DES PHÉNOMÈNES NATURELS, AUSSI
BIEN DANS LES CORPS VIVANTS QUE DANS LES CORPS BRUTS

Il faut admettre comme un axiome expérimental que
*chez les êtres vivants aussi bien que dans les corps bruts
les conditions d'existence de tout phénomène sont déterminées d'une manière absolue.* Ce qui veut dire en d'autres
termes que la condition d'un phénomène une fois connue
et remplie, le phénomène doit se reproduire toujours et
nécessairement, à la volonté de l'expérimentateur. La négation de cette proposition ne serait rien autre chose que la
négation de la science même. En effet, la science n'étant
que le déterminé et le déterminable, on doit forcément
admettre comme axiome que dans des conditions identiques, tout phénomène est identique et qu'aussitôt que
les conditions ne sont plus les mêmes, le phénomène
cesse d'être identique. Ce principe est absolu, aussi bien
dans les phénomènes des corps bruts que dans ceux des
êtres vivants, et l'influence de la vie, quelle que soit
l'idée qu'on s'en fasse, ne saurait rien y changer. Ainsi
que nous l'avons dit, ce qu'on appelle la force vitale est
une cause première analogue à toutes les autres, en ce sens
qu'elle nous est parfaitement inconnue. Que l'on admette
ou non que cette force diffère essentiellement de celles
qui président aux manifestations des phénomènes des
corps bruts, peu importe, il faut néanmoins qu'il y ait
déterminisme dans les phénomènes vitaux qu'elle régit;
car sans cela ce serait une force aveugle et sans loi, ce
qui est impossible. De là il résulte que les phénomènes
de la vie n'ont leurs lois spéciales, que parce qu'il y a un
déterminisme rigoureux dans les diverses circonstances
qui constituent leurs conditions d'existence ou qui provoquent leurs manifestations; ce qui est la même chose.
Or c'est à l'aide de l'expérimentation seule, ainsi que
nous l'avons souvent répété, que nous pouvons arriver,
dans les phénomènes des corps vivants, comme dans ceux
des corps bruts, à la connaissance des conditions qui
règlent ces phénomènes et nous permettent ensuite de
les maîtriser.

Tout ce qui précède pourra paraître élémentaire aux
hommes qui cultivent les sciences physico-chimiques.
Mais parmi les naturalistes et surtout parmi les méde-

cins, on trouve des hommes qui, au nom de ce qu'ils appellent le vitalisme, émettent sur le sujet qui nous occupe les idées les plus erronées. Ils pensent que l'étude des phénomènes de la matière vivante ne saurait avoir aucun rapport avec l'étude des phénomènes de la matière brute. Ils considèrent la vie comme une influence mystérieuse et surnaturelle qui agit arbitrairement en s'affranchissant de tout déterminisme, et ils taxent de matérialistes tous ceux qui font des efforts pour ramener les phénomènes vitaux à des conditions organiques et physico-chimiques déterminées. Ce sont là des idées fausses qu'il n'est pas facile d'extirper une fois qu'elles ont pris droit de domicile dans un esprit; les progrès seuls de la science les feront disparaître. Mais les idées vitalistes prises dans le sens que nous venons d'indiquer ne sont rien autre qu'une sorte de superstition médicale, une croyance au surnaturel. Or, dans la médecine la croyance aux causes occultes qu'on appelle vitalisme ou autrement, favorise l'ignorance et enfante une sorte de charlatanisme involontaire, c'est-à-dire la croyance à une science infuse et indéterminable. Le sentiment du déterminisme absolu des phénomènes de la vie, mène au contraire à la science réelle et nous donne une modestie qui résulte de la conscience de notre peu de connaissance et des difficultés de la science. C'est ce sentiment qui, à son tour, nous excite à travailler pour nous instruire, et c'est en définitive à lui seul que la science doit tous ses progrès.

Je serais d'accord avec les vitalistes s'ils voulaient simplement reconnaître que les êtres vivants présentent des phénomènes qui ne se retrouvent pas dans la nature brute, et qui, par conséquent, leur sont spéciaux. J'admets en effet que les manifestations vitales ne sauraient être élucidées par les seuls phénomènes physico-chimiques connus dans la matière brute. (Je m'expliquerai plus loin au sujet du rôle des sciences physico-chimiques en biologie, mais je veux seulement dire ici que, si les phénomènes vitaux ont une complexité et une apparence différentes de ceux des corps bruts, ils n'offrent cette différence qu'en vertu de conditions déterminées ou déterminables qui leur sont propres. Donc, si les sciences vitales doivent différer des autres par leurs explications et par leurs lois spéciales, elles ne s'en distinguent pas par la méthode scientifique. La biologie doit prendre aux sciences physico-chimiques la méthode expérimentale, mais garder ses phénomènes spéciaux et ses lois propres.

Dans les corps vivants comme dans les corps bruts les lois sont immuables, et les phénomènes que ces lois régissent sont liés à leurs conditions d'existence par un déterminisme nécessaire et absolu. J'emploie ici le mot *déterminisme* comme plus convenable que le mot fatalisme dont on se sert quelquefois pour exprimer la même idée. Le déterminisme dans les conditions des phénomènes de la vie doit être un des axiomes du médecin expérimentateur. S'il est bien pénétré de la vérité de ce principe, il exclura de ses explications toute intervention du surnaturel; il aura une foi inébranlable dans l'idée que des lois fixes régissent la science biologique, et il aura en même temps un *critérium* sûr pour juger les apparences souvent variables et contradictoires des phénomènes vitaux. En effet, partant de ce principe qu'il y a des lois immuables, l'expérimentateur sera convaincu que jamais les phénomènes ne peuvent se contredire s'ils sont observés dans les mêmes conditions, et il saura que, s'ils montrent des variations, cela tient nécessairement à l'intervention ou à l'interférence d'autres conditions qui masquent ou modifient ces phénomènes. Dès lors il y aura lieu de chercher à connaître les conditions de ces variations; car il ne saurait y avoir d'effet sans cause. Le déterminisme devient ainsi la base de tout progrès et de toute critique scientifique. Si, en répétant une expérience, on trouve des résultats discordants ou même contradictoires, on ne devra jamais admettre des exceptions ni des contradictions réelles, ce qui serait antiscientifique; on conclura uniquement et nécessairement à des différences de conditions dans les phénomènes, qu'on puisse ou qu'on ne puisse pas les expliquer actuellement.

Je dis que le mot *exception* est antiscientifique; en effet, dès que les lois sont connues, il ne saurait y avoir d'exception, et cette expression, comme tant d'autres, ne sert qu'à nous permettre de parler de choses dont nous ignorons le déterminisme. On entend tous les jours les médecins employer les mots : *le plus ordinairement, le plus souvent, généralement*, ou bien s'exprimer numériquement, en disant par exemple, huit fois sur dix, les choses arrivent ainsi; j'ai entendu de vieux praticiens dire que les mots *toujours* et *jamais* doivent être rayés de la médecine. Je ne blâme pas ces restrictions ni l'emploi de ces locutions si on les emploie comme des approximations empiriques relatives à l'apparition de phénomènes dont nous ignorons encore plus ou moins les conditions exactes d'existence. Mais certains médecins semblent raisonner comme si les exceptions étaient nécessaires; ils paraissent croire qu'il existe une force vitale qui peut arbitrairement empêcher que les choses se passent toujours identiquement; de sorte que les exceptions seraient des conséquences de l'action même de cette force vitale mystérieuse. Or il ne saurait en être ainsi; ce qu'on appelle actuellement exception est simplement un phénomène dont une ou plusieurs conditions sont inconnues, et si les conditions des phénomènes dont on parle étaient connues et déterminées, il n'y aurait plus d'exceptions, pas plus en médecine que dans toute autre science. Autrefois on pouvait dire, par exemple, que tantôt on guérissait la gale, tantôt on ne la guérissait pas; mais aujourd'hui qu'on s'adresse à la cause déterminée de cette maladie, on la guérit *toujours*. Autrefois on pouvait dire que la lésion des nerfs amenait une paralysie tantôt du sentiment, tantôt du mouvement, mais aujourd'hui on sait que la section des racines antérieures rachidiennes ne paralyse que les mouvements; c'est constamment et *toujours* que cette paralysie motrice a lieu parce que sa condition a été exactement déterminée par l'expérimentateur.

La certitude du déterminisme des phénomènes, avons-nous dit, doit également servir de base à la critique expérimentale, soit qu'on en fasse usage pour soi-même, soit qu'on l'applique aux autres. En effet, un phénomène se manifestant toujours de même, si les conditions sont semblables, le phénomène ne manque jamais si ces conditions existent, de même qu'il n'apparaît pas si les conditions manquent. Donc il peut arriver à un expérimentateur, après avoir fait une expérience dans des conditions qu'il croyait déterminées, de ne plus obtenir dans une nouvelle série de recherches le résultat qui s'était montré dans sa première observation; en répétant son expérience, après avoir pris de nouvelles précautions, il pourra se faire encore qu'au lieu de retrouver le résultat primitivement obtenu, il en rencontre un autre tout différent. Que faire dans cette situation ? Faudra-t-il admettre que les faits sont indéterminables ? Evidemment non, puisque cela ne se peut. Il faudra simplement admettre que les conditions de l'expérience qu'on croyait connues ne le sont pas. Il y aura à mieux étudier, à rechercher et à préciser les conditions expérimentales, car les faits ne sauraient être opposés les uns aux autres; ils ne peuvent être qu'indéterminés. Les faits ne s'excluant jamais, ils s'expliquent seulement par les différences de conditions dans lesquelles ils sont nés. De sorte qu'un expérimentateur ne peut jamais nier un fait qu'il a vu et observé par la seule raison qu'il ne le retrouve plus. Nous citerons dans la troisième partie de cette introduction des exemples dans lesquels se trouvent mis en pratique les principes de critique expérimentale que nous venons d'indiquer.

VI. — POUR ARRIVER AU DÉTERMINISME DES PHÉNOMÈNES DANS LES SCIENCES BIOLOGIQUES COMME DANS LES SCIENCES PHYSICO-CHIMIQUES, IL FAUT RAMENER LES PHÉNOMÈNES A DES CONDITIONS EXPÉRIMENTALES DÉFINIES ET AUSSI SIMPLES QUE POSSIBLE

Un phénomène naturel n'étant que l'expression de rapports ou de relations, il faut au moins deux corps pour le manifester. De sorte qu'il y aura toujours à considérer : 1º un corps qui réagit ou qui manifeste le phénomène; 2º un autre corps qui agit et joue relativement au premier le rôle d'un milieu. Il est impossible de supposer un corps absolument isolé dans la nature; il n'aurait plus de réalité, parce que, dans ce cas, aucune relation ne viendrait manifester son existence.

Dans les relations phénoménales, telles que la nature nous les offre, il règne toujours une complexité plus ou moins grande. Sous ce rapport, la complexité des phénomènes minéraux est beaucoup moins grande que celle des phénomènes vitaux : c'est pourquoi les sciences qui étudient les corps bruts sont parvenues plus vite à se constituer. Dans les corps vivants, les phénomènes sont d'une complexité énorme, et de plus la mobilité des propriétés vitales les rend beaucoup plus difficiles à saisir et à déterminer.

Les propriétés de la matière vivante ne peuvent être connues que par leur rapport avec les propriétés de la matière brute; d'où il résulte que les sciences biologiques doivent avoir pour base nécessaire les sciences physico-chimiques auxquelles elles empruntent leurs moyens d'analyse et leurs procédés d'investigation. Telles sont les raisons nécessaires de l'évolution subordonnée et arriérée des sciences qui s'occupent des phénomènes de la vie. Mais si cette complexité des phénomènes vitaux constitue de très grands obstacles, cela ne doit cependant pas nous épouvanter; car au fond, ainsi que nous l'avons déjà dit, à moins de nier la possibilité d'une science biologique, les principes de la science sont partout identiques. Nous sommes donc assurés que nous marchons dans la bonne voie et que nous devons parvenir avec le temps au résultat scientifique que nous poursuivons, c'est-à-dire au déterminisme des phénomènes dans les êtres vivants.

On ne peut arriver à connaître les conditions définies et élémentaires des phénomènes que par une seule voie. C'est par l'*analyse expérimentale*. Cette analyse décompose successivement tous les phénomènes complexes en des phénomènes de plus en plus simples jusqu'à leur réduction à deux seules conditions élémentaires, si c'est possible. En effet, la science expérimentale ne considère dans un phénomène que les seules conditions définies qui sont nécessaires à sa production. Le physicien cherche à se représenter ces conditions en quelque sorte idéalement dans la mécanique et dans la physique mathématique. Le chimiste analyse successivement la matière complexe, et en parvenant ainsi, soit aux corps simples, soit aux corps définis (principes immédiats ou espèces chimiques), il arrive aux conditions élémentaires ou irréductibles des phénomènes. De même le biologue doit analyser les organismes complexes et ramener les phénomènes de la vie à des conditions irréductibles dans l'état actuel de la science. La physiologie et la médecine expérimentale n'ont pas d'autre but.

Le physiologiste et le médecin, aussi bien que le physicien et le chimiste, quand ils se trouveront en face de questions complexes, devront donc décomposer le problème total en des problèmes partiels de plus en plus simples et de mieux en mieux définis. Ils ramèneront ainsi les phénomènes à leurs conditions matérielles les plus simples possible, et rendront ainsi l'application de la méthode expérimentale plus facile et plus sûre. Toutes les sciences analytiques décomposent afin de pouvoir mieux expérimenter. C'est en suivant cette voie que les physiciens et les chimistes ont fini par ramener les phénomènes en apparence les plus complexes à des propriétés simples, se rattachant à des espèces minérales bien définies. En suivant la même voie, analytique, le physiologiste doit arriver à ramener toutes les manifes-

tations vitales d'un organisme complexe au jeu de
certains organes, et l'action de ceux-ci à des propriétés
de tissus ou d'éléments organiques bien définis. L'analyse expérimentale anatomico-physiologique, qui remonte
à Galien, n'a pas d'autre raison, et c'est toujours le même
problème que poursuit encore aujourd'hui l'histologie,
en approchant naturellement de plus en plus du but.

Quoiqu'on puisse parvenir à décomposer les parties
vivantes en éléments chimiques ou corps simples, ce ne
sont pourtant pas ces corps élémentaires chimiques qui
constituent les éléments du physiologiste. Sous ce rapport, le biologue ressemble plus au physicien qu'au
chimiste, en ce sens qu'il cherche surtout à déterminer
les propriétés des corps en se préoccupant beaucoup
moins de leur composition élémentaire. Dans l'état actuel
de la science, il n'y aurait d'ailleurs aucun rapport
possible à établir entre les propriétés vitales des corps
et leur constitution chimique; car les tissus ou organes
pourvus de propriétés les plus diverses, se confondent
parfois au point de vue de leur composition chimique
élémentaire. La chimie est surtout très utile au physiologiste, en lui fournissant les moyens de séparer et
d'étudier les principes immédiats, véritables produits
organiques qui jouent des rôles importants dans les
phénomènes de la vie.

Les principes immédiats organiques, quoique bien
définis dans leurs propriétés, ne sont pas encore les
éléments actifs des phénomènes physiologiques; comme
les matières minérales, ils ne sont en quelque sorte que
des éléments passifs de l'organisme. Les vrais éléments
actifs pour le physiologiste sont ce qu'on appelle les éléments anatomiques ou histologiques. Ceux-ci, de même
que les principes immédiats organiques, ne sont pas
simples chimiquement, mais, considérés physiologiquement, ils sont aussi réduits que possible, en ce sens
qu'ils possèdent les propriétés vitales les plus simples
que nous connaissons, propriétés vitales qui s'évanouissent quand on vient à détruire cette partie élémentaire organisée. Du reste, toutes les idées que nous
avons sur ces éléments sont relatives à l'état actuel de
nos connaissances; car il est certain que ces éléments
histologiques, à l'état de cellules ou de fibres, sont encore
complexes. C'est pourquoi divers naturalistes n'ont pas
voulu leur donner le nom d'*éléments*, et ont proposé de les
appeler *organismes élémentaires*. Cette dénomination serait

en effet plus convenable; on peut parfaitement se représenter un organisme complexe comme constitué par une
foule d'organismes élémentaires distincts, qui s'unissent,
se soudent et se groupent de diverses manières pour
donner naissance d'abord aux différents tissus du corps,
puis aux divers organes; les appareils anatomiques ne
sont eux-mêmes que des assemblages d'organes qui
offrent dans les êtres vivants des combinaisons variées
à l'infini. Quand on vient à analyser les manifestations
complexes d'un organisme, on doit donc décomposer
ces phénomènes complexes et les ramener à un certain
nombre des propriétés simples appartenant à des organismes élémentaires, et ensuite, par la pensée, reconsti-
tuer synthétiquement l'organisme total par les réunions
et l'agencement de ces organismes élémentaires, considérés d'abord isolément, puis dans leurs rapports réciproques.

Quand le physicien, le chimiste ou le physiologiste
sont arrivés, par une analyse expérimentale successive,
à déterminer l'élément irréductible des phénomènes
dans l'état actuel de leur science, le problème scientifique s'est simplifié, mais sa nature n'a pas changé pour
cela, et le savant n'en est pas plus près d'une connaissance absolue de l'essence des choses. Toutefois il a
gagné ce qu'il lui importe véritablement d'obtenir, à
savoir : la connaissance des conditions d'existence des
phénomènes, et la détermination du rapport défini qui
existe entre le corps qui manifeste ses propriétés et la
cause prochaine de cette manifestation. L'objet de l'analyse
dans les sciences biologiques, comme dans les sciences
physico-chimiques, est en effet de déterminer et d'isoler
autant que possible les conditions de manifestation de
chaque phénomène. Nous ne pouvons avoir d'action
sur les phénomènes de la nature qu'en reproduisant leurs
conditions naturelles d'existence, et nous agissons d'autant plus facilement sur ces conditions, qu'elles ont été
préalablement mieux analysées et ramenées à un plus
grand état de simplicité. La science réelle n'existe donc
qu'au moment où le phénomène est exactement défini
dans sa nature et rigoureusement déterminé dans le rapport de ses conditions matérielles, c'est-à-dire quand sa
loi est connue. Avant cela, il n'y a que du tâtonnement et
de l'*empirisme*.

VII. — DANS LES CORPS VIVANTS, DE MÊME QUE DANS LES
CORPS BRUTS, LES PHÉNOMÈNES ONT TOUJOURS UNE
DOUBLE CONDITION D'EXISTENCE

L'examen le plus superficiel de ce qui se passe autour
de nous, nous montre que tous les phénomènes naturels
résultent de la réaction des corps les uns sur les autres.
Il y a toujours à considérer le *corps* dans lequel se passe
le phénomène, et les circonstances extérieures ou le
milieu qui *détermine* ou sollicite le corps à manifester
ses propriétés. La réunion de ces conditions est indispensable pour la manifestation du phénomène. Si l'on
supprime le milieu, le phénomène disparaît, de même
que si le corps avait été enlevé. Les phénomènes de la
vie, aussi bien que les phénomènes des corps bruts,
nous présentent cette double condition d'existence. Nous
avons d'une part l'*organisme* dans lequel s'accomplissent
les phénomènes vitaux, et d'autre part le *milieu cosmique*
dans lequel les corps vivants, comme les corps bruts,
trouvent les conditions indispensables pour la manifestation de leurs phénomènes. Les conditions de la vie ne
sont ni dans l'organisme ni dans le milieu extérieur,
mais dans les deux à la fois. En effet, si l'on supprime ou
si l'on altère l'organisme, la vie cesse, quoique le milieu
reste intact; si, d'un autre côté, on enlève ou si l'on vicie
le milieu, la vie disparaît également, quoique l'organisme n'ait point été détruit.

Les phénomènes nous apparaissent ainsi comme des
simples effets de contact ou de relation d'un corps
avec son *milieu*. En effet, si par la pensée nous isolons
un corps d'une manière absolue, nous l'anéantissons par
cela même, et si nous multiplions au contraire ses rapports avec le milieu extérieur, nous multiplions ses
propriétés.

Les phénomènes sont donc des relations de corps
déterminées; nous concevons toujours ces relations
comme résultant de *forces* extérieures à la matière, parce
que nous ne pouvons pas les localiser dans un seul corps
d'une manière absolue. Pour le physicien, l'attraction
universelle n'est qu'une idée abstraite; la manifestation
de cette force exige la présence de deux corps; s'il n'y a
qu'un corps, nous ne concevons plus l'attraction. L'électricité est, par exemple, le résultat de l'action du cuivre

et du zinc dans certaines conditions chimiques; mais si
l'on supprime la relation de ces corps, l'électricité étant
une abstraction et n'existant pas par elle-même, cesse de
se manifester. De même la vie est le résultat du contact
de l'organisme et du milieu; nous ne pouvons pas la
comprendre avec l'organisme seul, pas plus qu'avec le
milieu seul. C'est donc également une abstraction, c'est-
à-dire une force qui nous apparaît comme étant en
dehors de la matière.

Mais, quelle que soit la manière dont l'esprit conçoive
les forces de la nature, cela ne peut modifier en aucune
façon la conduite de l'expérimentateur. Pour lui, le
problème se réduit uniquement à déterminer les circonstances matérielles dans lesquelles le phénomène
apparaît. Puis, ces conditions étant connues, il peut, en
les réalisant ou non, maîtriser le phénomène, c'est-à-
dire le faire apparaître ou disparaître suivant sa volonté.
C'est ainsi que le physicien et le chimiste exercent leur
puissance sur les corps bruts; c'est ainsi que le physiologiste pourra avoir un empire sur les phénomènes
vitaux. Toutefois les corps vivants paraissent de prime
abord se soustraire à l'action de l'expérimentateur.
Nous voyons les organismes supérieurs manifester uni-
formément leurs phénomènes vitaux, malgré la variabilité des circonstances cosmiques ambiantes, et d'un
autre côté nous voyons la vie s'éteindre dans un organisme au bout d'un certain temps, sans que nous puissions trouver dans le milieu extérieur les raisons de cette
extinction. Mais nous avons déjà dit qu'il y a là une
illusion qui est le résultat d'une analyse incomplète et
superficielle des conditions des phénomènes vitaux. La
science antique n'a pu concevoir que le milieu extérieur;
mais il faut, pour fonder la science biologique expérimentale, concevoir de plus un *milieu intérieur*. Je crois
avoir le premier exprimé clairement cette idée et avoir
insisté sur elle pour faire mieux comprendre l'application de l'expérimentation aux êtres vivants. D'un autre
côté, le milieu extérieur s'absorbant dans le milieu intérieur, la connaissance de ce dernier nous apprend toutes
les influences du premier. Ce n'est qu'en passant dans
le milieu intérieur que les influences du milieu extérieur
peuvent nous atteindre, d'où il résulte que la connaissance du milieu extérieur ne nous apprend pas les actions
qui prennent naissance dans le milieu intérieur et qui lui
sont propres. Le milieu cosmique général est commun aux

corps vivants et aux corps bruts; mais le milieu intérieur créé par l'organisme est spécial à chaque être vivant. Or, c'est là le vrai *milieu physiologique*, c'est celui que le physiologiste et le médecin doivent étudier et connaître, parce que c'est par son intermédiaire qu'ils pourront agir sur les éléments histologiques qui sont les seuls agents effectifs des phénomènes de la vie. Néanmoins, ces éléments, quoique profondément situés, communiquent avec l'extérieur; ils vivent toujours dans les conditions du milieu extérieur perfectionnés et régularisés par le jeu de l'organisme. L'organisme n'est qu'une machine vivante construite de telle façon, qu'il y a, d'une part, une communication libre du milieu extérieur avec le milieu intérieur organique, et, d'autre part, qu'il y a des fonctions protectrices des éléments organiques pour mettre les matériaux de la vie en réserve et entretenir sans interruption l'humidité, la chaleur et les autres conditions indispensables à l'activité vitale. La maladie et la mort ne sont qu'une dislocation ou une perturbation de ce mécanisme qui règle l'arrivée des excitants vitaux au contact des éléments organiques. L'atmosphère extérieure viciée, les poisons liquides ou gazeux, n'amènent la mort qu'à la condition que les substances nuisibles soient portées dans le milieu intérieur, en contact avec les éléments organiques. En un mot, les phénomènes vitaux ne sont que les résultats du contact des éléments organiques du corps avec le *milieu intérieur physiologique ;* c'est là le pivot de toute la médecine expérimentale. En arrivant à connaître quelles sont, dans ce milieu intérieur, les conditions normales et anormales de manifestation de l'activité vitale des éléments organiques, le physiologiste et le médecin se rendront maîtres des phénomènes de la vie; car, sauf la complexité des conditions, les phénomènes de manifestation vitale sont, comme les phénomènes physico-chimiques, l'effet d'un contact d'un corps qui agit, et du milieu dans lequel il agit.

En résumé, l'étude de la vie comprend deux choses : 1º étude des propriétés des éléments organisés; 2º étude du milieu organique, c'est-à-dire étude des conditions que doit remplir ce milieu pour laisser manifester les activités vitales. La physiologie, la pathologie et la thérapeutique, reposent sur cette double connaissance; hors de là il n'y a pas de science médicale ni de thérapeutique véritablement scientifique et efficace.

VIII. — DANS LES SCIENCES BIOLOGIQUES COMME DANS LES
SCIENCES PHYSICO-CHIMIQUES, LE DÉTERMINISME EST
POSSIBLE, PARCE QUE, DANS LES CORPS VIVANTS COMME
DANS LES CORPS BRUTS, LA MATIÈRE NE PEUT AVOIR
AUCUNE SPONTANÉITÉ

Il y a lieu de distinguer dans les organismes vivants
complexes trois espèces de corps définis : 1º des corps
chimiquement simples ; 2º des principes immédiats organiques et inorganiques ; 3º des éléments anatomiques
organisés. Sur les 70 corps simples environ que la chimie
connaît aujourd'hui, 16 seulement entrent dans la composition de l'organisme le plus complexe qui est celui de
l'homme. Mais ces 16 corps simples sont à l'état de combinaison entre eux, pour constituer les diverses substances
liquides, solides ou gazeuses de l'économie ; l'oxygène et
l'azote cependant sont simplement dissous dans les
liquides organiques et paraissent fonctionner dans l'être
vivant sous la forme de corps simple. Les principes immédiats inorganiques (sels terreux, phosphates, chlorures,
sulfates, etc.) entrent comme éléments constitutifs
essentiels dans la composition des corps vivants, mais
ils sont pris au monde extérieur directement et tout
formés. Les principes immédiats organiques sont également des éléments constitutifs du corps vivant, mais ils
ne sont point empruntés au monde extérieur ; ils sont
formés par l'organisme animal ou végétal ; tels sont l'ami-
don, le sucre, la graisse, l'albumine, etc., etc. Ces principes immédiats extraits du corps, conservent leurs propriétés, parce qu'ils ne sont point vivants ; ce sont des
produits *organiques*, mais non organisés. Les éléments
anatomiques sont les seules parties organisées et vivantes.
Ces parties sont *irritables* et manifestent, sous l'influence
d'excitants divers, des propriétés qui caractérisent exclusivement les êtres vivants. Ces parties vivent et se nourrissent, et la nutrition engendre et conserve leurs propriétés, ce qui fait qu'elles ne peuvent être séparées de
l'organisme sans perdre plus ou moins rapidement leur
vitalité.

Quoique bien différents les uns des autres sous le
rapport de leurs fonctions dans l'organisme, ces trois
ordres de corps sont tous capables de donner des réactions physico-chimiques sous l'influence des excitants

extérieurs, chaleur, lumière, électricité; mais les parties vivantes ont, en outre, la faculté d'être *irritables*, c'est-à-dire de réagir sous l'influence de certains excitants d'une façon spéciale qui caractérise les tissus vivants : telles sont la contraction musculaire, la transmission nerveuse, la sécrétion glandulaire, etc. Mais, quelles que soient les variétés que présentent ces trois ordres de phénomènes, que la nature de la réaction soit de l'ordre physico-chimique ou vital, elle n'a jamais rien de spontané, le phénomène est toujours le résultat de l'influence exercée sur le corps réagissant par un excitant physico-chimique qui lui est extérieur.

Chaque élément défini minéral, organique ou organisé, est autonome, ce qui veut dire qu'il possède des propriétés caractéristiques et qu'il manifeste des actions indépendantes. Toutefois chacun de ces corps est inerte, c'est-à-dire qu'il n'est pas capable de se donner le mouvement par lui-même; il lui faut toujours, pour cela, entrer en relation avec un autre corps et en recevoir l'excitation. Ainsi, dans le milieu cosmique, tout corps minéral est très stable, et il ne changera d'état qu'autant que les circonstances dans lesquelles il se trouve viendront à être modifiées assez profondément, soit naturellement, soit par suite de l'intervention expérimentale. Dans le milieu organique, les principes immédiats créés par les animaux et par les végétaux sont beaucoup plus altérables et moins stables, mais encore ils sont inertes et ne manifesteront leurs propriétés qu'autant qu'ils seront influencés par des agents placés en dehors d'eux. Enfin, les éléments anatomiques eux-mêmes, qui sont les principes les plus altérables et les plus instables, sont encore inertes, c'est-à-dire qu'ils n'entreront jamais en activité vitale, si quelque influence étrangère ne les y sollicite. Une fibre musculaire, par exemple, possède la propriété vitale qui lui est spéciale de se contracter, mais cette fibre vivante est inerte, en ce sens que, si rien ne change dans ses conditions environnantes ou intérieures, elle n'entrera pas en fonction et ne se contractera pas. Il faut nécessairement, pour que cette fibre musculaire se contracte, qu'il y ait un changement produit en elle par son entrée en relation avec une excitation qui lui est extérieure, et qui peut provenir soit du sang, soit d'un nerf. On peut en dire autant de tous les éléments histologiques, des éléments nerveux, des éléments glandulaires, des éléments sanguins, etc. Les divers éléments vivants jouent ainsi le rôle d'excitants les uns par rapport aux autres, et les manifestations fonctionnelles de l'organisme ne sont que l'expression de leurs relations harmoniques et réciproques. Les éléments histologiques réagissent soit séparément, soit les uns avec les autres, au moyen de propriétés vitales qui sont elles-mêmes en rapports nécessaires avec les conditions physico-chimiques environnantes, et cette relation est tellement intime, que l'on peut dire que l'intensité des phénomènes physico-chimiques qui se passent dans un être vivant, peut servir à mesurer l'intensité de ses phénomènes vitaux. Il ne faut donc pas, ainsi que nous l'avons déjà dit, établir un *antagonisme* entre les phénomènes vitaux et les phénomènes physico-chimiques, mais bien au contraire, constater un *parallélisme* complet et nécessaire entre ces deux ordres de phénomènes. En résumé, la matière vivante, pas plus que la matière brute, ne peut se donner l'activité et le mouvement par elle-même. Tout changement dans la matière suppose l'intervention d'une relation nouvelle, c'est-à-dire d'une condition ou d'une influence extérieure. Or le rôle du savant est de chercher à *définir* et à *déterminer* pour chaque phénomène les conditions matérielles qui produisent sa manifestation. Ces conditions étant connues, l'expérimentateur devient maître du phénomène, en ce sens qu'il peut à son gré donner ou enlever le mouvement à la matière.

Ce que nous venons de dire est aussi absolu pour les phénomènes des corps vivants que pour les phénomènes des corps bruts. Seulement, quand il s'agit des organismes élevés et complexes, ce n'est point dans les rapports de l'organisme total avec le milieu cosmique général que le physiologiste et le médecin doivent étudier les excitants des phénomènes vitaux, mais bien dans les conditions organiques du milieu intérieur. En effet, considérées dans le milieu général cosmique, les fonctions du corps de l'homme et des animaux supérieurs nous paraissent libres et indépendantes des conditions physico-chimiques de ce milieu, parce que c'est dans un milieu liquide organique intérieur que se trouvent leurs véritables excitants. Ce que nous voyons extérieurement n'est que le résultat des excitations physico-chimiques du milieu intérieur; c'est là que le physiologiste doit établir le déterminisme réel des fonctions vitales.

Les machines vivantes sont donc créées et construites de telle façon, qu'en se perfectionnant, elles deviennent de plus en plus libres dans le milieu cosmique général. Mais il n'en existe pas moins toujours le déterminisme le plus absolu dans leur milieu interne, qui, par suite de ce même perfectionnement organique s'est isolé de plus en plus du milieu cosmique extérieur. La machine vivante entretient son mouvement parce que le mécanisme interne de l'organisme répare, par des actions et par des forces sans cesse renaissantes, les pertes qu'entraîne l'exercice des fonctions. Les machines que l'intelligence de l'homme crée, quoique infiniment plus grossières, ne sont pas autrement construites. Une machine à vapeur possède une activité indépendante des conditions physico-chimiques extérieures puisque par le froid, le chaud, le sec et l'humide, la machine continue à fonctionner. Mais pour le physicien qui descend dans le milieu inté-rieur de la machine, il trouve que cette indépendance n'est qu'apparente, et que le mouvement de chaque rouage intérieur est *déterminé* par des conditions physiques absolues, et dont il connaît la loi. De même pour le physiologiste, s'il peut descendre dans le milieu intérieur de la machine vivante, il y trouve un déterminisme absolu qui doit devenir pour lui la base réelle de la science des corps vivants.

IX. — LA LIMITE DE NOS CONNAISSANCES EST LA MÊME DANS LES PHÉNOMÈNES DES CORPS VIVANTS ET DANS LES PHÉNOMÈNES DES CORPS BRUTS

La nature de notre esprit nous porte à chercher l'es-sence ou le *pourquoi* des choses. En cela nous visons plus loin que le but qu'il nous est donné d'atteindre; car l'expérience nous apprend bientôt que nous ne pouvons pas aller au-delà du *comment*, c'est-à-dire au-delà de la cause prochaine ou des conditions d'existence des phé-nomènes. Sous ce rapport, les limites de notre connais-sance sont, dans les sciences biologiques, les mêmes que dans les sciences physico-chimiques.

Lorsque, par une analyse successive, nous avons trouvé la cause prochaine d'un phénomène en détermi-nant les conditions et les circonstances simples dans les-quelles il se manifeste, nous avons atteint le but scienti-fique que nous ne pouvons dépasser. Quand nous savons que l'eau et toutes ses propriétés résultent de la combinai-son de l'oxygène et de l'hydrogène, dans certaines proportions, nous savons tout ce que nous pouvons savoir à ce sujet, et cela répond au *comment*, et non au *pourquoi* des choses. Nous savons comment on peut faire de l'eau; mais pourquoi la combinaison d'un volume d'oxygène et de deux volumes d'hydrogène forme-t-elle de l'eau ? Nous n'en savons rien. En médecine, il serait également absurde de s'occuper de la question du pourquoi, et cependant les médecins la posent souvent. C'est probablement pour se moquer de cette tendance, qui résulte de l'absence du sentiment de la limite de nos connaissances que Molière a mis dans la bouche de son candidat docteur à qui l'on demandait pourquoi l'opium fait dormir, la réponse suivante : *Quia est in eo virtus dormitiva, cujus est natura sensus assoupire*. Cette réponse paraît plaisante ou absurde; elle est cependant la seule qu'on pourrait faire. De même que si l'on voulait répondre à cette question : Pourquoi l'hydrogène, en se combinant à l'oxygène, forme-t-il de l'eau ? on serait obligé de dire : Parce qu'il y a dans l'hydrogène une propriété capable d'engendrer de l'eau. C'est donc seulement la question du pourquoi qui est absurde, puisqu'elle entraîne nécessairement une réponse naïve ou ridicule. Il vaut donc mieux reconnaître que nous ne savons pas, et que c'est là que se place la limite de notre connaissance.

Si, en physiologie, nous prouvons, par exemple, que l'oxyde de carbone tue en s'unissant plus énergiquement que l'oxygène à la matière du globule du sang, nous savons tout ce que nous pouvons savoir sur la cause de la mort. L'expérience nous apprend qu'un rouage de la vie manque; l'oxygène ne peut plus entrer dans l'organisme, parce qu'il ne peut pas déplacer l'oxyde de carbone de son union avec le globule. Mais pourquoi l'oxyde de carbone a-t-il plus d'affinité pour le globule de sang que l'oxygène ? Pourquoi l'entrée de l'oxygène dans l'organisme est-elle nécessaire à la vie ? C'est là la limite de notre connaissance dans l'état actuel de nos connaissances; et en supposant même que nous parvenions à pousser plus loin l'analyse expérimentale, nous arrivons à une cause sourde à laquelle nous serons obligés de nous arrêter sans avoir la raison première des choses.

Nous ajouterons de plus, que le déterminisme relatif d'un phénomène étant établi, notre but scientifique est atteint. L'analyse expérimentale des conditions du phénomène, poussée plus loin, nous fournit de nouvelles connaissances, mais ne nous apprend plus rien, en réalité, sur la nature du phénomène primitivement déterminé. La condition d'existence d'un phénomène ne saurait nous rien apprendre sur sa nature. Quand nous savons que le contact physique et chimique du sang avec les éléments nerveux cérébraux est nécessaire pour produire les phénomènes intellectuels, cela nous indique les conditions, mais cela ne peut rien nous apprendre sur la nature première de l'intelligence. De même, quand nous savons que le frottement et les actions chimiques produisent l'électricité, cela nous indique des conditions, mais cela ne nous apprend rien sur la nature première de l'électricité.

Il faut donc cesser, suivant moi, d'établir entre les phénomènes des corps vivants et les phénomènes des corps bruts, une différence fondée sur ce que l'on peut connaître la nature des premiers, et que l'on doit ignorer celle des seconds. Ce qui est vrai, c'est que la nature ou l'essence même de tous les phénomènes, qu'ils soient vitaux ou minéraux, nous restera toujours inconnue. L'essence du phénomène minéral le plus simple est aussi totalement ignorée aujourd'hui du chimiste ou du physicien que l'est pour le physiologiste l'essence des phénomènes intellectuels ou d'un autre phénomène vital quelconque. Cela se conçoit d'ailleurs; la connaissance de la nature intime ou de l'absolu, dans le phénomène le plus simple, exigerait la connaissance de tout l'univers; car il est évident qu'un phénomène de l'univers est un rayonnement quelconque de cet univers, dans l'harmonie duquel il entre pour sa part. La vérité absolue, dans les corps vivants, serait encore plus difficile à atteindre, car, outre qu'elle supposerait la connaissance de tout l'univers extérieur au corps vivant, elle exigerait aussi la connaissance complète de l'organisme qui forme lui-même, ainsi qu'on l'a dit depuis longtemps, un petit monde (microcosme) dans le grand univers (macrocosme). La connaissance absolue ne saurait donc rien laisser en dehors d'elle, et ce serait à la condition de tout savoir qu'il pourrait être donné à l'homme de l'atteindre. L'homme se conduit comme s'il devait parvenir à cette connaissance absolue, et le *pourquoi* incessant qu'il adresse à la nature en est la preuve. C'est en effet cet espoir constamment déçu, constamment renaissant, qui soutient et soutiendra toujours les générations successives dans leur ardeur passionnée à rechercher la vérité.

Notre sentiment nous porte à croire, dès l'abord, que

la vérité absolue doit être de notre domaine ; mais l'étude nous enlève peu à peu de ces prétentions chimériques. La science a précisément le privilège de nous apprendre ce que nous ignorons, en substituant la raison et l'expérience au sentiment, et en nous montrant clairement la limite de notre connaissance actuelle. Mais, par une merveilleuse compensation, à mesure que la science rabaisse ainsi notre orgueil, elle augmente notre puissance. Le savant, qui a poussé l'analyse expérimentale jusqu'au déterminisme relatif d'un phénomène, voit sans doute clairement qu'il ignore ce phénomène dans sa cause première, mais il en est devenu maître ; l'instrument qui agit lui est inconnu, mais il peut s'en servir. Cela est vrai dans toutes les sciences expérimentales, où nous ne pouvons atteindre que des vérités relatives ou partielles, et connaître les phénomènes seulement dans leurs conditions d'existence. Mais cette connaissance nous suffit pour étendre notre puissance sur la nature. Nous pouvons produire ou empêcher l'apparition des phénomènes, quoique nous en ignorions l'essence, par cela seul que nous pouvons régler leurs conditions physico-chimiques. Nous ignorons l'essence du feu, de l'électricité, de la lumière, et cependant nous en réglons les phénomènes à notre profit. Nous ignorons complètement l'essence même de la vie, mais nous n'en réglerons pas moins les phénomènes vitaux dès que nous connaîtrons suffisamment leurs conditions d'existence. Seulement dans les corps vivants ces conditions sont beaucoup plus complexes et plus délicates à saisir que dans les corps bruts ; c'est là toute la différence.

En résumé, si notre sentiment pose toujours la question du *pourquoi*, notre raison nous montre que la question du *comment* est seule à notre portée ; pour le moment, c'est donc la question du *comment* qui seule intéresse le savant et l'expérimentateur. Si nous ne pouvons savoir *pourquoi* l'opium et ses alcaloïdes font dormir, nous pourrons connaître le mécanisme de ce sommeil et savoir *comment* l'opium et ses principes font dormir ; car le sommeil n'a lieu que parce que la substance active va se mettre en contact avec certains éléments organiques qu'elle modifie. La connaissance de ces modifications nous donnera le moyen de produire le sommeil ou de l'empêcher, et nous pourrons agir sur le phénomène et le régler à notre gré.

Dans les connaissances que nous pouvons acquérir

nous devons distinguer deux ordres de notions : les unes répondant à la *cause* des phénomènes, et les autres aux *moyens* de les produire. Nous entendons par cause d'un phénomène la condition constante et déterminée de son existence; c'est ce que nous appelons le déterminisme relatif ou le comment des choses, c'est-à-dire la cause prochaine ou déterminante. Les moyens d'obtenir les phénomènes sont les procédés variés à l'aide desquels on peut arriver à mettre en activité cette cause déterminante unique qui réalise le phénomène. La cause nécessaire de la formation de l'eau est la combinaison de deux volumes d'hydrogène et d'un volume d'oxygène; c'est la cause unique qui doit toujours déterminer le phénomène. Il nous serait impossible de concevoir de l'eau sans cette condition essentielle. Les conditions accessoires ou les procédés pour la formation de l'eau peuvent être très divers; seulement, tous ces procédés arriveront au même résultat : combinaison de l'oxygène et de l'hydrogène dans des proportions invariables. Choisissons un autre exemple. Je suppose que l'on veuille transformer de la fécule en glycose; on aura une foule de moyens ou de procédés pour cela, mais il y aura toujours au fond une cause identique, et un déterminisme unique engendrera le phénomène. Cette cause, c'est la fixation d'un équivalent d'eau de plus sur la substance pour opérer la transformation. Seulement, on pourra réaliser cette hydratation dans une foule de conditions et par une foule de moyens : à l'aide de l'eau acidulée, à l'aide de la chaleur, à l'aide de la diastase animale ou végétale, mais tous ces procédés arriveront finalement à une condition unique, qui est l'hydratation de la fécule. Le déterminisme, c'est-à-dire la cause d'un phénomène est donc *unique*, quoique les moyens pour le faire apparaître puissent être multiples et en apparence très divers. Cette distinction est très importante à établir, surtout en médecine, où il règne, à ce sujet, la plus grande confusion, précisément parce que les médecins reconnaissent une multitude de causes pour une même maladie. Il suffit, pour se convaincre de ce que j'avance, d'ouvrir le premier venu des traités de pathologie. Mais toutes les circonstances que l'on énumère ainsi ne sont point des causes; ce sont tout au plus des moyens ou des procédés à l'aide desquels la maladie peut se produire. Mais la cause réelle efficiente d'une maladie doit être *constante* et *déterminée*, c'est-à-dire unique; autrement ce serait

nier la science en médecine. Les causes déterminantes
sont, il est vrai, beaucoup plus difficiles à reconnaître et
à déterminer dans les phénomènes des êtres vivants;
mais elles existent cependant, malgré la diversité apparente des moyens employés. C'est ainsi que dans certaines
actions toxiques, nous voyons des poisons divers amener
une cause identique et un déterminisme unique pour la
mort des éléments histologiques, soit, par exemple, la
coagulation de la substance musculaire. De même, les
circonstances variées qui produisent une même maladie
doivent répondre toutes à une action pathogénique,
unique et déterminée. En un mot, le déterminisme, qui
veut l'identité d'effet liée à l'identité de cause, est un
axiome scientifique qui ne saurait être violé pas plus
dans les sciences de la vie que dans les sciences des
corps bruts.

X. — DANS LES SCIENCES DES CORPS VIVANTS COMME DANS
CELLES DES CORPS BRUTS, L'EXPÉRIMENTATEUR NE CRÉE
RIEN; IL NE FAIT QU'OBÉIR AUX LOIS DE LA NATURE

Nous ne connaissons les phénomènes de la nature
que par leur relation avec les causes qui les produisent.
Or, la *loi* des phénomènes n'est rien autre chose que
cette relation établie numériquement, de manière à faire
prévoir le rapport de la cause à l'effet dans tous les
cas donnés. C'est ce rapport établi par l'observation,
qui permet à l'astronome de prédire les phénomènes
célestes; c'est encore ce même rapport, établi par l'observation et par l'expérience, qui permet au physicien,
au chimiste, au physiologiste, non seulement de prédire
les phénomènes de la nature, mais encore de les modifier à son gré et à coup sûr, pourvu qu'il ne sorte pas des
rapports que l'expérience lui a indiqués, c'est à dire de la
loi. Ceci veut dire, en d'autres termes, que nous ne
pouvons gouverner les phénomènes de la nature qu'en
nous soumettant aux lois qui les régissent.

L'observateur ne peut qu'observer les phénomènes
naturels; l'expérimentateur ne peut que les modifier,
il ne lui est pas donné de les créer ni de les anéantir
absolument, parce qu'il ne peut pas changer les lois de
la nature. Nous avons souvent répété que l'expérimentateur n'agit pas sur les phénomènes eux-mêmes, mais
seulement sur les conditions physico-chimiques qui

sont nécessaires à leurs manifestations. Les phénomènes ne sont que l'expression même du *rapport* de ces conditions; d'où il résulte que, les conditions étant semblables, le rapport sera constant et le phénomène identique, et que les conditions venant à changer, le rapport sera autre et le phénomène différent. En un mot, pour faire apparaître un phénomène nouveau, l'expérimentateur ne fait que *réaliser* des conditions nouvelles, mais il ne *crée* rien, ni comme force ni comme matière. A la fin du siècle dernier, la science a proclamé une grande vérité, à savoir, qu'en fait de matière rien ne se perd ni rien ne se crée dans la nature; tous les corps dont les propriétés varient sans cesse sous nos yeux ne sont que des transmutations d'agrégation de matières équivalentes en poids. Dans ces derniers temps, la science a proclamé une seconde vérité dont elle poursuit encore la démonstration et qui est en quelque sorte le complément de la première, à savoir, qu'en fait de *forces*, rien ne se perd ni rien ne se crée dans la nature; d'où il suit que toutes les formes des phénomènes de l'univers, variées à l'infini, ne sont que des transformations équivalentes de forces les unes dans les autres. Je me réserve de traiter ailleurs la question de savoir s'il y a des différences qui séparent les forces des corps vivants de celles des corps bruts; qu'il me suffise de dire pour le moment que les deux vérités qui précèdent sont universelles et qu'elles embrassent les phénomènes des corps vivants aussi bien que ceux des corps bruts.

Tous les phénomènes, de quelque ordre qu'ils soient, existent virtuellement dans les lois immuables de la nature, et ils ne se manifestent que lorsque leurs conditions d'existence sont réalisées. Les corps et les êtres qui sont à la surface de notre terre expriment le rapport harmonieux des conditions cosmiques de notre planète et de notre atmosphère avec les êtres et les phénomènes dont elles permettent l'existence. D'autres conditions cosmiques feraient nécessairement apparaître un autre monde dans lequel se manifesteraient tous les phénomènes qui y rencontreraient leurs conditions d'existence, et dans lequel disparaîtraient tous ceux qui ne pourraient s'y développer. Mais, quelles que soient les variétés de phénomènes infinis que nous concevions sur la terre, en nous plaçant par la pensée dans toutes les conditions cosmiques que notre imagination peut enfanter, nous sommes toujours obligés d'admettre que tout cela se passera d'après les lois de la physique, de la chimie et de la physiologie, qui existent à notre insu de toute éternité, et que dans tout ce qui arriverait il n'y aurait rien de créé ni en force ni en matière : qu'il y aurait seulement production de rapports différents et par suite *création* d'êtres et de phénomènes nouveaux.

Quand un chimiste fait apparaître un corps nouveau dans la nature, il ne saurait se flatter d'avoir créé les lois qui l'ont fait naître ; il n'a fait que réaliser les conditions qu'exigeait la loi créatrice pour se manifester. Il en est de même pour les corps organisés. Un chimiste et un physiologiste ne pourraient faire apparaître des êtres vivants nouveaux dans leurs expériences qu'en obéissant à des lois de la nature, qu'ils ne sauraient en aucune façon modifier.

Il n'est pas donné à l'homme de pouvoir modifier les phénomènes cosmiques de l'univers entier ni même ceux de la terre ; mais la science qu'il acquiert lui permet cependant de faire varier et de modifier les conditions des phénomènes qui sont à sa portée. L'homme a déjà gagné ainsi sur la nature minérale une puissance qui se révèle avec éclat dans les applications des sciences modernes, bien qu'elle paraisse n'être encore qu'à son aurore. La science expérimentale appliquée aux corps vivants doit avoir également pour résultat de modifier les phénomènes de la vie en agissant uniquement sur les conditions de ces phénomènes. Mais ici les difficultés se multiplient à raison de la délicatesse des conditions des phénomènes vitaux, de la complexité et de la solidarité de toutes les parties qui se groupent pour constituer un être organisé. C'est ce qui fait que probablement jamais l'homme ne pourra agir aussi facilement sur les espèces animales ou végétales que sur les espèces minérales. Sa puissance restera plus bornée dans les êtres vivants, et d'autant plus qu'ils constitueront des organismes plus élevés, c'est-à-dire plus compliqués. Néanmoins les entraves qui arrêtent la puissance du physiologiste ne résident point dans la nature même des phénomènes de la vie, mais seulement dans leur complexité. Le physiologiste commencera d'abord par atteindre les phénomènes des végétaux et ceux des animaux qui sont en relation plus facile avec le milieu cosmique extérieur. L'homme et les animaux élevés paraissent au premier abord devoir échapper à son action modificatrice, parce qu'ils semblent s'affranchir de l'influence directe de ce milieu extérieur. Mais nous savons que les phénomènes vitaux chez l'homme, ainsi que chez les animaux qui s'en rapprochent, sont liés aux conditions physico-chimiques d'un milieu organique intérieur. C'est ce milieu intérieur qu'il nous faudra d'abord chercher à connaître, parce que c'est lui qui doit devenir le champ d'action réel de la physiologie et de la médecine expérimentale.

CHAPITRE II

CONSIDÉRATIONS EXPÉRIMENTALES SPÉCIALES AUX ÊTRES VIVANTS

I. — DANS L'ORGANISME DES ÊTRES VIVANTS, IL Y A A CONSIDÉRER UN ENSEMBLE HARMONIQUE DES PHÉNOMÈNES

Jusqu'à présent nous avons développé des considérations expérimentales qui s'appliquaient aux corps vivants comme aux corps bruts; la différence pour les corps vivants résidait seulement dans une complexité beaucoup plus grande des phénomènes, ce qui rendait l'analyse expérimentale et le déterminisme des conditions incomparablement plus difficiles. Mais il existe dans les manifestations des corps vivants une solidarité de phénomènes toute spéciale sur laquelle nous devons appeler l'attention de l'expérimentateur; car, si ce point de vue physiologique était négligé dans l'étude des fonctions de la vie, on serait conduit, même en expérimentant bien, aux idées les plus fausses et aux conséquences les plus erronées.

Nous avons vu dans le chapitre précédent que le but de la méthode expérimentale est d'atteindre au déterminisme des phénomènes, de quelque nature qu'ils soient, vitaux ou minéraux. Nous savons de plus que ce que nous appelons *déterminisme* d'un phénomène ne signifie rien autre chose que la *cause déterminante* ou la *cause prochaine* qui détermine l'apparition des phénomènes. On obtient nécessairement ainsi les *conditions d'existence* des phénomènes sur lesquelles l'expérimentateur doit agir pour faire varier les phénomènes. Nous regardons donc comme équivalentes les diverses expressions qui précèdent, et le mot déterminisme les résume toutes.

Il est très vrai, comme nous l'avons dit, que la vie n'introduit absolument aucune différence dans la

méthode scientifique expérimentale qui doit être appliquée à l'étude des phénomènes physiologiques et que,
sous ce rapport, les sciences physiologiques et les sciences
physico-chimiques reposent exactement sur les mêmes
principes d'investigation. Mais cependant il faut reconnaître que le déterminisme dans les phénomènes de la
vie est non seulement un déterminisme très complexe,
mais que c'est en même temps un déterminisme qui
est harmoniquement hiérarchisé. De telle sorte que les
phénomènes physiologiques complexes sont constitués
par une série de phénomènes plus simples qui se déterminent les uns les autres en s'associant ou se combinant
pour un but final commun. Or l'objet essentiel pour le
physiologiste est de déterminer les conditions élémentaires
des phénomènes physiologiques et de saisir leur subordination naturelle, afin d'en comprendre et d'en suivre
ensuite les diverses combinaisons dans le mécanisme
si varié des organismes des animaux. L'emblème antique
qui représente la vie par un cercle formé par un serpent
qui se mord la queue donne une image assez juste des
choses. En effet, dans les organismes complexes, l'organisme de la vie forme bien un cercle fermé, mais un
cercle qui a une tête et une queue, en ce sens que tous les
phénomènes vitaux n'ont pas la même importance
quoiqu'ils se fassent suite dans l'accomplissement du
circulus vital. Ainsi les organes musculaires et nerveux
entretiennent l'activité des organes qui préparent le
sang; mais le sang à son tour nourrit les organes qui le
produisent. Il y a là une solidarité organique ou sociale
qui entretient une sorte de mouvement perpétuel jusqu'à
ce que le dérangement ou la cessation d'action d'un
élément vital nécessaire ait rompu l'équilibre ou amené
un trouble ou un arrêt dans le jeu de la machine animale.
Le problème du médecin expérimentateur consiste donc
à trouver le *déterminisme simple* d'un dérangement organique, c'est-à-dire à saisir le phénomène initial qui amène
tous les autres à sa suite par un *déterminisme complexe*,
mais aussi nécessaire dans sa condition que l'a été le
déterminisme initial. Ce déterminisme initial sera comme
le fil d'Ariane qui dirigera l'expérimentateur dans le laby-
rinthe obscur des phénomènes physiologiques et pathologiques, et qui lui permettra d'en comprendre les mécanismes variés, mais toujours reliés par des déterminismes
absolus. Nous verrons, par des exemples rapportés plus
loin, comment une dislocation de l'organisme ou un

dérangement des plus complexes en apparence peut être ramené à un *déterminisme simple* initial qui provoque ensuite des déterminismes plus complexes. Tel est le cas de l'empoisonnement par l'oxyde de carbone (voy. IIIe partie). J'ai consacré tout mon enseignement de cette année au Collège de France à l'étude du curare, non pour faire l'histoire de cette substance par elle-même, mais parce que cette étude nous montre comment un déterminisme unique des plus simples, tel que la lésion d'une extrémité nerveuse motrice, retentit successivement sur tous les autres éléments vitaux pour amener des déterminismes secondaires qui vont en se compliquant de plus en plus jusqu'à la mort. J'ai voulu établir ainsi expérimentalement l'existence de ces déterminismes intraorganiques sur lesquels je reviendrai plus tard, parce que je considère leur étude comme la véritable base de la pathologie et de la thérapeutique scientifique.

Le physiologiste et le médecin ne doivent donc jamais oublier que l'être vivant forme un organisme et une individualité. Le physicien et le chimiste, ne pouvant se placer en dehors de l'univers, étudient les corps et les phénomènes isolément pour eux-mêmes, sans être obligés de les rapporter nécessairement à l'ensemble de la nature. Mais le physiologiste, se trouvant au contraire placé en dehors de l'organisme animal dont il voit l'ensemble, doit tenir compte de l'harmonie de cet ensemble en même temps qu'il cherche à pénétrer dans son intérieur pour comprendre le mécanisme de chacune de ses parties. De là il résulte que le physicien et le chimiste peuvent repousser toute idée de causes finales dans les faits qu'ils observent; tandis que le physiologiste est porté à admettre une finalité harmonique et préétablie dans le corps organisé dont toutes les actions partielles sont solidaires et génératrices les unes des autres. Il faut donc bien savoir que, si l'on décompose l'organisme vivant en isolant ses diverses parties, ce n'est que pour la facilité de l'analyse expérimentale, et non point pour les concevoir séparément. En effet, quand on veut donner à une propriété physiologique sa valeur et sa véritable signification, il faut toujours la rapporter à l'ensemble et ne tirer de conclusion définitive que relativement à ses effets dans cet ensemble. C'est sans doute pour avoir senti cette solidarité nécessaire de toutes les parties d'un organisme, que Cuvier a dit que l'expérimentation n'était pas applicable aux êtres vivants, parce qu'elle séparait des parties organisées qui devaient rester réunies. C'est dans le même sens que d'autres physiologistes ou médecins dits vitalistes ont proscrit ou proscrivent encore l'expérimentation en médecine. Ces vues, qui ont un côté juste, sont néanmoins restées fausses dans leurs conclusions générales et elles ont nui considérablement à l'avancement de la science. Il est juste de dire, sans doute, que les parties constituantes de l'organisme sont inséparables physiologiquement les unes des autres, et que toutes concourent à un résultat vital commun; mais on ne saurait conclure de là qu'il ne faut pas analyser la machine vivante comme on analyse une machine brute dont toutes les parties ont également un rôle à remplir dans un ensemble. Nous devons, autant que nous le pouvons, à l'aide des analyses expérimentales, transporter les actes physiologiques en dehors de l'organisme; cet isolement nous permet de voir et de mieux saisir les conditions intimes des phénomènes, afin de les poursuivre ensuite dans l'organisme pour interpréter leur rôle vital. C'est ainsi que nous instituons les digestions et les fécondations artificielles pour mieux connaître les digestions et les fécondations naturelles. Nous pouvons encore, à raison des autonomies organiques, séparer les tissus vivants et les placer, au moyen de la circulation artificielle ou autrement, dans des conditions où nous pouvons mieux étudier leurs propriétés. On isole parfois un organe en détruisant par des anesthésiques les réactions du consensus général; on arrive au même résultat en divisant les nerfs qui se rendent à une partie, tout en conservant les vaisseaux sanguins. A l'aide de l'expérimentation analytique, j'ai pu transformer en quelque sorte des animaux à sang chaud en animaux à sang froid pour mieux étudier les propriétés de leurs éléments histologiques; j'ai réussi à empoisonner des glandes séparément ou à les faire fonctionner à l'aide de leurs nerfs divisés d'une manière tout à fait indépendante de l'organisme. Dans ce dernier cas, on peut avoir à volonté la glande successivement à l'état de repos absolu ou dans un état de fonction exagérée; les deux extrêmes du phénomène étant connus, on saisit ensuite facilement tous les intermédiaires, et l'on comprend alors comment une fonction toute chimique peut être réglée par le système nerveux, de manière à fournir les liquides organiques dans des conditions toujours identiques. Nous ne nous étendrons pas davantage sur ces indications d'analyse expérimentale; nous nous résumerons en disant que proscrire l'analyse des organismes au moyen de l'expérience, c'est arrêter la science et nier la méthode expérimentale; mais que, d'un autre côté, pratiquer l'analyse physiologique en perdant de vue l'unité harmonique de l'organisme, c'est méconnaître la science vitale et lui enlever tout son caractère.

Il faudra donc toujours, après avoir pratiqué l'analyse des phénomènes, refaire la synthèse physiologique, afin de voir l'action réunie de toutes les parties que l'on avait isolées. A propos de ce mot *synthèse physiologique*, il importe que nous développions notre pensée. Il est admis en général que la synthèse reconstitue ce que l'analyse avait séparé, et qu'à ce titre la synthèse vérifie l'analyse dont elle n'est que la *contre-épreuve* ou le complément nécessaire. Cette définition est absolument vraie pour les analyses et les synthèses de la matière. En chimie, la synthèse donne poids pour poids le même corps composé de matières identiques, unies dans les mêmes proportions; mais quand il s'agit de faire l'analyse et la synthèse des propriétés des corps, c'est-à-dire la synthèse des phénomènes, cela devient beaucoup plus difficile. En effet, les propriétés des corps ne résultent pas seulement de la nature et des proportions de la matière, mais encore de l'arrangement de cette même matière. En outre, il arrive, comme on sait, que les propriétés qui apparaissent ou disparaissent dans la synthèse et dans l'analyse, ne peuvent pas être considérées comme une simple addition ou une pure soustraction des propriétés des corps composants. C'est ainsi, par exemple, que les propriétés de l'oxygène et de l'hydrogène ne nous rendent pas compte de propriétés de l'eau qui résulte cependant de leur combinaison.

Je ne veux pas examiner ces questions ardues, mais cependant fondamentales, des propriétés relatives des corps composés ou composants; elles trouveront mieux leur place ailleurs. Je rappellerai seulement ici que les phénomènes ne sont que l'expression des relations des corps, d'où il résulte qu'en dissociant les parties d'un tout, on doit faire cesser des phénomènes par cela seul qu'on détruit des relations. Il en résulte encore qu'en physiologie, l'analyse qui nous apprend les propriétés des parties organisées élémentaires isolées ne nous donnerait cependant jamais qu'une synthèse idéale très incomplète ; de même que la connaissance de l'homme isolé ne nous apporterait pas la connaissance de toutes les institutions qui résultent de son association et qui ne peuvent se manifester que par la vie sociale. En un mot, quand on réunit les éléments physiologiques, on voit apparaître des propriétés qui n'étaient pas appréciables dans ces éléments séparés. Il faut donc toujours procéder expérimentalement dans la synthèse vitale, parce que des phénomènes tout à fait spéciaux peuvent être le résultat de l'union ou de l'association de plus en plus complexe des éléments organisés. Tout cela prouve que ces éléments, quoique distincts et autonomes, ne jouent pas pour cela le rôle de simples associés, et que leur union exprime plus que l'addition de leurs propriétés séparées. Je suis persuadé que les obstacles qui entourent l'étude expérimentale de phénomènes psychologiques sont en grande partie dus à des difficultés de cet ordre ; car, malgré leur nature merveilleuse et la délicatesse de leurs manifestations, il est impossible, selon moi, de ne pas faire entrer les phénomènes cérébraux, comme tous les autres phénomènes des corps vivants, dans les lois d'un déterminisme scientifique.

Le physiologiste et le médecin doivent donc toujours considérer en même temps les organismes dans leur ensemble et dans leurs détails, sans jamais perdre de vue les conditions spéciales de tous les phénomènes particuliers dont la résultante constitue l'*individu*. Toutefois les faits particuliers ne sont jamais scientifiques : la généralisation seule peut constituer la science. Mais il y a là un double écueil à éviter ; car si l'excès des particularités est antiscientifique, l'excès des généralités crée une science idéale qui n'a plus de lien avec la réalité. Cet écueil, qui est minime pour le naturaliste contemplatif, devient très grand pour le médecin qui doit surtout rechercher les vérités objectives et pratiques. Il faut admirer sans doute ces vastes horizons entrevus par le génie des Gœthe, Oken, Carus, Geoffroy Saint-Hilaire, Darwin, dans lesquels une conception générale nous montre tous les êtres vivants comme étant l'expression de types qui se transforment sans cesse dans l'évolution des organismes et des espèces, et dans lesquels chaque être disparaît individuellement comme un reflet de l'ensemble auquel il appartient. En médecine, on peut aussi s'élever aux généralités les plus abstraites, soit que, se plaçant au point de vue du naturaliste, on regarde les maladies comme des espèces morbides qu'il s'agit de définir et de classer nosologiquement, soit que, partant du point de vue physiologique, on considère que la maladie n'existe pas en ce sens qu'elle ne serait qu'un cas particulier de l'état physiologique. Sans doute toutes ces vues sont des clartés qui nous dirigent et nous sont utiles. Mais si l'on se livrait exclusivement à cette contemplation hypothétique, on tournerait bientôt le dos à la réalité; et ce serait, suivant moi, mal comprendre la vraie philosophie scientifique que d'établir une sorte d'opposition ou d'exclusion entre la pratique qui exige la connaissance des particularités et les généralisations précédentes qui tendent à confondre tout dans tout. En effet, le médecin n'est point le médecin des êtres vivants en général, pas même le médecin du genre humain, mais bien le médecin de l'*individu* humain, et de plus le médecin d'un individu dans certaines conditions morbides qui lui sont spéciales et qui constituent ce que l'on a appelé son idiosyncrasie. D'où il semblerait résulter que la médecine, à l'encontre des autres sciences, doive se constituer en particularisant de plus en plus. Cette opinion serait une erreur; il n'y a là que des apparences, car pour toutes les sciences, c'est la généralisation qui conduit à la loi des phénomènes et au vrai but scientifique. Seulement, il faut savoir que toutes les généralisations morphologiques auxquelles nous avons fait allusion plus haut, et qui servent de point d'appui au naturaliste, sont trop superficielles et dès lors insuffisantes pour le physiologiste et pour le médecin. Le naturaliste, le physiologiste et le médecin ont en vue des problèmes tout différents, ce qui fait que leurs recherches ne marchent point parallèlement et qu'on ne peut pas, par exemple, établir une échelle physiologique exactement superposée à l'échelle zoologique. Le physiologiste et le médecin descendent dans le problème biologique beaucoup plus profondément que le zoologiste; le physiologiste considère les conditions générales d'existence des phénomènes de la vie ainsi que les diverses modifications que ces conditions peuvent subir. Mais le médecin ne se contente pas de savoir que tous les phénomènes vitaux ont des conditions identiques chez tous les êtres vivants, il faut qu'il aille encore plus loin dans l'étude des détails de ces conditions chez chaque individu considéré dans des circonstances morbides données. Ce ne sera donc qu'après être descendus aussi profondément

que possible dans l'intimité des phénomènes vitaux à
l'état normal et à l'état pathologique, que le physiologiste et le médecin pourront remonter à des généralités
lumineuses et fécondes.

La vie a son essence primitive dans la force de développement organique, force qui constituait la nature médicatrice d'Hippocrate et l'*archeus faber* de van Helmont.
Mais, quelle que soit l'idée que l'on ait de la nature de
cette force, elle se manifeste toujours concurremment et
parallèlement avec des conditions physico-chimiques
propres aux phénomènes vitaux. C'est donc par l'étude
des particularités physico-chimiques que le médecin
comprendra les individualités comme des cas spéciaux
contenus dans la loi générale, et retrouvera là, comme
partout, une généralisation harmonique de la variété dans
l'unité. Mais le médecin traitant la variété, il doit toujours chercher à la déterminer dans ses études et la
comprendre dans ses généralisations.

S'il fallait définir la vie d'un seul mot, qui, en expri-
mant bien ma pensée, mît en relief le seul caractère qui,
suivant moi, distingue nettement la science biologique,
je dirais : la vie, c'est la *création*. En effet, l'organisme
créé est une machine qui fonctionne nécessairement en
vertu des propriétés physico-chimiques de ses éléments
constituants. Nous distinguons aujourd'hui trois ordres
de propriétés manifestées dans les phénomènes des
êtres vivants : propriétés physiques, propriétés chimiques
et propriétés vitales. Cette dernière dénomination de propriétés vitales n'est, elle-même, que provisoire ; car nous
appelons vitales les propriétés organiques que nous n'avons
pas encore pu réduire à des considérations physico-chimiques ; mais il n'est pas douteux qu'on y arrivera un
jour. De sorte que ce qui caractérise la machine vivante,
ce n'est pas la nature de ses propriétés physico-chimiques,
si complexes qu'elles soient, mais bien la création, de
cette machine qui se développe sous nos yeux dans les
conditions qui lui sont propres et d'après une idée définie
qui exprime la nature de l'être vivant et l'essence même
de la vie.

Quand un poulet se développe dans un œuf, ce n'est
point la formation du corps animal, en tant que groupement d'éléments chimiques, qui caractérise essentiellement la force vitale. Ce groupement ne se fait que par
suite des lois qui régissent les propriétés chimico-physiques de la matière ; mais ce qui est essentiellement du

domaine de la vie et ce qui n'appartient ni à la chimie, ni à la physique, ni à rien autre chose, c'est l'*idée* directrice de cette évolution vitale. Dans tout germe vivant, il y a une idée créatrice qui se développe et se manifeste par l'organisation. Pendant toute sa durée, l'être vivant reste sous l'influence de cette même force vitale créatrice, et la mort arrive lorsqu'elle ne peut plus se réaliser. Ici, comme partout, tout dérive de l'idée qu'elle seule crée et dirige; les moyens de manifestation physico-chimiques sont communs à tous les phénomènes de la nature et restent confondus pêle-mêle, comme les caractères de l'alphabet dans une boîte où une force va les chercher pour exprimer les pensées ou les mécanismes les plus divers. C'est toujours cette même idée vitale qui conserve l'être, en reconstituant les parties vivantes désorganisées par l'exercice ou détruites par les accidents et par les maladies; de sorte que c'est aux conditions physico-chimiques de ce développement primitif qu'il faudra toujours faire remonter les explications vitales, soit à l'état normal, soit à l'état pathologique. Nous verrons en effet que le physiologiste et le médecin ne peuvent réellement agir que par l'intermédiaire de la physico-chimie animale, c'est-à-dire par une physique et une chimie qui s'accomplissent sur le terrain vital spécial où se développent, se créent et s'entretiennent, d'après une idée définie et suivant des déterminismes rigoureux, les conditions d'existence de tous les phénomènes de l'organisme vivant.

II. — DE LA PRATIQUE EXPÉRIMENTALE SUR LES ÊTRES VIVANTS

La méthode expérimentale et les principes de l'expérimentation sont, ainsi que nous l'avons dit, identiques dans les phénomènes des corps bruts et dans les phénomènes des corps vivants. Mais il ne saurait en être de même dans la pratique expérimentale, et il est facile de concevoir que l'organisation spéciale des corps vivants doive exiger, pour être analysée, des procédés d'une nature particulière et nous présenter des difficultés *suis generis*. Toutefois, les considérations et les préceptes spéciaux que nous allons avoir à donner pour prémunir le physiologiste contre les causes d'erreur de la pratique expérimentale, ne se rapportent qu'à la délicatesse, à la mobilité et à la fugacité des propriétés vitales, ainsi qu'à la complexité des phénomènes de la vie. Il ne s'agit en effet pour le physiologiste que de décomposer la machine vivante, afin d'étudier et de mesurer, à l'aide d'instruments et de procédés empruntés à la physique et à la chimie, les divers phénomènes vitaux dont il cherche à découvrir les lois.

Les sciences possèdent chacune sinon une méthode propre, au moins des procédés spéciaux, et, de plus, elles se servent réciproquement d'instruments les unes aux autres. Les mathématiques servent d'instrument à la physique, à la chimie et à la biologie dans des limites diverses; la physique et la chimie servent d'instruments puissants à la physiologie et à la médecine. Dans ce secours mutuel que se prêtent les sciences, il faut bien distinguer le savant qui fait avancer chaque science de celui qui s'en sert. Le physicien et le chimiste ne sont pas mathématiciens parce qu'ils emploient le calcul; le physiologiste n'est pas chimiste ni physicien parce qu'il fait usage de réactifs chimiques ou d'instruments de physique, pas plus que le chimiste et le physicien ne sont physiologistes parce qu'ils étudient la composition ou les propriétés de certains liquides et tissus animaux ou végétaux. Chaque science a son problème et son point de vue qu'il ne faut point confondre sans s'exposer à égarer la recherche scientifique. Cette confusion s'est pourtant fréquemment présentée dans la science biologique qui, à raison de sa complexité, a besoin du secours de toutes les autres sciences. On a vu et l'on voit souvent encore des chimistes et des physiciens qui, au lieu de se borner à demander aux phénomènes des corps vivants de leur fournir des moyens ou des arguments propres à établir certains principes de leur science, veulent encore absorber la physiologie et la réduire à de simples phénomènes physico-chimiques. Ils donnent de la vie des explications ou des systèmes qui parfois séduisent par leur trompeuse simplicité, mais qui dans tous les cas nuisent à la science biologique en y introduisant une fausse direction et des erreurs qu'il faut ensuite longtemps pour dissiper. En un mot, la biologie a son problème spécial et son point de vue déterminé; elle n'emprunte aux autres sciences que leur secours et leurs méthodes, mais non leurs théories. Ce secours des autres sciences est si puissant, que sans lui le développement de la science des phénomènes de la vie est impossible. La connaissance pré-

alable des sciences physico-chimiques n'est donc point
accessoire à la biologie comme on le dit ordinairement,
mais au contraire elle lui est essentielle et fondamentale.
C'est pourquoi je pense qu'il convient d'appeler les
sciences physico-chimiques les *sciences auxiliaires* et non
les sciences accessoires de la physiologie. Nous verrons
que l'anatomie devient aussi une science auxiliaire de
la physiologie, de même que la physiologie elle-même,
qui exige le secours de l'anatomie, de toutes les sciences
physico-chimiques, devient la science la plus immédiatement auxiliaire de la médecine et constitue sa vraie
base scientifique.

L'application des sciences physico-chimiques à la
physiologie et l'emploi de leurs procédés comme instruments propres à analyser les phénomènes de la vie,
offrent un grand nombre de difficultés inhérentes,
ainsi que nous l'avons dit, à la mobilité et à la fugacité
des phénomènes de la vie. C'est là une cause de la spontanéité et de la mobilité dont jouissent les êtres vivants,
et c'est une circonstance qui rend les propriétés des
corps organisés très difficiles à fixer et à étudier. Il
importe de revenir ici un instant sur la nature de ces
difficultés, ainsi que j'ai déjà eu l'occasion de le faire
souvent dans mes cours *.

Pour tout le monde un corps vivant diffère essentiellement dès l'abord d'un corps brut au point de vue de
l'expérimentation. D'un côté, le corps brut n'a en lui
aucune spontanéité; ses propriétés s'équilibrant avec
les conditions extérieures, il tombe bientôt, comme on
le dit, en indifférence physico-chimique, c'est-à-dire dans
un équilibre stable avec ce qui l'entoure. Dès lors
toutes les modifications de phénomènes qu'il éprouvera
proviendront nécessairement de changements survenus
dans les circonstances ambiantes, et l'on conçoit qu'en
tenant compte exactement de ces circonstances, on soit
sûr de posséder les conditions expérimentales qui sont
nécessaires à la conception d'une bonne expérience. Le
corps vivant, surtout chez les animaux élevés, ne tombe
jamais en indifférence chimico-physique avec le milieu
extérieur, il possède un mouvement incessant, une évolution organique en apparence spontanée et constante,

---

* Claude Bernard, *Leçons sur les propriétés physiologiques et les
altérations pathologiques des liquides de l'organisme*. Paris, 1859, t. I.
Leçon d'ouverture, 9 décembre 1857.

et, bien que cette évolution ait besoin des circonstances
extérieures pour se manifester, elle en est cependant
indépendante dans sa marche et dans sa modalité. Ce
qui le prouve, c'est qu'on voit un être vivant naître, se
développer, devenir malade et mourir, sans que cependant les conditions du monde extérieur changent pour
l'observateur.

De ce qui précède il résulte que celui qui expérimente sur les corps bruts peut, à l'aide de certains instruments, tels que le baromètre, le thermomètre, l'hy-
gromètre, se placer dans des conditions identiques et
obtenir par conséquent des expériences bien définies et
semblables. Les physiologistes et les médecins, avec
raison, ont imité les physiciens et cherché à rendre leurs
expériences plus exactes en se servant des mêmes instruments qu'eux. Mais on voit aussitôt que ces conditions
extérieures, dont le changement importe tant au physicien et au chimiste, sont d'une beaucoup plus faible
valeur pour le médecin. En effet, les modifications sont
toujours sollicitées dans les phénomènes des corps
bruts, par un changement cosmique extérieur, et il
arrive parfois qu'une très légère modification dans la
température ambiante ou dans la pression barométrique amène des changements importants dans les phénomènes des corps bruts. Mais les phénomènes de la vie,
chez l'homme et chez les animaux élevés, peuvent se
modifier sans qu'il arrive aucun changement cosmique
extérieur appréciable, et de légères modifications thermométriques et barométriques n'exercent souvent aucune
influence réelle sur les manifestations vitales; et, bien
qu'on ne puisse pas dire que ces influences cosmiques
extérieures soient essentiellement nulles, il arrive des
circonstances où il serait presque ridicule d'en tenir
compte. Tel est le cas d'un expérimentateur qui, répétant mes expériences de la piqûre du plancher du quatrième ventricule pour produire le diabète artificiel, a
cru faire preuve d'une plus grande exactitude, en notant
avec soin la pression barométrique au moment où il
pratiquait l'expérience!

Cependant si, au lieu d'expérimenter sur l'homme
ou sur les animaux supérieurs, nous expérimentons
sur des êtres vivants inférieurs, animaux ou végétaux,
nous verrons que ces indications thermométriques,
barométriques et hygrométriques, qui avaient si peu
d'importance pour les premiers, doivent, au contraire,

être tenues en très sérieuse considération pour les seconds. En effet, si pour des infusoires nous faisons varier les conditions d'humidité, de chaleur et de pression atmosphérique, nous verrons les manifestations vitales de ces êtres se modifier ou s'anéantir suivant les variations plus ou moins considérables que nous introduirons dans les influences cosmiques citées plus haut. Chez les végétaux et chez les animaux à sang froid, nous voyons encore les conditions de température et d'humidité du milieu cosmique jouer un très grand rôle dans les manifestations de la vie. C'est ce qu'on appelle l'influence des saisons, que tout le monde connaît. Il n'y aurait donc en définitive que les animaux à sang chaud et l'homme qui sembleraient se soustraire à ces influences cosmiques et avoir des manifestations libres et indépendantes. Nous avons déjà dit ailleurs que cette sorte d'indépendance des manifestations vitales de l'homme et des animaux supérieurs est le résultat d'une perfection plus grande de leur organisme, mais non la preuve que les manifestations de la vie chez ces êtres, physiologiquement plus parfaits, se trouvent soumises à d'autres lois ou à d'autres causes. En effet, nous savons que ce sont les éléments histologiques de nos organes qui expriment les phénomènes de la vie; or, si ces éléments ne subissent pas de variations dans leurs fonctions sous l'influence des variations de température, d'humidité et de pression de l'atmosphère extérieure, c'est qu'ils se trouvent plongés dans un milieu organique ou dans une atmosphère intérieure dont les conditions de température, d'humidité et de pression ne changent pas avec les variations du milieu cosmique. D'où il faut conclure qu'au fond les manifestations vitales chez les animaux à sang chaud et chez l'homme sont également soumises à des conditions physico-chimiques précises et déterminées.

En récapitulant tout ce que nous avons dit précédemment, on voit qu'il y a dans tous les phénomènes naturels des conditions de milieu qui règlent leurs manifestations phénoménales. Les conditions de notre milieu cosmique règlent en général les phénomènes minéraux qui se passent à la surface de la terre; mais les êtres organisés renferment en eux les conditions particulières de leurs manifestations vitales, et, à mesure que l'organisme, c'est-à-dire la machine vivante, se perfectionne, ses éléments organisés devenant plus délicats, elle crée les conditions spéciales d'un milieu organique qui s'isole de plus en plus du milieu cosmique. Nous retombons ainsi dans la distinction que j'ai établie depuis longtemps et que je crois très féconde, à savoir, qu'il y a en physiologie deux milieux à considérer : le milieu *macrocosmique*, général, et le milieu *microcosmique*, particulier à l'être vivant ; le dernier se trouve plus ou moins indépendant du premier suivant le degré de perfectionnement de l'organisme. D'ailleurs ce que nous voyons ici pour la machine vivante se conçoit facilement, puisqu'il en est de même pour les machines brutes que l'homme crée. Ainsi, les modifications climatériques n'ont aucune influence sur la marche d'une machine à vapeur, quoique tout le monde sache que dans l'intérieur de cette machine il y a des conditions précises de température, de pression et d'humidité qui règlent mathématiquement tous ses mouvements. Nous pourrions donc aussi, pour les machines brutes, distinguer un milieu macrocosmique et un milieu microcosmique. Dans tous les cas, la perfection de la machine consistera à être de plus en plus libre et indépendante, de façon à subir de moins en moins les influences du milieu extérieur. La machine humaine sera d'autant plus parfaite qu'elle se défendra mieux contre la pénétration des influences du milieu extérieur ; quand l'organisme vieillit et qu'il s'affaiblit, il devient plus sensible aux influences extérieures du froid, du chaud, de l'humide, ainsi qu'à toutes les autres influences climatériques en général.

En résumé, si nous voulons atteindre les conditions exactes des manifestations vitales chez l'homme et chez les animaux supérieurs, ce n'est point réellement dans le milieu cosmique extérieur qu'il faut chercher, mais bien dans le milieu organique intérieur. C'est, en effet, dans l'étude de ces conditions organiques intérieures, ainsi que nous l'avons dit souvent, que se trouve l'explication directe et vraie des phénomènes de la vie, de la santé, de la maladie et de la mort de l'organisme. Nous ne voyons à l'extérieur que la résultante de toutes les actions intérieures du corps, qui nous apparaissent alors comme le résultat d'une force vitale distincte n'ayant que des rapports éloignés avec les conditions physico-chimiques du milieu extérieur et se manifestant toujours comme une sorte de personnification organique douée de tendances spécifiques. Nous avons dit ailleurs que la médecine antique considéra l'influence du milieu cosmique, des eaux, des airs et des lieux ; on peut, en effet, tirer de là d'utiles indications pour l'hygiène et pour les modifications morbides. Mais ce qui distinguera la *médecine expérimentale moderne*, ce sera d'être fondée surtout sur la connaissance du milieu intérieur dans lequel viennent agir les influences normales et morbides ainsi que les influences médicamenteuses. Mais comment connaître ce milieu intérieur de l'organisme si complexe chez l'homme et chez les animaux supérieurs, si ce n'est en y descendant en quelque sorte et en y pénétrant au moyen de l'expérimentation appliquée aux corps vivants ? Ce qui veut dire que, pour analyser les phénomènes de la vie, il faut nécessairement pénétrer dans les organismes vivants à l'aide des procédés de vivisection.

En résumé, c'est seulement dans les conditions physico-chimiques du milieu intérieur que nous trouverons le déterminisme des phénomènes extérieurs de la vie. La vie de l'organisme n'est qu'une résultante de toutes les actions intimes ; elle peut se montrer plus ou moins vive et plus ou moins affaiblie et languissante, sans que rien dans le milieu extérieur puisse nous l'expliquer parce qu'elle est réglée par les conditions du milieu intérieur. C'est donc dans les propriétés physico-chimiques du milieu intérieur que nous devons chercher les véritables bases de la physique et de la chimie animales. Toutefois, nous verrons plus loin qu'il y a à considérer, outre les conditions physico-chimiques indispensables à la manifestation de la vie, des conditions physiologiques évolutives spéciales qui sont le *quid proprium* de la science biologique. J'ai toujours beaucoup insisté sur cette distinction, parce que je crois qu'elle est fondamentale, et que les considérations physiologiques doivent être prédominantes dans un traité d'expérimentation appliquée à la médecine. En effet, c'est là que nous trouverons les différences dues aux influences de l'âge, du sexe, de l'espèce, de la race, de l'état d'abstinence ou de digestion, etc. Cela nous amènera à considérer dans l'organisme des réactions réciproques et simultanées du milieu intérieur sur les organes, et des organes sur le milieu intérieur.

III. — DE LA VIVISECTION

On n'a pu découvrir les lois de la matière brute qu'en pénétrant dans les corps ou dans les machines inertes, de même on ne pourra arriver à connaître les lois et les propriétés de la matière vivante qu'en disloquant les organismes vivants pour s'introduire dans leur milieu intérieur. Il faut donc nécessairement, après avoir disséqué sur le mort, disséquer sur le vif, pour mettre à découvert et voir fonctionner les parties intérieures ou cachées de l'organisme; c'est à ces sortes d'opérations qu'on donne le nom de *vivisections*, et sans ce mode d'investigation, il n'y a pas de physiologie ni de médecine scientifique possibles : pour apprendre comment l'homme et les animaux vivent, il est indispensable d'en voir mourir un grand nombre, parce que les mécanismes de la vie ne peuvent se dévoiler et se prouver que par la connaissance des mécanismes de la mort.

A toutes les époques on a senti cette vérité, et dès les temps les plus anciens, on a pratiqué, dans la médecine, non seulement des expériences thérapeutiques, mais même des vivisections. On raconte que des rois de Perse livraient les condamnés à mort aux médecins afin qu'ils fissent sur eux des vivisections utiles à la médecine. Au dire de Galien, Attale III, Philométor, qui régnait cent trente-sept ans avant Jésus-Christ, à Pergame, expérimentait les poisons et les contre-poisons sur des criminels condamnés à mort *. Celse rappelle et approuve les vivisections d'Hérophile et d'Erasistrate pratiquées sur des criminels, par le consentement des Ptolémées. Il n'est pas cruel, dit-il, d'imposer des supplices à quelques coupables, supplices qui doivent profiter à des multitudes d'innocents pendant le cours de tous les siècles **. Le grand-duc de Toscane fit remettre à Fallope, professeur d'anatomie à Pise, un criminel avec permission qu'il le fît mourir et qu'il le disséquât à son gré. Le condamné ayant une fièvre quarte, Fallope voulut expérimenter l'influence des effets de l'opium sur les paroxysmes. Il administra deux gros d'opium pendant l'intermission; la mort survint à la deuxième expérimentation***. De semblables exemples se sont retrouvés plusieurs fois, et l'on connaît l'histoire de l'archer de Meudon ****, qui reçut sa grâce parce qu'on pratiqua sur lui la néphrotomie avec succès. Les vivisections sur les animaux remontent également très

* Daniel Leclercq, *Histoire de la médecine*, p. 338.
** Celsus, *De medicina*, in præfatione, édit. Elezevir de Van der Linden, p. 6 et 7.
*** Astruc, *De morbis venereis*, t. II, p. 748 et 749.
**** Rayer, *Traité des maladies des reins*, t. III, p. 213. Paris, 1841.

loin. On peut considérer Galien comme le fondateur des vivisections sur les animaux. Il institua ses expériences en particulier sur des singes ou sur de jeunes porcs, et il décrivit les instruments et les procédés employés pour l'expérimentation. Galien ne pratiqua guère que des expériences du genre de celles que nous avons appelées expériences perturbatrices, et qui consistent à blesser, à détruire ou à enlever une partie afin de juger de son usage par le trouble que sa soustraction produit. Galien a résumé les expériences faites avant lui, et il a étudié par lui-même les effets de la destruction de la moelle épinière à des hauteurs diverses, ceux de la perforation de la poitrine d'un côté ou des deux côtés à la fois ; les effets de la section des nerfs qui se rendent aux muscles intercostaux et de celle du nerf récurrent. Il a lié les artères, institué des expériences sur le mécanisme de la déglutition *. Depuis Galien, il y a toujours eu, de loin en loin, au milieu des systèmes médicaux, des vivisecteurs éminents. C'est à ce titre que les noms des de Graaf, Harvey, Aselli, Pecquet, Haller, etc., se sont transmis jusqu'à nous. De notre temps, et surtout sous l'influence de Magendie, la vivisection est entrée définitivement dans la physiologie et dans la médecine comme un procédé d'étude habituel et indispensable.

Les préjugés qui se sont attachés au respect des cadavres ont pendant très longtemps arrêté le progrès de l'anatomie. De même la vivisection a rencontré dans tous les temps des préjugés et des détracteurs. Nous n'avons pas la prétention de détruire tous les préjugés dans le monde ; nous n'avons pas non plus à nous occuper ici de répondre aux arguments des détracteurs des vivisections, puisque par là même ils nient la médecine expérimentale, c'est-à-dire la médecine scientifique. Toutefois nous examinerons quelques questions générales et nous poserons ensuite le but scientifique que se proposent les vivisections.

D'abord a-t-on le droit de pratiquer des expériences et des vivisections sur l'homme ? Tous les jours le médecin fait des expériences thérapeutiques sur ses malades et tous les jours le chirurgien pratique des vivisections sur ses opérés. On peut donc expérimenter sur l'homme,

* Dezeimeris, *Dictionnaire historique*, t. II, p. 444. — Daremberg, *Exposition des connaissances de Galien sur l'anatomie pathologique et la pathologie du système nerveux*. Thèse, 1841, p. 13 et 80.

mais dans quelles limites ? On a le devoir et par conséquent le droit de pratiquer sur l'homme une expérience
toutes les fois qu'elle peut lui sauver la vie, le guérir
ou lui procurer un avantage personnel. Le principe de
moralité médicale et chirurgicale consiste donc à ne
jamais pratiquer sur un homme une expérience qui ne
pourrait que lui être nuisible à un degré quelconque,
bien que le résultat pût intéresser beaucoup la science,
c'est-à-dire la santé des autres. Mais cela n'empêche pas
qu'en faisant les expériences et les opérations toujours
exclusivement au point de vue de l'intérêt du malade qui
les subit, elles ne tournent en même temps au profit de la
science. En effet, il ne saurait en être autrement; un
vieux médecin qui a souvent administré les médicaments
et qui a beaucoup traité de malades, sera plus expérimenté,
c'est-à-dire expérimentera mieux sur ses nouveaux
malades parce qu'il s'est instruit par les expériences
qu'il a faites sur d'autres. Le chirurgien qui a souvent
pratiqué des opérations dans des cas divers s'instruira et
se perfectionnera expérimentalement. Donc, on le voit,
l'instruction n'arrive jamais que par l'expérience, et
cela rentre tout à fait dans les définitions que nous avons
données au commencement de cette introduction.

Peut-on faire des expériences ou des vivisections sur
les condamnés à mort ? On a cité des exemples analogues
à celui que nous avons rappelé plus haut, et dans lesquels on s'était permis des opérations dangereuses en
offrant aux condamnés leur grâce en échange. Les idées
de la morale moderne réprouvent ces tentatives; je partage complètement ces idées. Cependant, je considère
comme très utile à la science et comme parfaitement
permis de faire des recherches sur les propriétés des
tissus aussitôt après la décapitation chez les suppliciés.
Un helminthologiste fit avaler à une femme condamnée
à mort des larves de vers intestinaux, sans qu'elle le
sût, afin de voir après sa mort si les vers s'étaient développés dans ses intestins *. D'autres ont fait des
expériences analogues sur des malades phthisiques
devant bientôt succomber; il en est qui ont fait les
expériences sur eux-mêmes. Ces sortes d'expériences
étant très intéressantes pour la science, et ne pouvant
être concluantes que sur l'homme, me semblent très
permises quand elles n'entraînent aucune souffrance

* Davaine, *Traité des entozoaires*. Paris, 1860. *Synopsis*, p. xxvii.

ni aucun inconvénient chez le sujet expérimenté. Car, il ne faut pas s'y tromper, la morale ne défend pas de faire des expériences sur son prochain ni sur soi-même; dans la pratique de la vie, les hommes ne font que faire des expériences les uns sur les autres. La morale chrétienne ne défend qu'une seule chose, c'est de faire du mal à son prochain. Donc, parmi les expériences qu'on peut tenter sur l'homme, celles qui ne peuvent que nuire sont défendues, celles qui sont innocentes sont permises, et celles qui peuvent faire du bien sont commandées.

Maintenant se présente cette autre question. A-t-on le droit de faire des expériences et des vivisections sur les animaux ? Quant à moi, je pense qu'on a ce droit d'une manière entière et absolue. Il serait bien étrange, en effet, qu'on reconnût que l'homme a le droit de se servir des animaux pour tous les usages de la vie, pour ses services domestiques, pour son alimentation, et qu'on lui défendît de s'en servir pour s'instruire dans une des sciences les plus utiles à l'humanité. Il n'y a pas à hésiter; la science de la vie ne peut se constituer que par des expériences, et l'on ne peut sauver de la mort des êtres vivants qu'après en avoir sacrifié d'autres. Il faut faire les expériences sur les hommes ou sur les animaux. Or, je trouve que les médecins font déjà trop d'expériences dangereuses sur les hommes avant de les avoir étudiées soigneusement sur les animaux. Je n'admets pas qu'il soit moral d'essayer sur les malades dans les hôpitaux des remèdes plus ou moins dangereux ou actifs, sans qu'on les ait préalablement expérimentés sur des chiens; car je prouverai plus loin que tout ce que l'on obtient chez les animaux peut parfaitement être concluant pour l'homme quand on sait bien expérimenter. Donc, s'il est immoral de faire sur un homme une expérience dès qu'elle est dangereuse pour lui, quoique le résultat puisse être utile aux autres, il est essentiellement moral de faire sur un animal des expériences, quoique douloureuses et dangereuses pour lui, dès qu'elles peuvent être utiles pour l'homme.

Après tout cela, faudra-t-il se laisser émouvoir par les cris de sensibilité qu'ont pu pousser les gens du monde ou par les objections qu'ont pu faire les hommes étrangers aux idées scientifiques ? Tous les sentiments sont respectables, et je me garderai bien d'en jamais froisser aucun. Je les explique très bien, et c'est pour cela qu'ils ne m'arrêtent pas. Je comprends parfaitement que les médecins qui se trouvent sous l'influence de certaines idées fausses et à qui le sens scientifique manque, ne puissent pas se rendre compte de la nécessité des expériences et des vivisections pour constituer la science biologique. Je comprends parfaitement aussi que les gens du monde, qui sont mus par des idées tout à fait différentes de celles qui animent le physiologiste, jugent tout autrement que lui les vivisections. Il ne saurait en être autrement. Nous avons dit quelque part dans cette introduction que, dans la science, c'est l'idée qui donne aux faits leur valeur et leur signification. Il en est de même dans la morale, il en est de même partout. Des faits identiques matériellement peuvent avoir une signification morale opposée, suivant les idées auxquelles ils se rattachent. Le lâche assassin, le héros et le guerrier plongent également le poignard dans le sein de leur semblable. Qu'est-ce qui les distingue, si ce n'est l'idée qui dirige leur bras ? Le chirurgien, le physiologiste et Néron se livrent également à des mutilations sur des êtres vivants. Qu'est-ce qui les distingue encore, si ce n'est l'idée ? Je n'essayerai donc pas, à l'exemple de Le Gallois *, de justifier les physiologistes du reproche de cruauté que leur adressent les gens étrangers à la science; la différence des idées explique tout. Le physiologiste n'est pas un homme du monde, c'est un savant, c'est un homme qui est saisi et absorbé par une idée scientifique qu'il poursuit : il n'entend plus les cris des animaux, il ne voit plus le sang qui coule, il ne voit que son idée et n'aperçoit que des organismes qui lui cachent des problèmes qu'il veut découvrir. De même le chirurgien n'est pas arrêté par les cris et les sanglots les plus émouvants, parce qu'il ne voit que son idée et le but de son opération. De même encore l'anatomiste ne sent pas qu'il est dans un charnier horrible; sous l'influence d'une idée scientifique, il poursuit avec délices un filet nerveux dans des chairs puantes et livides qui seraient pour tout autre homme un objet de dégoût et d'horreur. D'après ce qui précède, nous considérons comme oiseuses ou absurdes toutes discussions sur les vivisections. Il est impossible que des hommes qui jugent les faits avec des idées si différentes puissent jamais s'entendre; et comme il est impossible de satisfaire tout le monde, le savant ne doit

---

* Le Gallois, *Œuvres*, Paris, 1824. Avant-propos, p. 30.

avoir souci que de l'opinion des savants qui le comprennent, et ne tirer de règle de conduite que de sa propre conscience.

Le principe scientifique de la vivisection est d'ailleurs facile à saisir. Il s'agit toujours, en effet, de séparer ou de modifier certaines parties de la machine vivante, afin de les étudier, et de juger ainsi de leur usage ou de leur utilité. La vivisection, considérée comme méthode analytique d'investigation sur le vivant, comprend un grand nombre de degrés successifs, car on peut avoir à agir soit sur les appareils organiques, soit sur les organes, soit sur les tissus ou sur les éléments histologiques eux-mêmes. Il y a des vivisections extemporanées et d'autres vivisections dans lesquelles on produit des mutilations dont on étudie les suites en conservant les animaux. D'autres fois la vivisection n'est qu'une autopsie faite sur le vif ou une étude des propriétés des tissus immédiatement après la mort. Ces procédés divers d'étude analytique des mécanismes de la vie, chez l'animal vivant, sont indispensables, ainsi que nous le verrons, à la physiologie, à la pathologie et à la thérapeutique. Toutefois, il ne faudrait pas croire que la vivisection puisse constituer à elle seule toute la méthode expérimentale appliquée à l'étude des phénomènes de la vie. La vivisection n'est qu'une dissection anatomique sur le vivant; elle se combine nécessairement avec tous les autres moyens physico-chimiques d'investigation qu'il s'agit de porter dans l'organisme. Réduite à elle-même, la vivisection n'aurait qu'une portée restreinte et pourrait même, dans certains cas, nous induire en erreur sur le véritable rôle des organes. Par ces réserves je ne nie pas l'utilité ni même la nécessité absolue de la vivisection dans l'étude des phénomènes de la vie; je la déclare seulement insuffisante. En effet, nos instruments de vivisection sont tellement grossiers et nos sens si imparfaits, que nous ne pouvons atteindre dans l'organisme que des parties grossières et complexes. La vivisection, sous le microscope, arriverait à une analyse bien plus fine, mais elle offre de très grandes difficultés et n'est applicable qu'à de très petits animaux.

Mais, quand nous sommes arrivés aux limites de la vivisection, nous avons d'autres moyens de pénétrer plus loin et de nous adresser même aux parties élémentaires de l'organisme dans lesquelles siègent les propriétés élémentaires des phénomènes vitaux. Ces

moyens sont les poisons que nous pouvons introduire
dans la circulation et qui vont porter leur action spécifique sur tel ou tel élément histologique. Les empoisonnements localisés, ainsi que les ont déjà employés Fontana
et J. Müller, constituent de précieux moyens d'analyse
physiologique. Les poisons sont de véritables réactifs
de la vie, des instruments d'une délicatesse extrême
qui vont disséquer les éléments vitaux. Je crois avoir
été le premier à considérer l'étude des poisons à ce
point de vue, car je pense que l'étude attentive des modi-
ficateurs histologiques doit former la base commune
de la physiologie générale, de la pathologie et de la
thérapeutique. En effet, c'est toujours aux éléments
organiques qu'il faut remonter pour trouver les explications vitales les plus simples.

En résumé, la vivisection est la dislocation de l'organisme vivant à l'aide d'instruments et de procédés
qui peuvent en isoler les différentes parties. Il est facile
de comprendre que cette dissection sur le vivant suppose
la dissection préalable sur le mort.

IV. — DE L'ANATOMIE NORMALE DANS SES RAPPORTS
AVEC LA VIVISECTION

L'anatomie est la base nécessaire de toutes les
recherches médicales théoriques et pratiques. Le cadavre
est l'organisme privé du mouvement vital, et c'est
naturellement dans l'étude des organes morts que l'on a
cherché la première explication des phénomènes de la
vie, de même que c'est dans l'étude des organes d'une
machine en repos que l'on cherche l'explication du jeu
de la machine en mouvement. L'anatomie de l'homme
semblait donc devoir être la base de la physiologie et
de la médecine humaines. Cependant les préjugés s'oppo-
sèrent à la dissection des cadavres, et l'on disséqua, à
défaut de corps humains, des cadavres d'animaux aussi
rapprochés de l'homme que possible par leur organisation : c'est ainsi que toute l'anatomie et la physiologie
de Galien furent faites principalement sur des singes.
Galien pratiquait en même temps des dissections cadavériques et des expériences sur les animaux vivants, ce
qui prouve qu'il avait parfaitement compris que la
dissection cadavérique n'a d'intérêt qu'autant qu'on la
met en comparaison avec la dissection sur le vivant.

De cette manière, en effet, l'anatomie n'est que le premier pas de la physiologie. L'anatomie est une science stérile par elle-même; elle n'a de raison d'être que parce qu'il y a des hommes et des animaux vivants, sains et malades, et qu'elle peut être utile à la physiologie et à la pathologie. Nous nous bornerons à examiner ici les genres de services que, dans l'état actuel de nos connaissances, l'anatomie, soit de l'homme, soit des animaux, peut rendre à la physiologie et à la médecine. Cela m'a paru d'autant plus nécessaire qu'il règne à ce sujet dans la science des idées différentes; il est bien entendu que, pour juger ces questions, nous nous plaçons toujours à notre point de vue de la physiologie et de la médecine expérimentales, qui forment la science médicale vraiment active. Dans la biologie on peut admettre des points de vue divers qui constituent, en quelque sorte, autant de sous-sciences distinctes. En effet, chaque science n'est séparée d'une autre science que parce qu'elle a un point de vue particulier et un problème spécial. On peut distinguer dans la biologie normale le point de vue zoologique, le point de vue anatomique simple et comparatif, le point de vue physiologique spécial et général. La zoologie, donnant la description et la classification des espèces, n'est qu'une science d'observation qui sert de vestibule à la vraie science des animaux. Le zoologiste ne fait que cataloguer les animaux d'après les caractères extérieurs et intérieurs de forme, suivant les types et les lois que la nature lui présente dans la formation de ces types. Le but du zoologiste est la classification des êtres d'après une sorte de plan de création, et le problème se résume pour lui à trouver la place exacte que doit occuper un animal dans une classification donnée.

L'anatomie, ou science de l'organisation des animaux, a une relation plus intime et plus nécessaire avec la physiologie. Cependant le point de vue anatomique diffère du point de vue physiologique, en ce que l'anatomiste veut expliquer l'anatomie par la physiologie, tandis que le physiologiste cherche à expliquer la physiologie par l'anatomie, ce qui est bien différent. Le point de vue anatomique a dominé la science depuis son début jusqu'à nos jours; et il compte encore beaucoup de partisans. Tous les grands anatomistes qui se sont placés à ce point de vue ont cependant contribué puissamment au développement de la science physiologique, et Haller a résumé cette idée de subordination de la physiologie à l'anatomie en définissant la physiologie : *anatomia animata*. Je comprends facilement que le principe anatomique devait se présenter nécessairement le premier, mais je crois que ce principe est faux en voulant être exclusif, et qu'il est devenu aujourd'hui nuisible à la physiologie, après lui avoir rendu de très grands services, que je ne conteste pas plus que personne. En effet, l'anatomie est une science plus simple que la physiologie, et, par conséquent, elle doit lui être subordonnée, au lieu de la dominer. Toute explication des phénomènes de la vie basée exclusivement sur des considérations anatomiques est nécessairement incomplète. Le grand Haller, qui a résumé cette grande période anatomique de la physiologie dans ses immenses et admirables écrits, a été conduit à fonder une physiologie réduite à la fibre irritable et à la fibre sensitive. Toute la partie humorale ou physico-chimique de la physiologie, qui ne se dissèque pas et qui constitue ce que nous appelons notre milieu intérieur, a été négligée et mise dans l'ombre. Le reproche que j'adresse ici aux anatomistes qui veulent subordonner la physiologie à leur point de vue, je l'adresserai de même aux chimistes et aux physiciens, qui ont voulu en faire autant. Ils ont le même tort de vouloir subordonner la physiologie, science plus complexe, à la chimie ou à la physique, qui sont des sciences plus simples. Ce qui n'empêche pas que beaucoup de travaux de chimie et de physique physiologiques, conçus d'après ce faux point de vue, n'aient pu rendre de grands services à la physiologie.

En un mot, je considère que la physiologie, la plus complexe de toutes les sciences, ne peut pas être expliquée complètement par l'anatomie. L'anatomie n'est qu'une science auxiliaire de la physiologie, la plus immédiatement nécessaire, j'en conviens, mais insuffisante à elle seule; à moins de vouloir supposer que l'anatomie comprend tout, et que l'oxygène, le chlorure de sodium et le fer qui se trouvent dans le corps sont des éléments anatomiques de l'organisme. Des tentatives de ce genre ont été renouvelées de nos jours par des anatomistes histologistes éminents. Je ne partage pas ces vues, parce que c'est, ce me semble, établir une confusion dans les sciences et amener l'obscurité au lieu de la clarté.

L'anatomiste, avons-nous dit plus haut, veut expliquer l'anatomie par la physiologie; c'est-à-dire qu'il prend l'anatomie pour point de départ exclusif et prétend en déduire directement toutes les fonctions, par la logique seule et sans expériences. Je me suis déjà élevé contre les prétentions de ces déductions anatomiques *, en montrant qu'elles reposent sur une illusion dont l'anatomiste ne se rend pas compte. En effet, il faut distinguer dans l'anatomie deux ordres de choses : 1º les dispositions mécaniques passives des divers organes et appareils, qui, à ce point de vue, ne sont que de véritables instruments de mécanique animale; 2º les éléments actifs ou vitaux qui mettent en jeu ces divers appareils. L'anatomie cadavérique peut bien rendre compte des dispositions mécaniques de l'organisme animal; l'inspection du squelette montre bien un ensemble de leviers dont on comprend l'action uniquement par leur arrangement. De même, pour le système de canaux ou de tubes qui conduisent les liquides; et c'est ainsi que les valvules des veines ont des usages mécaniques qui mirent Harvey sur les traces de la découverte de la circulation du sang. Les réservoirs, les vessies, les poches diverses dans lesquels séjournent les liquides sécrétés ou excrétés, présentent des dispositions mécaniques qui nous indiquent plus ou moins clairement les usages qu'ils doivent remplir, sans que nous soyons obligés de recourir à des expériences sur le vivant pour le savoir. Mais il faut remarquer que ces déductions mécaniques n'ont rien qui soit absolument spécial aux fonctions d'un être vivant; partout nous déduirons de même que des tuyaux sont destinés à conduire, que des réservoirs sont destinés à contenir, que des leviers sont destinés à mouvoir.

Mais quand nous arrivons aux éléments actifs ou vitaux qui mettent en jeu tous ces instruments passifs de l'organisation, alors l'anatomie cadavérique n'apprend rien et ne peut rien apprendre. Toutes nos connaissances à ce sujet nous arrivent nécessairement de l'expérience ou de l'observation sur le vivant; et quand alors l'anatomiste croit faire des déductions physiologiques par l'anatomie seule et sans expérience, il oublie qu'il prend son point de départ dans cette même physiologie expérimentale qu'il a l'air de dédaigner. Lorsqu'un anatomiste déduit, comme il le dit, les fonctions des organes de leur texture, il ne fait qu'appliquer des connaissances

---

* Voy. *Leçons de physiologie expérimentale.* Paris, 1856, t. II. Leçon d'ouverture, 2 mai 1855.

acquises sur le vivant pour interpréter ce qu'il voit sur le mort; mais l'anatomie ne lui apprend rien en réalité; elle lui fournit seulement un caractère de tissu. Ainsi, quand un anatomiste rencontre dans une partie du corps des fibres musculaires, il en conclut qu'il y a mouvement contractile; quand il rencontre des cellules glandulaires, il en conclut qu'il y a sécrétion; quand il rencontre des fibres nerveuses, il en conclut qu'il y a sensibilité ou mouvement. Mais qu'est-ce qui lui a appris que la fibre musculaire se contracte, que la cellule glandulaire sécrète, que le nerf est sensible ou moteur, si ce n'est l'observation sur le vivant ou la vivisection ? Seulement, ayant remarqué que ces tissus contractiles sécrétoires ou nerveux ont des formes anatomiques déterminées, il a établi un rapport entre la forme de l'élément anatomique et ses fonctions; de telle sorte que, quand il rencontre l'une, il conclut à l'autre. Mais, je le répète, dans tout cela l'anatomie cadavérique n'apprend rien, elle n'a fait que s'appuyer sur ce que la physiologie expérimentale lui enseigne; ce qui le prouve clairement, c'est que là où la physiologie expérimentale n'a encore rien appris, l'anatomiste ne sait rien interpréter par l'anatomie seule. Ainsi, l'anatomie de la rate, des capsules surrénales et de la thyroïde, est aussi bien connue que l'anatomie d'un muscle ou d'un nerf, et cependant l'anatomiste est muet sur les usages de ces parties. Mais dès que le physiologiste aura découvert quelque chose sur les fonctions de ces organes, alors l'anatomiste mettra les propriétés physiologiques constatées en rapport avec les formes anatomiques déterminées des éléments. Je dois en outre faire remarquer que, dans ses localisations, l'anatomiste ne peut jamais aller au-delà de ce que lui apprend la physiologie, sous peine de tomber dans l'erreur. Ainsi, si l'anatomiste avance, d'après ce que lui a appris la physiologie, que, quand il y a des fibres musculaires, il y a contraction et mouvement, il ne saurait en inférer que, là où il ne voit pas de fibre musculaire, il n'y a jamais contraction ni mouvement. La physiologie expérimentale a prouvé, en effet, que l'élément contractile a des formes variées parmi lesquelles il en est que l'anatomiste n'a pas encore pu préciser.

En un mot, pour savoir quelque chose des fonctions de la vie, il faut les étudier sur le vivant. L'anatomie ne donne que des caractères pour reconnaître les tissus, mais elle n'apprend rien par elle-même sur leurs propriétés vitales. Comment, en effet, la forme d'un élément nerveux nous indiquerait-elle les propriétés nerveuses qu'il transmet ? Comment la forme d'une cellule du foie nous montrerait-elle qu'il s'y fait du sucre ? Comment la forme d'un élément musculaire nous ferait-elle connaître la contraction musculaire ? Il n'y a là qu'une relation empirique que nous établissons par l'observation comparative faite sur le vivant et sur le mort. Je me rappelle avoir souvent entendu de Blainville s'efforcer dans ses cours de distinguer ce qu'il fallait, suivant lui, appeler un *substratum* de ce qu'il fallait au contraire nommer un *organe*. Dans un organe, suivant de Blainville, on devait pouvoir comprendre un rapport mécanique nécessaire entre la structure et la fonction. Ainsi, disait-il, d'après la forme des leviers osseux, on conçoit un mouvement déterminé ; d'après la disposition des conduits sanguins, des réservoirs de liquides, des conduits excréteurs de glandes, on comprend que des fluides soient mis en circulation ou retenus par des dispositions mécaniques que l'on explique. Mais, pour l'encéphale, ajoutait-il, il n'y a aucun rapport matériel à établir entre la structure du cerveau et la nature des phénomènes intellectuels. Donc, concluait de Blainville, le cerveau n'est pas l'organe de la pensée, il en est seulement le *substratum*. On pourrait, si l'on veut, admettre la distinction de de Blainville, mais elle serait générale et non limitée au cerveau. Si, en effet, nous comprenons qu'un muscle inséré sur deux os puisse faire l'office mécanique d'une puissance qui les rapproche, nous ne comprenons pas du tout comment le muscle se contracte, et nous pouvons tout aussi bien dire que le muscle est le substratum de la contraction. Si nous comprenons comment un liquide sécrété s'écoule par les conduits d'une glande, nous ne pouvons avoir aucune idée sur l'essence des phénomènes sécréteurs, et nous pouvons tout aussi bien dire que la glande est le substratum de la sécrétion.

En résumé, le point de vue anatomique est entièrement subordonné au point de vue physiologique expérimental en tant qu'explication des phénomènes de la vie. Mais, ainsi que nous l'avons dit plus haut, il y a deux choses dans l'anatomie, les instruments de l'organisme et les agents essentiels de la vie. Les agents essentiels de la vie résident dans les propriétés vitales de nos tissus qui ne peuvent être déterminés que par l'observation ou par l'expérience sur le vivant. Ces agents sont les mêmes chez tous les animaux, sans distinction de classe, de genre ni d'espèce. C'est là le domaine de l'anatomie et de la physiologie générales. Ensuite viennent des instruments de la vie qui ne sont autre chose que des appareils mécaniques ou des armes dont la nature a pourvu chaque organisme d'une manière définie suivant sa classe, son genre, son espèce. On pourrait même dire que ce sont ces appareils spéciaux qui constituent l'espèce; car un lapin ne diffère d'un chien que parce que l'un a des instruments organiques qui le forcent à manger de l'herbe, et l'autre des organes qui l'obligent à manger de la chair. Mais, quant aux phénomènes intimes de la vie, ce sont deux animaux identiques. Le lapin est carnivore si on lui donne de la viande toute préparée, et j'ai prouvé depuis longtemps qu'à jeun tous les animaux sont carnivores.

L'anatomie comparée n'est qu'une zoologie intérieure; elle a pour objet de classer les appareils ou instruments de la vie. Ces classifications anatomiques doivent corroborer et rectifier les caractères tirés des formes extérieures. C'est ainsi que la baleine, qui pourrait être placée parmi les poissons en raison de sa forme extérieure, est rangée dans les mammifères à cause de son organisation intérieure. L'anatomie comparée nous montre encore que les dispositions des instruments de la vie sont entre eux dans des rapports nécessaires et harmoniques avec l'ensemble de l'organisme. Ainsi un animal qui a des griffes doit avoir les mâchoires, les dents et les articulations des membres disposées d'une manière déterminée. Le génie de Cuvier a développé ces vues et en a tiré une science nouvelle, la paléontologie, qui reconstruit un animal entier d'après un fragment de son squelette. L'objet de l'anatomie comparée est donc de nous montrer l'harmonie fonctionnelle des instruments dont la nature a doué un animal et de nous apprendre la modification nécessaire de ces instruments suivant les diverses circonstances de la vie animale. Mais au fond de toutes ces modifications, l'anatomie comparée nous montre toujours un plan uniforme de création; c'est ainsi qu'une foule d'organes existent, non comme utiles à la vie (souvent même ils sont nuisibles), mais comme caractères d'espèce ou comme vestiges d'un même plan de composition organique. Le bois du cerf n'a pas d'usage utile à la vie de l'animal; l'omoplate de l'orvet et la mamelle chez les mâles, sont des vestiges d'organes devenus sans fonctions. La nature, comme l'a dit Gœthe, est un grand artiste; elle ajoute, pour l'ornementation de la forme, des organes souvent inutiles pour la vie en elle-même, de même qu'un architecte fait pour l'ornementation de son monument des frises, des corniches et des tourillons qui n'ont aucun usage pour l'habitation.

L'anatomie et la physiologie comparées ont donc pour objet de trouver les lois morphologiques des appareils ou des organes dont l'ensemble constitue les organismes. La physiologie comparée, en tant qu'elle déduit les fonctions de la comparaison des organes, serait une science insuffisante et fausse si elle repoussait l'expérimentation. Sans doute la comparaison des formes des membres ou des appareils mécaniques de la vie de relation peut nous donner des indications sur les usages de ces parties. Mais que peut nous dire la forme du foie, du pancréas, sur les fonctions de ces organes ? L'expérience n'a-t-elle pas montré l'erreur de cette assimilation du pancréas à une glande salivaire * ? Que peut nous apprendre la forme du cerveau et des nerfs sur leurs fonctions ? Tout ce qu'on sait a été appris par l'expérimentation ou l'observation sur le vivant. Que pourra-t-on dire sur le cerveau des poissons, par exemple, tant que l'expérimentation n'aura pas débrouillé la question ? En un mot, la déduction anatomique a donné ce qu'elle pouvait donner, et vouloir rester dans cette voie exclusive, c'est rester en arrière du progrès de la science, et croire qu'on peut imposer des principes scientifiques sans vérification expérimentale; c'est, en un mot, un reste de la scolastique du moyen âge. Mais, d'un autre côté, la physiologie comparée, en tant que s'appuyant sur l'expérience et en tant que cherchant chez les animaux les propriétés des tissus ou des organes, ne me paraît pas avoir une existence distincte comme science. Elle retombe nécessairement dans la physiologie spéciale ou générale, puisque son but devient le même.

On ne distingue les diverses sciences biologiques entre elles que par le but que l'on se propose ou par l'idée que l'on poursuit en les étudiant. Le zoologiste et l'anatomiste comparateur voient l'ensemble des êtres vivants, et ils cherchent à découvrir par l'étude des caractères extérieurs et intérieurs de ces êtres les lois

---

* Claude Bernard, *Mémoire sur le pancréas* (*Supplément aux comptes rendus de l'Académie des sciences*, 1856, t. I).

morphologiques de leur évolution et de leur transformation. Le physiologiste se place à un tout autre point de
vue : il ne s'occupe que d'une seule chose, des propriétés de la matière vivante et du mécanisme de la vie, sous
quelque forme qu'elle se manifeste. Pour lui, il n'y a
plus ni genre ni espèce ni classe, il n'y a que des êtres
vivants, et s'il en choisit un pour ses études, c'est ordinairement pour la commodité de l'expérimentation. Le
physiologiste suit encore une idée différente de celle
de l'anatomiste ; ce dernier, ainsi que nous l'avons vu, veut
déduire la vie exclusivement de l'anatomie ; il adopte,
par conséquent, un plan anatomique. Le physiologiste
adopte un autre plan et suit une conception différente :
au lieu de procéder de l'organe pour arriver à la fonction,
il doit partir du phénomène physiologique et en rechercher l'explication dans l'organisme. Alors le physiologiste appelle à son secours pour résoudre le problème
vital toutes les sciences : l'anatomie, la physique, la
chimie, qui sont toutes des auxiliaires qui servent d'instruments indispensables à l'investigation. Il faut donc
nécessairement connaître assez ces diverses sciences
pour savoir toutes les ressources qu'on en peut tirer.
Ajoutons en terminant que de tous les points de vue de
la biologie, la physiologie expérimentale constitue à elle
seule la science vitale active, parce qu'en déterminant
les conditions d'existence des phénomènes de la vie, elle
arrivera à s'en rendre maître et à les régir par la connaissance des lois qui leur sont spéciales.

V. — DE L'ANATOMIE PATHOLOGIQUE ET DES SECTIONS CADAVÉRIQUES DANS LEURS RAPPORTS AVEC LA VIVISECTION

Ce que nous avons dit dans le paragraphe précédent
de l'anatomie et de la physiologie normales peut se
répéter pour l'anatomie et la physiologie considérées
dans l'état pathologique. Nous trouvons également les
trois points de vue qui apparaissent successivement : le
point de vue taxonomique ou nosologique, le point de
vue anatomique et le point de vue physiologique. Nous
ne pouvons entrer ici dans l'examen détaillé de ces questions qui ne comprendraient ni plus ni moins que l'histoire entière de la science médicale. Nous nous bornerons
à indiquer notre idée en quelques mots.

En même temps qu'on a observé et décrit les maladies, on a dû chercher à les classer, comme on a cherché à classer les animaux, et exactement d'après les mêmes principes des méthodes artificielles ou naturelles. Pinel a appliqué en pathologie la classification naturelle introduite en botanique par de Jussieu et en zoologie par Cuvier. Il suffira de citer la première phrase de la *Nosographie* de Pinel : « Une maladie étant donnée, trouver sa place dans un cadre nosologique *. » Personne, je pense, ne considérera que ce but doive être celui de la médecine entière ; ce n'est donc là qu'un point de vue partiel, le point de vue taxonomique.

Après la nosologie est venu le point de vue anatomique, c'est-à-dire, qu'après avoir considéré les maladies comme des espèces morbides, on a voulu les localiser anatomiquement. On a pensé que, de même qu'il y avait une organisation normale qui devait rendre compte des phénomènes vitaux à l'état normal, il devait y avoir une organisation anormale qui rendait compte des phénomènes morbides. Bien que le point de vue anatomo-pathologique puisse déjà être reconnu dans Morgagni et Bonnet, cependant c'est dans ce siècle surtout, sous l'influence de Broussais et de Laënnec, que l'anatomie pathologique a été créée systématiquement. On a fait l'anatomie pathologique comparée des maladies et l'on a classé les altérations des tissus. Mais on a voulu de plus mettre les altérations en rapport avec les phénomènes morbides et déduire, en quelque sorte, les seconds des premières. Là se sont présentés les mêmes problèmes que pour l'anatomie comparée normale. Quand il s'est agi d'altérations morbides apportant des modifications physiques ou mécaniques dans une fonction, comme par exemple une compression vasculaire, une lésion mécanique d'un membre, on a pu comprendre la relation qui rattachait le symptôme morbide à sa cause et établir ce qu'on appelle le diagnostic rationnel. Laënnec, un de mes prédécesseurs dans la chaire de médecine du Collège de France, s'est immortalisé dans cette voie par la précision qu'il a donnée au diagnostic physique des maladies du cœur et du poumon. Mais ce diagnostic n'était plus possible quand il s'est agi de maladies dont les altérations étaient imperceptibles à nos moyens d'investigation et résidaient dans les éléments organiques. Alors,

* Pinel, *Nosographie philosophique*, 1800.

ne pouvant plus établir de rapport anatomique, on disait que la maladie était essentielle, c'est-à-dire sans lésion ; ce qui est absurde, car c'est admettre un effet sans cause. On a donc compris qu'il fallait, pour trouver l'explication des maladies, porter l'investigation dans les parties les plus déliées de l'organisme où siège la vie. Cette ère nouvelle de l'anatomie microscopique pathologique a été inaugurée en Allemagne par Johannes Müller *, et un professeur illustre de Berlin, Virchow, a systématisé dans ces derniers temps la pathologie microscopique **. On a donc tiré des altérations des tissus des caractères propres à définir les maladies, mais on s'est servi aussi de ces altérations pour expliquer les symptômes des maladies. On a créé, à ce propos, la dénomination de *physiologie pathologique* pour désigner cette sorte de fonction pathologique en rapport avec l'anatomie anormale. Je n'examinerai pas ici si ces expressions d'*anatomie pathologique* et de *physiologie pathologique* sont bien choisies, je dirai seulement que cette anatomie pathologique dont on déduit les phénomènes pathologiques est sujette aux mêmes objections d'insuffisance que j'ai faites précédemment à l'anatomie normale. D'abord, l'anatomo-pathologiste suppose démontré que toutes les altérations anatomiques sont toujours primitives, ce que je n'admets pas, croyant, au contraire, que très souvent l'altération pathologique est consécutive et qu'elle est la conséquence ou le fruit de la maladie, au lieu d'en être le germe ; ce qui n'empêche pas que ce produit ne puisse devenir ensuite un germe morbide pour d'autres symptômes. Je n'admettrai donc pas que les cellules ou les fibres des tissus soient toujours primitivement atteintes ; une altération morbide physico-chimique du milieu organique pouvant à elle seule amener le phénomène morbide à la manière d'un symptôme toxique qui survient sans lésion primitive des tissus, et par la seule altération du milieu.

Le point de vue anatomique est donc tout à fait insuffisant et les altérations que l'on constate dans les cadavres après la mort donnent bien plutôt des caractères pour reconnaître et classer les maladies que des lésions capables d'expliquer la mort. Il est même singulier de

---

* Müller, *De glandularum secernentium structura penitiori earumque prima formatione in homine atque animalibus.* Leipzig, 1830.

** Virchow, *La pathologie cellulaire basée sur l'étude physiologique et pathologique des tissus,* trad. par P. Picard. Paris, 1860.

voir combien les médecins en général se préoccupent peu de ce dernier point de vue qui est le vrai point de vue physiologique. Quand un médecin fait une autopsie de fièvre typhoïde, par exemple, il constate les lésions intestinales et est satisfait. Mais, en réalité, cela ne lui explique absolument rien ni sur la cause de la maladie, ni sur l'action des médicaments, ni sur la raison de la mort. L'anatomie microscopique n'en apprend pas davantage, car, quand un individu meurt de tubercules, de pneumonie, de fièvre typhoïde, les lésions microscopiques qu'on trouve après la mort existaient avant et souvent depuis longtemps, la mort n'est pas expliquée par les éléments du tubercule ni par ceux des plaques intestinales, ni par ceux d'autres produits morbides; la mort ne peut être en effet comprise que parce que quelque élément histologique a perdu ses *propriétés physiologiques*, ce qui a amené à sa suite la dislocation des phénomènes vitaux. Mais il faudrait, pour saisir les lésions physiologiques dans leurs rapports avec le mécanisme de la mort, faire des autopsies de cadavres aussitôt après la mort, ce qui n'est pas possible. C'est donc pourquoi il faut pratiquer des expériences sur les animaux et placer nécessairement la médecine au point de vue expérimental si l'on veut fonder une médecine vraiment scientifique qui embrasse logiquement la physiologie, la pathologie et la thérapeutique. Je m'efforce de marcher depuis un grand nombre d'années dans cette direction *. Mais le point de vue de la médecine expérimentale est très complexe en ce sens qu'il est physiologique et qu'il comprend l'explication des phénomènes pathologiques par la physique et par la chimie aussi bien que par l'anatomie. Je reproduirai d'ailleurs, à propos de l'anatomie pathologique, ce que j'ai dit à propos de l'anatomie normale, à savoir, que l'anatomie n'apprend rien par elle-même sans l'observation sur le vivant. Il faut donc instituer pour la pathologie une vivisection pathologique, c'est-à-dire qu'il faut créer des maladies chez les animaux et les sacrifier à diverses périodes de ces maladies. On pourra ainsi étudier sur le vivant les modifications des propriétés physiologiques des tissus, ainsi que les altérations des éléments ou des milieux. Quand l'animal mourra, il faudra faire l'autopsie immé-

---

* Claude Bernard, *Cours de pathologie expérimentale.* (*Medical Times,* 1860.)

diatement après la mort, absolument comme s'il s'agissait de ces maladies instantanées qu'on appelle des empoisonnements; car, au fond, il n'y a pas de différences dans l'étude des actions physiologiques, morbides, toxiques, ou médicamenteuses. En un mot, le médecin ne doit pas s'en tenir à l'anatomie pathologique seule pour expliquer la maladie; il part de l'observation du malade et explique ensuite la maladie par la physiologie aidée de l'anatomie pathologique et de toutes les sciences auxiliaires dont se sert l'investigateur des phénomènes biologiques.

VI. — DE LA DIVERSITÉ DES ANIMAUX SOUMIS A L'EXPÉRIMENTATION; DE LA VARIABILITÉ DES CONDITIONS ORGANIQUES DANS LESQUELLES ILS S'OFFRENT A L'EXPÉRIMENTATEUR

Tous les animaux peuvent servir aux recherches physiologiques parce que la vie et la maladie se retrouvent partout le résultat des mêmes propriétés et des mêmes lésions, quoique les mécanismes des manifestations vitales varient beaucoup. Toutefois les animaux qui servent le plus au physiologiste, sont ceux qu'il peut se procurer le plus facilement, et à ce titre il faut placer au premier rang les animaux domestiques, tels que le chien, le chat, le cheval, le lapin, le bœuf, le mouton, le porc, les oiseaux de basse-cour, etc. Mais s'il fallait tenir compte des services rendus à la science, la grenouille mériterait la première place. Aucun animal n'a servi à faire de plus grandes et de plus nombreuses découvertes sur tous les points de la science, et encore aujourd'hui, sans la grenouille, la physiologie serait impossible. Si la grenouille est, comme on l'a dit, le Job de la physiologie, c'est-à-dire l'animal le plus maltraité par l'expérimentateur, elle est l'animal qui, sans contredit, s'est associé le plus directement à ses travaux et à sa gloire scientifique *. A la liste des animaux cités précédemment, il faut en ajouter encore un grand nombre d'autres à sang chaud ou à sang froid, vertébrés ou invertébrés et même des infusoires qui peuvent être utilisés pour des recherches spéciales. Mais la diversité spécifique ne

* C. Duméril, *Notice historique sur les découvertes faites dans les sciences d'observation par l'étude de l'organisme des grenouilles.* 1840.

constitue pas la seule différence que présentent les animaux soumis à l'expérimentation par le physiologiste ; ils offrent encore, par les conditions où ils se trouvent, un très grand nombre de différences qu'il importe d'examiner ici ; car c'est dans la connaissance et l'appréciation de ces conditions individuelles que réside toute l'exactitude biologique et toute la précision de l'expérimentation.

La première condition pour instituer une expérience, c'est que les circonstances en soient assez bien connues et assez exactement déterminées pour qu'on puisse toujours s'y replacer et reproduire à volonté les mêmes phénomènes. Nous avons dit ailleurs que cette condition fondamentale de l'expérimentation est relativement très facile à remplir chez les êtres bruts, et qu'elle est entourée de très grandes difficultés chez les êtres vivants, particulièrement chez les animaux à sang chaud. En effet, il n'y a plus seulement à tenir compte des variations du milieu cosmique ambiant, mais il faut encore tenir compte des variations du milieu organique, c'est-à-dire de l'état actuel de l'organisme animal. On serait donc grandement dans l'erreur si l'on croyait qu'il suffit de faire une expérience sur deux animaux de la même espèce pour être placé exactement dans les mêmes conditions expérimentales. Il y a dans chaque animal des conditions physiologiques de milieu intérieur qui sont d'une variabilité extrême et qui, à un moment donné, introduisent des différences considérables au point de vue de l'expérimentation entre des animaux de la même espèce qui ont une apparence extérieure identique. Je crois avoir, plus qu'aucun autre, insisté sur la nécessité d'étudier ces diverses conditions physiologiques et avoir montré qu'elles sont la base essentielle de la physiologie expérimentale.

En effet, il faut admettre que, chez un animal, les phénomènes vitaux ne varient que suivant des conditions de milieu intérieur précises et déterminées. On cherchera donc à trouver ces conditions physiologiques expérimentales au lieu de faire des tableaux des variations de phénomènes, et de prendre des moyennes comme expression de la vérité ; on arriverait ainsi à des conclusions qui, quoique fournies par des statistiques exactes n'auraient pas plus de réalité scientifique que si elles étaient purement arbitraires. Si en effet on voulait effacer la diversité que présentent les liquides organiques en prenant les moyennes de toutes les analyses d'urine ou de sang faites même sur un animal de même espèce, on aurait ainsi une composition idéale de ces humeurs qui ne correspondrait à aucun état physiologique déterminé de cet animal. J'ai montré, en effet, qu'à jeun, les urines ont toujours une composition déterminée et identique; j'ai montré que le sang qui sort d'un organe est tout à fait différent, suivant que l'organe est à l'état de fonction ou de repos. Si l'on recherchait le sucre dans le foie, par exemple, et qu'on fît des tables d'absence et de présence, et qu'on prît des moyennes pour savoir combien de fois sur cent il y a du sucre ou de la matière glycogène dans cet organe, on aurait un nombre qui ne signifierait rien, quel qu'il fût, parce qu'en effet j'ai montré qu'il y a des conditions physiologiques dans lesquelles il y a *toujours* du sucre et d'autres conditions dans lesquelles il n'y en a *jamais*. Si maintenant, se plaçant à un autre point de vue, on voulait considérer comme bonnes toutes les expériences dans lesquelles il y a du sucre hépatique et considérer comme mauvaises toutes celles dans lesquelles on n'en rencontre pas, on tomberait dans un autre genre d'erreur non moins répréhensible. J'ai posé en effet en principe : *qu'il n'y a jamais de mauvaises expériences ;* elles sont toutes bonnes dans leurs conditions déterminées, de sorte que les résultats négatifs ne peuvent infirmer les résultats positifs. Je reviendrai d'ailleurs plus loin sur cet important sujet. Pour le moment je veux seulement appeler l'attention des expérimentateurs sur l'importance qu'il y a à préciser les conditions organiques, parce qu'elles sont, ainsi que je l'ai déjà dit, la seule base de la physiologie et de la médecine expérimentale. Il me suffira, dans ce qui va suivre, de donner quelques indications, car c'est à propos de chaque expérience en particulier qu'il s'agira ensuite d'examiner ces conditions, aux trois points de vue physiologique, pathologique et thérapeutique.

Dans toute expérience sur les animaux vivants, il y a à considérer, indépendamment des conditions cosmiques générales, trois ordres de conditions physiologiques propres à l'animal, savoir : conditions anatomiques opératoires, conditions physico-chimiques du milieu intérieur, conditions organiques élémentaires des tissus.

1º *Conditions anatomiques opératoires.* — L'anatomie est la base nécessaire de la physiologie, et jamais on ne deviendra bon physiologiste si l'on n'est préalablement profondément versé dans les études anatomiques et rompu aux dissections délicates, de manière à pouvoir faire toutes les préparations que nécessitent souvent les expériences physiologiques. En effet, l'anatomie physiologique opératoire n'est pas encore fondée; l'anatomie comparée des zoologistes est trop superficielle et trop vague pour que le physiologiste y puisse trouver les connaissances topographiques précises dont il a besoin; l'anatomie des animaux domestiques est faite par les vétérinaires à un point de vue trop spécial et trop restreint pour être d'une grande utilité à l'expérimentateur. De sorte que le physiologiste en est réduit à exécuter lui-même le plus ordinairement les recherches anatomiques dont il a besoin pour instituer ses expériences. On comprendra, en effet, que, quand il s'agit de couper un nerf, de lier un conduit ou d'injecter un vaisseau, il soit absolument indispensable de connaître les dispositions anatomiques des parties sur l'animal opéré, afin de comprendre et de préciser les résultats physiologiques de l'expérience. Il y a des expériences qui seraient impossibles chez certaines espèces animales, et le choix intelligent d'un animal présentant une disposition anatomique heureuse est souvent la condition essentielle du succès d'une expérience et de la solution d'un problème physiologique très important. Les dispositions anatomiques peuvent parfois présenter des anomalies qu'il faut également bien connaître, ainsi que les variétés qui s'observent d'un animal à l'autre. J'aurai donc le soin, dans la suite de cet ouvrage, de mettre toujours en regard la description des procédés d'expérience avec les dispositions anatomiques, et je montrerai que plus d'une fois les divergences d'opinions entre physiologistes ont eu pour cause des différences anatomiques dont on n'avait pas tenu compte dans l'interprétation des résultats de l'expérience. La vie n'étant qu'un mécanisme, il y a des dispositions anatomiques spéciales à certains animaux, qui au premier abord pourraient paraître insignifiantes ou même des minuties futiles et qui suffisent souvent pour faire différer complètement les manifestations physiologiques et constituer ce qu'on appelle une idiosyncrasie des plus importantes. Tel est le cas de la section des deux faciaux qui est mortelle chez le cheval, tandis qu'elle ne l'est pas chez d'autres animaux très voisins.

2º *Conditions physico-chimiques du milieu intérieur.*
— La vie est manifestée par l'action des excitants extérieurs sur les tissus vivants qui sont irritables et réagissent
en manifestant leurs propriétés spéciales. Les conditions
physiologiques de la vie ne sont donc rien autre chose
que les excitants physico-chimiques spéciaux qui mettent
en activité les tissus vivants de l'organisme. Ces excitants se rencontrent dans l'atmosphère ou dans le milieu
qu'habite l'animal; mais nous savons que les propriétés
de l'atmosphère extérieure générale passent dans l'atmosphère organique intérieure dans laquelle se rencontrent
toutes les conditions physiologiques de l'atmosphère
extérieure, plus un certain nombre d'autres qui sont
propres au milieu intérieur. Il nous suffira de nommer
ici les conditions physico-chimiques principales du
milieu intérieur sur lesquelles l'expérimentateur doit
porter son attention. Ce ne sont d'ailleurs que les conditions que doit présenter tout milieu dans lequel la vie
se manifeste.

L'*eau* est la condition première indispensable à toute
manifestation vitale, comme à toute manifestation des
phénomènes physico-chimiques. On peut distinguer,
dans le milieu cosmique extérieur, des animaux aquatiques et des animaux aériens; mais cette distinction ne
peut plus se faire pour les éléments histologiques;
plongés dans le milieu intérieur, ils sont aquatiques
chez tous les êtres vivants, c'est-à-dire qu'ils vivent
baignés par des liquides organiques qui renferment de
très grandes quantités d'eau. La proportion d'eau
atteint parfois de 90 à 99 pour 100 dans les liquides organiques, et quand cette proportion d'eau diminue notablement, il en résulte des troubles physiologiques
spéciaux. C'est ainsi qu'en enlevant de l'eau aux grenouilles par l'exposition prolongée à un air très sec, et
par l'introduction dans le corps de substances douées
d'un équivalent endosmotique très élevé, on diminue
la quantité d'eau du sang, et l'on voit survenir alors
des cataractes et des phénomènes convulsifs qui cessent
dès qu'on restitue au sang sa proportion d'eau normale.
La soustraction totale de l'eau dans les corps vivants
amène invariablement la mort chez les grands organismes pourvus d'éléments histologiques délicats; mais
il est bien connu que pour de petits organismes inférieurs la soustraction d'eau ne fait que suspendre la
vie. Les phénomènes vitaux réapparaissent dès qu'on

rend aux tissus l'eau qui est une condition des plus indispensables de leur manifestation vitale. Tels sont les cas de reviviscence des rotifères, des tardigrades, des anguillules du blé niellé. Il y a une foule de cas de vie latente dans les végétaux et dans les animaux, qui sont dus à la soustraction de l'eau des organismes.

La *température* influe considérablement sur la vie. L'élévation de la température rend plus actifs les phénomènes vitaux aussi bien que la manifestation des phénomènes physico-chimiques. L'abaissement de la température diminue l'énergie des phénomènes physico-chimiques et engourdit les manifestations de la vie. Dans le milieu cosmique extérieur, les variations de température constituent les saisons qui ne sont en réalité caractérisées que par la variation des manifestations de la vie animale ou végétale à la surface de la terre. Ces variations n'ont lieu que parce que le milieu intérieur ou l'atmosphère organique des plantes et de certains animaux se met en équilibre avec l'atmosphère extérieure. Si l'on place les plantes dans des serres chaudes, l'influence hibernale cesse de se faire sentir, il en est de même pour les animaux à sang froid et hibernants. Mais les animaux à sang chaud maintiennent en quelque sorte leurs éléments organiques en serre chaude; aussi ne sentent-ils pas l'influence de l'hibernation. Toutefois, comme ce n'est ici qu'une résistance particulière du milieu intérieur à se mettre en équilibre de température avec le milieu extérieur, cette résistance peut être vaincue dans certains cas, et les animaux à sang chaud peuvent eux-mêmes dans quelques circonstances s'échauffer ou se refroidir. Les limites supérieures de température compatibles avec la vie ne montent pas en général au-delà de 75°. Les limites inférieures ne descendent généralement pas au-delà de la température capable de congeler les liquides organiques végétaux ou animaux. Toutefois ces limites peuvent varier. Chez les animaux à sang chaud, la température de l'atmosphère intérieure est normalement de 38 à 40 degrés; elle ne peut pas dépasser + 45 à 50 degrés ni descendre au-delà de — 15 à 20 degrés, sans amener des troubles physiologiques ou même la mort quand ces variations sont rapides. Chez les animaux hibernants l'abaissement de température, arrivant graduellement, peut descendre beaucoup plus bas en amenant la disparition progressive des manifestations de la vie jusqu'à la léthargie ou la vie latente qui peut durer quelquefois un temps très long, si la température ne varie pas.

L'*air* est nécessaire à la vie de tous les êtres végétaux ou animaux; l'air existe donc dans l'atmosphère organique intérieure. Les trois gaz de l'air extérieur : oxygène, azote et acide carbonique, sont en dissolution dans les liquides organiques où les éléments histologiques respirent directement comme les poissons dans l'eau. La cessation de la vie par soustraction des gaz, et particulièrement de l'oxygène, est ce qu'on appelle la mort par asphyxie. Il y a chez les êtres vivants un échange constant entre les gaz du milieu intérieur et les gaz du milieu extérieur; toutefois les végétaux et les animaux, comme on sait, ne se ressemblent pas sous le rapport des altérations qu'ils produisent dans l'air ambiant.

La *pression* existe dans l'atmosphère extérieure; on sait que l'air exerce sur les êtres vivants à la surface de la terre une pression qui soulève une colonne de mercure à la hauteur de 0,76 m environ. Dans l'atmosphère intérieure des animaux à sang chaud, les liquides nourriciers circulent sous l'influence d'une pression supérieure à la pression atmosphérique extérieure, à peu près 150 mm, mais cela n'indique pas nécessairement que les éléments histologiques supportent réellement cette pression. L'influence des variations de pression sur les manifestations de la vie des éléments organiques est d'ailleurs peu connue. On sait toutefois que la vie ne peut pas se produire dans un air trop raréfié, parce qu'alors non seulement les gaz de l'air ne peuvent pas se dissoudre dans le liquide nourricier, mais les gaz qui étaient dissous dans ce dernier se dégagent. C'est ce qu'on observe quand on met un petit animal sous la machine pneumatique; ses poumons sont obstrués par les gaz devenus libres dans le sang. Les animaux articulés résistent beaucoup plus à cette raréfaction de l'air, ainsi que l'ont prouvé diverses expériences. Les poissons dans la profondeur des mers vivent quelquefois sous une pression considérable.

La *composition chimique* du milieu cosmique ou extérieur est très simple et constante. Elle est représentée par la composition de l'air qui reste identique, sauf les proportions de vapeur d'eau et quelques conditions électriques et ozonifiantes qui peuvent varier. La composition chimique des milieux internes ou organiques est beaucoup plus complexe, et cette complication augmente à mesure que l'animal devient lui-même plus élevé et plus complexe. Les milieux organiques, avons-nous dit, sont toujours aqueux; ils tiennent en dissolution des matières salines et organiques déterminées; ils présentent des réactions fixes. L'animal le plus inférieur a son milieu organique propre; un infusoire possède un milieu qui lui appartient, en ce sens que, pas plus qu'un poisson, il n'est imbibé par l'eau dans laquelle il nage. Dans le milieu organique des animaux élevés, les éléments histologiques sont comme de véritables infusoires, c'est-à-dire qu'ils sont encore pourvus d'un milieu propre, qui n'est pas le milieu organique général. Ainsi le globule du sang est imbibé par un liquide qui diffère de la liqueur sanguine dans laquelle il nage.

3° *Conditions organiques.* — Les conditions organiques sont celles qui répondent à l'évolution ou aux modifications des propriétés vitales des éléments organiques. Les variations de ces conditions amènent nécessairement un certain nombre de modifications générales dont il importe de rappeler ici les traits principaux. Les manifestations de la vie deviennent plus variées, plus délicates et plus actives à mesure que les êtres s'élèvent dans l'échelle de l'organisation. Mais aussi, en même temps, les aptitudes aux maladies se manifestent plus multipliées. L'expérimentation, ainsi que nous l'avons déjà dit, se montre nécessairement d'autant plus difficile, que l'organisation est plus complexe.

Les espèces animales et végétales sont séparées par des conditions spéciales qui les empêchent de se mélanger en ce sens que les fécondations, les greffes, et les transfusions ne peuvent pas s'opérer d'un être à l'autre. Ce sont là des problèmes du plus haut intérêt, mais que je crois abordables et susceptibles d'être réduits à des différences de propriétés physico-chimiques de milieu.

Dans la même espèce animale les races peuvent encore présenter un certain nombre de différences très intéressantes à connaître pour l'expérimentateur. J'ai constaté, dans les diverses races de chiens et de chevaux, des caractères physiologiques tout à fait particuliers qui sont relatifs à des degrés différents dans les propriétés de certains éléments histologiques particulièrement du système nerveux. Enfin on peut trouver chez des individus de la même race des particularités physiologiques qui tiennent encore à des variations spéciales de propriétés dans certains éléments histologiques. C'est ce qu'on appelle alors des *idiosyncrasies*.

Le même individu ne se ressemble pas lui-même à toutes les périodes de son évolution, c'est ce qui amène les différences relatives à l'âge. Dès la naissance, les phénomènes de la vie sont peu intenses, puis ils deviennent bientôt très actifs pour se ralentir de nouveau vers la vieillesse.

Le sexe et l'état physiologique des organes génitaux peuvent amener des modifications quelquefois très profondes, surtout chez des êtres inférieurs où les propriétés physiologiques des larves diffèrent dans certains cas complètement des propriétés des animaux parfaits et pourvus d'organes génitaux.

La mue amène des modifications organiques parfois si profondes, que les expériences pratiquées sur les animaux dans ces divers états ne donnent pas du tout les mêmes résultats *.

L'hibernation amène aussi de grandes différences dans les phénomènes de la vie, et ce n'est pas du tout la même chose d'opérer sur la grenouille ou sur le crapaud pendant l'été ou pendant l'hiver **.

L'état de digestion ou d'abstinence, de santé ou de maladie, amène aussi des modifications très grandes dans l'intensité des phénomènes de la vie, et par suite dans la résistance des animaux à l'influence de certaines substances toxiques et dans l'aptitude à contracter telle ou telle maladie parasitique ou virulente.

L'habitude est encore une condition des plus puissantes pour modifier les organismes. Cette condition est des plus importantes à tenir en considération, surtout quand on veut expérimenter l'action de substances toxiques ou médicamenteuses sur les organismes.

La taille des animaux amène aussi dans l'intensité des phénomènes vitaux des modifications importantes. En général, les phénomènes vitaux sont plus intenses chez les petits animaux que chez les gros, ce qui fait, comme on le verra plus loin, qu'on ne peut pas rigoureusement rapporter les phénomènes physiologiques au kilogramme d'animal.

En résumé, d'après tout ce qui a été dit précédemment, on voit quelle énorme complexité présente l'expérimentation chez les animaux, à raison des conditions

---

* Voy. L. Ziegler, *Ueber die Brunst und den Embryo der Rehe*. Hannover, 1843.

** Voy. Stannius, *Beobachtungen über Verjüngungsvorgänge im thierischen Organismus*. Rostoch und Schwerin, 1853.

innombrables dont le physiologiste est appelé à tenir compte. Néanmoins, on peut y parvenir quand on apporte, ainsi que nous venons de l'indiquer, une distinction et une subordination convenables dans l'appréciation de ces diverses conditions, et que l'on cherche à les rattacher à des circonstances physico-chimiques déterminées.

VII. — DU CHOIX DES ANIMAUX; DE L'UTILITÉ QUE L'ON PEUT TIRER POUR LA MÉDECINE DES EXPÉRIENCES FAITES SUR LES DIVERSES ESPÈCES ANIMALES

Parmi les objections que les médecins ont adressées à l'expérimentation, il en est une qu'il importe d'examiner sérieusement, parce qu'elle consisterait à mettre en doute l'utilité que la physiologie et la médecine de l'homme peuvent retirer des études expérimentales faites sur les animaux. On a dit, en effet, que les expériences pratiquées sur le chien ou sur la grenouille ne pouvaient, dans l'application, être concluantes que pour le chien et pour la grenouille, mais jamais pour l'homme, parce que l'homme aurait une nature physiologique et pathologique qui lui est propre et diffère de celle de tous les autres animaux. On a ajouté que, pour être réellement concluantes pour l'homme, il faudrait que les expériences fussent faites sur des hommes ou sur des animaux aussi rapprochés de lui que possible. C'est certainement dans cette vue que Galien avait choisi pour sujet de ses expériences le singe, et Vésale le porc, comme ressemblant davantage à l'homme en sa qualité d'omnivore. Aujourd'hui encore beaucoup de personnes choisissent le chien pour expérimenter, non seulement parce qu'il est plus facile de se procurer cet animal, mais aussi parce qu'elles pensent que les expériences que l'on pratique sur lui peuvent s'appliquer plus convenablement à l'homme que celles qui se pratiqueraient sur la grenouille, par exemple. Qu'est-ce qu'il y a de fondé dans toutes ces opinions, quelle importance faut-il donner au choix des animaux relativement à l'utilité que les expériences peuvent avoir pour le médecin?

Il est bien certain que pour les questions d'application immédiate à la pratique médicale, les expériences faites sur l'homme sont toujours les plus concluantes. Jamais personne n'a dit le contraire; seulement, comme

il n'est pas permis par les lois de la morale ni par celles
de l'Etat, de faire sur l'homme les expériences qu'exige
impérieusement l'intérêt de la science, nous proclamons
bien haut l'expérimentation sur les animaux, et nous
ajoutons qu'au point de vue théorique, les expériences
sur toutes les espèces d'animaux sont indispensables à
la médecine, et qu'au point de vue de la pratique immédiate, elles lui sont très utiles. En effet, il y a, ainsi que
nous l'avons déjà souvent exprimé, deux choses à considérer dans les phénomènes de la vie : les propriétés
fondamentales des éléments vitaux qui sont générales,
puis des arrangements et des mécanismes d'organisa-
tions qui donnent les formes anatomiques et physiologiques spéciales à chaque espèce animale. Or, parmi tous
les animaux sur lesquels le physiologiste et le médecin
peuvent porter leur expérimentation, il en est qui sont
plus propres les uns que les autres aux études qui
dérivent de ces deux points de vue. Nous dirons seulement ici d'une manière générale que, pour l'étude des
tissus, les animaux à sang froid ou les jeunes mammifères sont plus convenables, parce que les propriétés
des tissus vivants, disparaissant plus lentement, peuvent
mieux être étudiées. Il est aussi des expériences, dans
lesquelles il convient de choisir certains animaux qui
offrent des dispositions anatomiques plus favorables ou
une susceptibilité particulière à certaines influences.
Nous aurons soin, à chaque genre de recherches, d'indiquer le choix des animaux qu'il conviendra de faire.
Cela est si important, que souvent la solution d'un problème physiologique ou pathologique résulte uniquement
d'un choix plus convenable du sujet de l'expérience,
qui rend le résultat plus clair ou plus probant.

La physiologie et la pathologie générales sont nécessairement fondées sur l'étude des tissus chez tous les
animaux, car une pathologie générale qui ne s'appuie-
rait pas essentiellement sur des considérations tirées de
la pathologie comparée des animaux dans tous les degrés
de l'organisation, ne peut constituer qu'un ensemble de
généralités sur la pathologie humaine, mais jamais une
pathologie générale dans le sens scientifique du mot.
De même que l'organisme ne peut vivre que par le
concours ou par la manifestation normale des propriétés
d'un ou de plusieurs de ses éléments vitaux, de même
l'organisme ne peut devenir malade que par la manifestation anormale des propriétés d'un ou de plusieurs de

ses éléments vitaux. Or, les éléments vitaux étant de nature semblable dans tous les êtres vivants, ils sont soumis aux mêmes lois organiques, se développent, vivent, deviennent malades et meurent sous des influences de nature nécessairement semblable, quoique manifestées par des mécanismes variés à l'infini. Un poison ou une condition morbide qui agiraient sur un élément histologique déterminé, devrait l'atteindre dans les mêmes circonstances chez tous les animaux qui en sont pourvus, sans cela ces éléments ne seraient plus de même nature; et si l'on continuait à considérer comme de même nature des éléments vitaux qui réagiraient d'une manière opposée ou différente sous l'influence des réactifs normaux ou pathologiques de la vie, ce serait non seulement nier la science en général, mais de plus introduire dans la biologie une confusion et une obscurité qui l'entraveraient absolument dans sa marche; car, dans la science de la vie, le caractère qui doit être placé au premier rang et qui doit dominer tous les autres, c'est le caractère vital. Sans doute ce caractère vital pourra présenter de grandes diversités dans son degré et dans son mode de manifestation, suivant les circonstances spéciales des milieux ou des mécanismes que présenteront les organismes sains ou malades. Les organismes inférieurs possèdent moins d'éléments vitaux distincts que les organismes supérieurs; d'où il résulte que ces êtres sont moins faciles à atteindre par les influences de mort ou de maladies. Mais dans les animaux de même classe, de même ordre ou de même espèce, il y a aussi des différences constantes ou passagères que le physiologiste médecin doit absolument connaître et expliquer, parce que, bien que ces différences ne reposent que sur des nuances, elles donnent aux phénomènes une expression essentiellement différente. C'est précisément là ce qui constituera le problème de la science; rechercher l'unité de nature des phénomènes physiologiques et pathologiques au milieu de la variété infinie de leurs manifestations spéciales. L'expérimentation sur les animaux est une des bases de la physiologie et de la pathologie comparées; et nous citerons plus loin des exemples qui prouveront combien il est important de ne point perdre de vue les idées qui précèdent.

L'expérimentation sur les animaux élevés fournit tous les jours des lumières sur les questions de physiologie et de pathologie spéciales qui sont applicables à la pratique, c'est-à-dire à l'hygiène ou à la médecine; les études sur la digestion faites chez les animaux sont évidemment comparables aux mêmes phénomènes chez l'homme, et les observations de W. Beaumont sur son Canadien comparées à celles que l'on a faites à l'aide des fistules gastriques chez le chien, l'ont surabondamment prouvé. Les expériences faites chez les animaux, soit sur les nerfs cérébro-spinaux, soit sur les nerfs vaso-moteurs et sécréteurs du grand sympathique, de même que les expériences sur la circulation, sont, en tout point, applicables à la physiologie et à la pathologie de l'homme. Les expériences faites sur des animaux, avec des substances délétères ou dans des conditions nuisibles, sont très utiles et parfaitement concluantes pour la toxicologie et l'hygiène de l'homme. Les recherches sur les substances médicamenteuses ou toxiques sont également tout à fait applicables à l'homme au point de vue thérapeutique; car, ainsi que je l'ai montré *, les effets de ces substances sont les mêmes chez l'homme et les animaux, sauf des différences de degrés. Dans les recherches de physiologie pathologique sur la formation du cal, sur la production du pus et dans beaucoup d'autres recherches de pathologie comparée, les expériences sur les animaux sont d'une utilité incontestable pour la médecine de l'homme.

Mais à côté de tous ces rapprochements que l'on peut établir entre l'homme et les animaux, il faut bien reconnaître aussi qu'il y a des différences. Ainsi, au point de vue physiologique, l'étude expérimentale des organes des sens et des fonctions cérébrales doit être faite sur l'homme, parce que, d'une part, l'homme est au-dessus des animaux pour des facultés dont les animaux sont dépourvus, et que, d'autre part, les animaux ne peuvent pas nous rendre compte directement des sensations qu'ils éprouvent. Au point de vue pathologique, on constate aussi des différences entre l'homme et les animaux; ainsi les animaux possèdent des maladies parasitiques ou autres qui sont inconnues à l'homme, *aut vice versa*. Parmi ces maladies il en est qui sont transmissibles de l'homme aux animaux et des animaux à l'homme, et d'autres qui ne le sont pas. Enfin, il y a certaines susceptibilités inflammatoires du péritoine ou

---

* Claude Bernard, *Recherches sur l'opium et ses alcaloïdes* (*Comptes rendus de l'Académie des sciences*, 1864).

d'autres organes qui ne se rencontrent pas développées au même degré chez l'homme que chez les animaux des diverses classes ou des diverses espèces. Mais, loin que ces différences puissent être des motifs pour nous empêcher d'expérimenter et de conclure des recherches pathologiques faites sur ces animaux à celles qui sont observées sur l'homme, elles deviennent des raisons puissantes du contraire. Les diverses espèces d'animaux nous offrent des différences d'aptitudes pathologiques très nombreuses et très importantes; j'ai déjà dit que parmi les animaux domestiques, ânes, chiens et chevaux, il existe des races ou des variétés qui nous offrent des susceptibilités physiologiques ou pathologiques tout à fait spéciales; j'ai constaté même des différences individuelles souvent assez tranchées. Or, l'étude expérimentale de ces diversités peut selon nous donner l'explication des différences individuelles que l'on observe chez l'homme, soit dans les différentes races, soit chez les individus d'une même race, et que les médecins appellent des prédispositions ou des *idiosyncrasies*. Au lieu de rester des états indéterminés de l'organisme, les prédispositions, étudiées expérimentalement, rentreront par la suite dans des cas particuliers d'une loi générale physiologique, qui deviendra ainsi la base scientifique de la médecine pratique.

En résumé, je conclus que les résultats des expériences faites sur les animaux aux points de vue physiologique, pathologique et thérapeutique sont, non seulement applicables à la médecine théorique, mais je pense que la médecine pratique ne pourra jamais, sans cette étude comparative sur les animaux, prendre le caractère d'une science. Je terminerai, à ce sujet, par les mots de Buffon, auxquels on pourrait donner une signification philosophique différente, mais qui sont très vrais scientifiquement dans cette circonstance : « S'il n'existait pas d'animaux, la nature de l'homme serait encore plus incompréhensible. »

VIII. — DE LA COMPARAISON DES ANIMAUX ET DE L'EXPÉRIMENTATION COMPARATIVE

Dans les animaux et particulièrement dans les animaux supérieurs, l'expérimentation est si complexe et entourée de causes d'erreurs prévues ou imprévues si nombreuses

et si multipliées, qu'il importe, pour les éviter, de procéder avec la plus grande circonspection. En effet, pour
porter l'expérimentation sur les parties de l'organisme
que l'on veut explorer, il faut souvent faire des délabre-
ments considérables et produire des désordres médiats ou
immédiats qui masquent, altèrent ou détruisent les
résultats de l'expérience. Ce sont ces difficultés très réelles
qui ont si souvent entaché d'erreur les recherches expérimentales faites sur les êtres vivants, et qui ont fourni des
arguments aux détracteurs de l'expérimentation. Mais la
science n'avancerait jamais si l'on se croyait autorisé à
renoncer aux méthodes scientifiques parce qu'elles sont
imparfaites ; la seule chose à faire en ce cas, c'est de les
perfectionner. Or, le perfectionnement de l'expérimentation physiologique consiste non seulement dans l'amé-
lioration des instruments et des procédés opératoires,
mais surtout et plus dans l'usage raisonné et bien réglé
de l'*expérimentation comparative*.

Nous avons dit ailleurs (page 91) qu'il ne fallait pas
confondre la contre-épreuve expérimentale avec l'expérimentation comparative. La contre-épreuve ne fait aucunement allusion aux causes d'erreurs qui peuvent se rencontrer dans l'observation du fait ; elle les suppose toutes
évitées, et elle ne s'adresse qu'au raisonnement expérimental ; elle n'a en vue que de juger si la relation que l'on
a établie entre un phénomène et sa cause prochaine est
exacte et rationnelle. La contre-épreuve n'est qu'une
synthèse qui vérifie une analyse, ou une analyse qui
contrôle une synthèse.

L'expérimentation comparative au contraire ne porte
que sur la constatation du fait et sur l'art de le dégager
des circonstances ou des autres phénomènes avec lesquels
il peut être mêlé. L'expérimentation comparative n'est
pourtant pas précisément ce que les philosophes ont
appelé la méthode par différence. Quand un expérimentateur est en face de phénomènes complexes dus aux
propriétés réunies de divers corps, il procède par différen-
ciation, c'est-à-dire qu'il sépare successivement chacun
de ces corps un à un, et voit par différence ce qui appartient à chacun d'eux dans le phénomène total. Mais cette
méthode d'exploration suppose deux choses : elle suppose d'abord que l'on sait quel est le nombre des corps
qui concourent à l'expression de l'ensemble du phénomène ; et ensuite elle admet que ces corps ne se combinent
point de manière à confondre leur action dans une résul-

tante harmonique finale. En physiologie la méthode des différences est rarement applicable, parce qu'on ne peut presque jamais se flatter de connaître tous les corps et toutes les conditions qui entrent dans l'expression d'un ensemble de phénomènes, et parce qu'ensuite, dans une infinité de cas, divers organes du corps peuvent se suppléer dans les phénomènes qui leur étaient en partie communs, et dissimuler plus ou moins ce qui résulte de l'ablation d'une partie limitée. Je suppose, par exemple, que l'on paralyse isolément et successivement tout le corps en n'agissant que sur un seul muscle à la fois, le désordre produit par le muscle paralysé sera plus ou moins remplacé et rétabli par les muscles voisins, et l'on arriverait finalement à conclure que chaque muscle en particulier entre pour peu de chose dans les mouvements du corps. On a très bien exprimé la nature de cette cause d'erreur en la comparant à ce qui arriverait à un expérimentateur qui supprimerait l'une après l'autre chacune des briques qui servent de base à une colonne. Il verrait, en effet, que la soustraction successive d'une seule brique à la fois ne fait pas chanceler la colonne, et il arriverait à en conclure logiquement mais faussement qu'aucune de ces briques ne sert à soutenir la colonne. L'expérimentation comparative en physiologie répond à une tout autre idée : car elle a pour objet de réduire à l'unité la recherche la plus complexe, et pour résultat d'éliminer en bloc toutes les causes d'erreurs connues ou inconnues.

Les phénomènes physiologiques sont tellement complexes, qu'il ne serait jamais possible d'expérimenter avec quelque rigueur sur les animaux vivants, s'il fallait nécessairement déterminer toutes les modifications que l'on peut apporter dans l'organisme sur lequel on opère. Mais heureusement il nous suffira de bien isoler le seul phénomène sur lequel doit porter notre examen en le séparant, à l'aide de l'expérimentation comparative, de toutes les complications qui peuvent l'environner. Or, l'expérimentation comparative atteint ce but en ajoutant dans un organisme semblable, qui doit servir de comparaison, toutes les modifications expérimentales, moins *une*, qui est celle que l'on veut dégager.

Si l'on veut savoir, par exemple, quel est le résultat de la section ou de l'ablation d'un organe profondément situé, et qui ne peut être atteint qu'en blessant beaucoup d'organes circonvoisins, on est nécessairement exposé à confondre dans le résultat total ce qui appartient aux lésions produites par le procédé opératoire avec ce qui appartient proprement à la section et à l'ablation de l'organe dont on veut juger le rôle physiologique. Le seul moyen d'éviter l'erreur consiste à pratiquer sur un animal semblable une opération identique, mais sans faire la section ou l'ablation de l'organe sur lequel on expérimente. On a alors deux animaux chez lesquels toutes les conditions expérimentales sont les mêmes sauf une, l'ablation d'un organe, dont les effets se trouvent alors dégagés et exprimés par la différence que l'on observe entre les deux animaux. L'expérimentation comparative est une règle générale et absolue en médecine expérimentale et elle s'applique à toute espèce de recherche, soit qu'on veuille connaître les effets sur l'économie des agents divers qui exercent une influence sur elle, soit qu'on veuille reconnaître par des expériences de vivisection le rôle physiologique des diverses parties du corps.

Tantôt l'expérimentation comparative peut être faite sur deux animaux de la même espèce et pris dans des conditions aussi comparables que possible ; tantôt il faut faire l'expérience sur le même animal. Quand on agit sur deux animaux, il faut, ainsi que nous venons de le dire, placer les deux animaux semblables dans les mêmes conditions moins *une*, celle que l'on veut comparer. Cela suppose que les deux animaux comparés sont assez semblables pour que la différence que l'on constate sur eux, à la suite de l'expérience, ne puisse pas être attribuée à une différence tenant à leur organisme même. Quand il s'agit d'expérimenter sur des organes ou sur des tissus dont les propriétés sont fixes et faciles à distinguer, la comparaison faite sur deux animaux de la même espèce suffit, mais quand au contraire on veut comparer des propriétés mobiles et délicates, il faut alors faire la comparaison sur le même animal, soit que la nature de l'expérience permette d'expérimenter sur lui successivement et à des reprises différentes, soit qu'il faille agir au même moment et simultanément sur des parties similaires du même individu. En effet, les différences sont plus difficiles à saisir à mesure que les phénomènes qu'on veut étudier deviennent plus mobiles et plus délicats ; sous ce rapport, jamais aucun animal n'est absolument comparable à un autre, et de plus, ainsi que nous l'avons déjà dit, le même animal n'est pas non plus comparable à lui-même dans les différents moments où on l'examine, soit parce qu'il est dans des conditions de nutrition différentes, soit parce que son organisme est devenu moins sensible en ayant pu s'habituer à la substance qu'on lui a donnée ou à l'opération qu'on lui fait subir.

Enfin, il arrive quelquefois qu'il faut étendre l'expérimentation comparative en dehors de l'animal, parce que les causes d'erreurs peuvent aussi se rencontrer dans les instruments que l'on emploie pour expérimenter.

Je me borne ici à signaler et à définir le principe de l'expérimentation comparative; il sera developpé à propos des cas particuliers dans le cours de cet ouvrage. Je citerai, dans la troisième partie de cette introduction, des exemples propres à démontrer l'importance de l'expérimentation comparative, qui est la véritable base de la médecine expérimentale; il serait facile en effet de prouver que presque toutes les erreurs expérimentales viennent de ce qu'on a négligé de juger comparativement les faits, ou de ce que l'on a cru comparables des cas qui ne l'étaient pas.

IX. — DE L'EMPLOI DU CALCUL DANS L'ÉTUDE DES PHÉNOMÈNES DES ÊTRES VIVANTS ; DES MOYENNES ET DE LA STATISTIQUE

Dans les sciences expérimentales, la mesure des phénomènes est un point fondamental, puisque c'est par la détermination quantitative d'un effet relativement à une cause donnée que la loi des phénomènes peut être établie. Si en biologie on veut arriver à connaître les lois de la vie, il faut donc non seulement observer et constater les phénomènes vitaux, mais de plus il faut fixer numériquement les relations d'intensité dans lesquelles ils sont les uns par rapport aux autres.

Cette application des mathématiques aux phénomènes naturels est le but de toute science, parce que l'expression de la loi des phénomènes doit toujours être mathématique. Il faudrait pour cela, que les données soumises au calcul fussent des résultats de faits suffisamment analysés, de manière à être sûr qu'on connaît complètement les conditions des phénomènes entre lesquels on veut établir une équation. Or je pense que les tentatives de ce genre sont prématurées dans la plupart des phénomènes de la vie, précisément parce que ces phénomènes sont tellement complexes, qu'à côté de quelques-unes de leurs conditions que nous connaissons, nous devons non seulement supposer, mais être certain, qu'il en existe une foule d'autres qui nous sont encore absolument inconnues. Je crois qu'actuellement la voie la plus utile à suivre pour la physiologie et pour la médecine est de chercher à découvrir des faits nouveaux, au lieu d'essayer de réduire en équations ceux que la science possède. Ce n'est point que je condamne l'application mathématique dans les phénomènes biologiques, car c'est par elle seule que, dans la suite, la science se constituera; seulement j'ai la conviction que l'équation générale est impossible pour le moment, l'étude *qualitative* des phénomènes devant nécessairement précéder leur étude *quantitative*.

Les physiciens et les chimistes ont déjà essayé bien souvent de réduire au calcul les phénomènes physico-chimiques des êtres vivants. Parmi les anciens, aussi bien que parmi les modernes, des physiciens et des chimistes les plus éminents ont voulu établir les principes d'une mécanique animale et les lois d'une statique chimique des animaux. Bien que les progrès des sciences physico-chimiques aient rendu la solution de ces problèmes plus abordable de nos jours que par le passé, cependant il me paraît impossible d'arriver actuellement à des conclusions exactes parce que les bases physiologiques manquent pour asseoir tous ces calculs. On peut bien sans doute établir le bilan de ce que consomme un organisme vivant en aliments et de ce qu'il rend en excrétions, mais ce ne seront là que de purs résultats de statistique incapables d'apporter la lumière sur les phénomènes intimes de la nutrition chez les êtres vivants. Ce serait, suivant l'expression d'un chimiste hollandais, vouloir raconter ce qui se passe dans une maison en regardant ce qui entre par la porte et ce qui sort par la cheminée. On peut fixer exactement les deux termes extrêmes de la nutrition, mais si l'on veut ensuite interpréter l'intermédiaire qui les sépare, on se trouve dans un inconnu dont l'imagination crée la plus grande partie, et d'autant plus facilement que les chiffres se prêtent souvent merveilleusement à la démonstration des hypothèses les plus diverses. Il y a vingt-cinq ans, à mon début dans la carrière physiologique, j'essayai, je crois, un des premiers, de porter l'expérimentation dans le milieu intérieur de l'organisme, afin de suivre pas à pas et expérimentalement toutes ces transformations de matières que les chimistes expliquaient théoriquement. J'instituai alors des expériences pour rechercher comment se détruit dans l'être vivant le sucre, un des principes alimentaires les mieux définis. Mais, au lieu de m'instruire sur la destruction du sucre, mes expériences me conduisirent à découvrir * qu'il se produit constamment du sucre dans les animaux, indépendamment de la nature de l'alimentation. De plus, ces recherches me donnèrent la conviction qu'il s'accomplit dans le milieu organique animal une infinité de phénomènes physico-chimiques très complexes qui donnent naissance à beaucoup d'autres produits que nous ignorons encore et dont les chimistes ne tiennent par conséquent aucun compte dans leurs équations de statique.

Ce qui manque aux statiques chimiques de la vie ou aux diverses appréciations numériques que l'on donne des phénomènes physiologiques, ce ne sont certainement point les lumières chimiques ni la rigueur des calculs; mais ce sont leurs bases physiologiques qui, la plupart du temps, sont fausses par cela seul qu'elles sont incomplètes. On est ensuite conduit à l'erreur d'autant plus facilement qu'on part de ce résultat expérimental incomplet et qu'on raisonne sans vérifier à chaque pas les déductions du raisonnement. Je vais citer des exemples de ces calculs que je condamne en les prenant dans des ouvrages pour lesquels j'ai d'ailleurs la plus grande estime. MM. Bidder et Schmidt (de Dorpat) ont publié en 1852 des travaux très importants sur la digestion et sur la nutrition. Leurs recherches contiennent des matériaux bruts, excellents et très nombreux; mais les déductions de leurs calculs sont souvent selon moi hasardées ou erronées. Ainsi, par exemple, ces auteurs ont pris un chien pesant 16 kilogrammes, ils ont placé dans le conduit de la glande sous-maxillaire un tube par lequel s'écoulait la sécrétion, et ils ont obtenu en une heure 5,640 g de salive; d'où ils concluent que pour les deux glandes cela doit faire 11,280 g. Ils ont ensuite placé un autre tube dans le conduit d'une glande parotide du même animal, et ils ont obtenu en une heure 8,790 g de salive, ce qui pour les deux glandes parotides équivaudrait à 17,580 g. Maintenant, ajoutent-ils, si l'on veut appliquer ces nombres à l'homme, il faut établir que l'homme étant environ quatre fois plus pesant que le

---

* Voyez la troisième partie de cette Introduction.

chien en question, nous offre un poids de 64 kilogrammes; par conséquent le calcul établi sur ce rapport nous donne pour les glandes sous-maxillaires de l'homme 45 grammes de salive en une heure, soit par jour 1,082 kg. Pour les glandes parotides nous avons en une heure 70 grammes, soit par jour 1,687 kg; ce qui, réduction faite de moitié, donnerait environ 1,40 g de salive sécrétée en vingt-quatre heures, par les glandes salivaires d'un homme adulte, etc. *

Il n'y a dans ce qui précède, ainsi que le sentent bien les auteurs eux-mêmes, qu'une chose qui soit vraie, c'est le résultat brut qu'on a obtenu sur le chien, mais tous les calculs qu'on en déduit sont établis sur des bases fausses ou contestables; d'abord il n'est pas exact de doubler le produit d'une des glandes pour avoir celui des deux, parce que la physiologie apprend que le plus souvent les glandes doubles sécrètent alternative-ment, et que, quand l'une sécrète beaucoup, l'autre sécrète moins; ensuite, outre les deux glandes salivaires sous-maxillaire et parotide, il en existe encore d'autres dont il n'est pas fait mention. Il est ensuite inexact de croire qu'en multipliant par 24 le produit de la salive d'une heure, on ait la salive versée dans la bouche de l'animal en vingt-quatre heures. En effet, la sécrétion salivaire est éminemment intermittente et n'a lieu qu'au moment du repas ou d'une excitation; pendant tout le reste du temps, la sécrétion est nulle ou insignifiante. Enfin la quantité de salive qu'on a obtenue des glandes salivaires du chien mis en expérience n'est pas une quantité absolue; elle aurait été nulle, si l'on n'avait pas excité la membrane muqueuse buccale, elle aurait pu être plus ou moins considérable si l'on avait employé une autre excitation plus forte ou plus faible que celle du vinaigre.

Maintenant, quant à l'application des calculs précé-dents à l'homme, elle est encore plus discutable. Si l'on avait multiplié la quantité de salive obtenue par le poids des glandes salivaires, on aurait obtenu un rapport plus approché, mais je n'admets pas qu'on puisse cal-culer la quantité de salive sur le poids de tout le corps pris en masse. L'appréciation d'un phénomène par kilos du corps de l'animal me paraît tout à fait inexacte, quand

---

* *Die Verdauungssäfte und der Stoffwechsel*. Mitau und Leipzig, 1852, S. 12.

on y comprend des tissus de toute nature et étrangers à la production du phénomène sur lequel on calcule.

Dans la partie de leurs recherches qui concerne la nutrition, MM. Bidder et Schmidt ont donné une expérience très importante et peut-être une des plus laborieuses qui aient jamais été exécutées. Ils ont fait, au point de vue de l'analyse élémentaire, le bilan de tout ce qu'une chatte a pris et rendu pendant huit jours d'alimentation et dix-neuf jours d'abstinence. Mais cette chatte s'est trouvée dans des conditions physiologiques qu'ils ignoraient; elle était pleine et elle mit bas ses petits au dix-septième jour de l'expérience. Dans cette circonstance les auteurs ont considéré les petits comme des excréments et les ont calculés avec les substances éliminées comme une simple perte de poids *. Je crois qu'il faudrait justifier ces interprétations quand il s'agit de préciser des phénomènes aussi complexes.

En un mot, je considère que, si dans ces travaux de statique chimique appliqués aux phénomènes de la vie, les chiffres répondent à la réalité, ce n'est que par hasard ou parce que le sentiment des expérimentateurs dirige et redresse le calcul. Toutefois je répéterai que la critique que je viens de faire ne s'adresse pas en principe à l'emploi du calcul dans la physiologie, mais qu'elle est seulement relative à son application dans l'état actuel de complexité des phénomènes de la vie. Je suis d'ailleurs heureux de pouvoir ici m'appuyer sur l'opinion de physiciens et de chimistes les plus compétents en pareille matière. MM. Regnault et Reiset, dans leur beau travail sur la respiration, s'expriment ainsi à propos des calculs que l'on a donnés pour établir la théorie de la chaleur animale. « Nous ne doutons pas que la chaleur animale ne soit produite *entièrement* par les réactions chimiques qui se passent dans l'économie; mais nous pensons que le phénomène est beaucoup trop complexe pour qu'il soit possible de le calculer d'après la quantité d'oxygène consommé. Les substances qui se brûlent par la respiration sont formées en général de carbone, d'hydrogène, d'azote ou d'oxygène, souvent en proportions considérables; lorsqu'elles se détruisent complètement par la respiration, l'oxygène qu'elles renferment contribue à la formation de l'eau et de l'acide carbonique, et la chaleur qui se dégage est alors nécessairement bien

* *Loc. cit.*, p. 397.

différente de celle que produiraient, en se brûlant, le carbone et l'hydrogène, supposés libres. Ces substances ne se détruisent d'ailleurs pas complètement, une portion se transforme en d'autres substances qui jouent des rôles spéciaux dans l'économie animale, ou qui s'échappent, dans les excrétions, à l'état de matières très oxydées (urée, acide urique). Or, dans toutes ces transformations et dans les asssimilations de substances qui ont lieu dans les organes, il y a dégagement ou absorption de chaleur ; mais les phénomènes sont évidemment tellement complexes, qu'il est peu probable qu'on parvienne jamais à les soumettre au calcul. C'est donc par une coïncidence fortuite que les quantités de chaleur, dégagées par un animal, se sont trouvées, dans les expériences de Lavoisier, de Dulong et de Despretz, à peu près égales à celles que donneraient en brûlant le carbone contenu dans l'acide carbonique produit, et l'hydrogène dont on détermine la quantité par une hypothèse *bien gratuite*, en admettant que la portion de l'oxygène consommée qui ne se trouve pas dans l'acide carbonique a servi à transformer cet oxygène en eau *. »

Les phénomènes chimico-physiques de l'organisme vivant sont donc encore aujourd'hui trop complexes pour pouvoir être embrassés dans leur ensemble autrement que par des hypothèses. Pour arriver à la solution exacte de problèmes aussi vastes, il faut commencer par analyser les résultantes de ces réactions compliquées, et les décomposer au moyen de l'expérimentation en questions simples et distinctes. J'ai déjà fait quelques tentatives dans cette voie analytique, en montrant qu'au lieu d'embrasser le problème de la nutrition en bloc, il importe d'abord de déterminer la nature des phénomènes physico-chimiques qui se passent dans un organe formé d'un tissu défini, tel qu'un muscle, une glande, un nerf ; qu'il est nécessaire en même temps de tenir compte de l'état de fonction ou de repos de l'organe. J'ai montré de plus que l'on peut régler à volonté l'état de repos et de fonction d'un organe à l'aide de ses nerfs, et que l'on peut même agir sur lui localement en se mettant à l'abri du retentissement sur l'organisme, quand on a préalablement séparé les nerfs périphériques

---

* Voy. Regnault et Reiset, *Recherches chimiques sur la respiration des animaux des diverses classes* (*Ann. de chimie et de physique*, IIIe série, t. XXVI, p. 217).

des centres nerveux *. Quand on aura ainsi analysé les
phénomènes physico-chimiques propres à chaque tissu,
à chaque organe, alors seulement on pourra essayer de
comprendre l'ensemble de la nutrition et de faire une
statique chimique fondée sur une base solide, c'est-à-
dire sur l'étude de faits physiologiques précis, complets
et comparables.

Une autre forme d'application très fréquente des mathématiques à la biologie se trouve dans l'usage des moyennes
ou dans l'emploi de la statistique qui, en médecine et
en physiologie, conduisent pour ainsi dire nécessairement à l'erreur. Il y a sans doute plusieurs raisons pour
cela; mais le plus grand écueil de l'application du calcul
aux phénomènes physiologiques, est toujours au fond
leur trop grande complexité qui les empêche d'être
définis et suffisamment comparables entre eux. L'emploi
des *moyennes* en physiologie et en médecine ne donne
le plus souvent qu'une fausse précision aux résultats
en détruisant le caractère biologique des phénomènes.
On pourrait distinguer, à notre point de vue, plusieurs
espèces de moyennes : les moyennes physiques, les
moyennes chimiques et les moyennes physiologiques ou
pathologiques. Si l'on observe, par exemple, le nombre
des pulsations et l'intensité de la pression sanguine par
les oscillations d'un instrument hémométrique pendant
toute une journée et qu'on prenne la moyenne de tous
ces chiffres pour avoir la pression vraie ou moyenne du
sang, ou pour connaître le nombre vrai ou moyen de pulsations, on aura précisément des nombres faux. En effet,
la pulsation diminue de nombre et d'intensité à jeun et
augmente pendant la digestion ou sous d'autres influences
de mouvement ou de repos; tous ces caractères biologiques du phénomène disparaissent dans la moyenne.
On fait aussi très souvent usage des moyennes chimiques. Si l'on recueille l'urine d'un homme pendant
vingt-quatre heures et qu'on mélange toutes les urines
pour avoir l'analyse de l'urine moyenne, on a précisément l'analyse d'une urine qui n'existe pas; car à jeun
l'urine diffère de celle de la digestion, et ces différences
disparaissent dans le mélange. Le sublime du genre a été
imaginé par un physiologiste qui, ayant pris de l'urine

---

* Claude Bernard, *Sur le changement de couleur du sang dans l'état
de fonction et de repos des glandes.* — *Analyse du sang des muscles au repos
et en contraction. Leçons sur les liquides de l'organisme.* Paris, 1859.

dans un urinoir de la gare de chemin de fer où passaient des gens de toutes les nations, crut pouvoir donner ainsi l'analyse de l'urine *moyenne* européenne! A côté de ces moyennes physiques et chimiques, il y a les moyennes physiologiques ou ce qu'on pourrait appeler les descriptions moyennes de phénomènes qui sont encore plus fausses. Je suppose qu'un médecin recueille un grand nombre d'observations particulières sur une maladie, et qu'il fasse ensuite une description moyenne de tous les symptômes observés dans les cas particuliers; il aura ainsi une description qui ne se trouvera jamais dans la nature. De même en physiologie il ne faut jamais donner des descriptions moyennes d'expériences, parce que les vrais rapports des phénomènes disparaissent dans cette moyenne; quand on a affaire à des expériences complexes et variables, il faut en étudier les diverses circonstances et ensuite donner l'expérience la plus parfaite comme type, mais qui représentera toujours un fait vrai. Les moyennes, dans les cas où nous venons de les considérer, doivent donc être repoussées, parce qu'elles confondent en voulant réunir et faussent en voulant simplifier. Les moyennes ne sont applicables qu'à la réduction de données numériques variant très peu et se rapportant à des cas parfaitement déterminés et *absolument simples*.

Je signalerai encore comme entachée de nombreuses causes d'erreurs la réduction des phénomènes physiologiques au kilo d'animal. Cette méthode est fort employée par les physiologistes depuis un certain nombre d'années dans l'étude des phénomènes de la nutrition (voy. page 187). On observe, par exemple, ce qu'un animal consomme d'oxygène ou d'un aliment quelconque en un jour; puis on divise par le poids de l'animal et l'on en tire la consommation d'aliment ou d'oxygène par kilo d'animal. On peut aussi appliquer cette méthode pour doser l'action des substances toxiques ou médicamenteuses. On empoisonne un animal avec une dose limite de strychnine ou de curare, et l'on divise la quantité de poison administrée par le poids du corps pour avoir la quantité de poison par kilo. Il faudrait, pour être plus exact, dans les expériences que nous venons de citer, calculer non par kilo du corps de l'animal, pris en masse, mais par kilo du sang et de l'élément sur lequel agit le poison; sans cela on ne saurait tirer de ces réductions aucune loi directe. Mais il resterait encore d'autres conditions qu'il faudrait de même établir expérimentalement et qui varient avec l'âge, la taille, l'état de digestion, etc.; telles sont toutes les conditions physiologiques, qui, dans ces mesures, doivent toujours tenir le premier rang.

En résumé, toutes les applications du calcul seraient excellentes si les conditions physiologiques étaient bien exactement déterminées. C'est donc sur la détermination de ces conditions que le physiologiste et le médecin doivent concentrer pour le moment tous leurs efforts. Il faut d'abord déterminer exactement les conditions de chaque phénomène; c'est là la véritable exactitude biologique, et sans cette première étude toutes les données numériques sont inexactes et d'autant plus inexactes qu'elles donnent des chiffres qui trompent et en imposent par une fausse apparence d'exactitude.

Quant à la *statistique*, on lui fait jouer un grand rôle en médecine, et dès lors elle constitue une question médicale qu'il importe d'examiner ici. La première condition pour employer la statistique, c'est que les faits auxquels on l'applique soient exactement observés afin de pouvoir être ramenés à des unités comparables entre elles. Or, cela ne se rencontre pas le plus souvent en médecine. Tous ceux qui connaissent les hôpitaux savent de quelles causes d'erreurs grossières ont pu être empreintes les déterminations qui servent de base à la statistique. Très souvent le nom des maladies a été donné au hasard, soit parce que le diagnostic était obscur, soit parce que la cause de mort a été inscrite sans y attacher aucune importance scientifique, par un élève qui n'avait pas vu le malade, ou par une personne de l'administration étrangère à la médecine. Sous ce rapport, il ne pourrait y avoir de statistique pathologique valable que celle qui est faite avec des résultats recueillis par le statisticien lui-même. Mais dans ce cas même, jamais deux malades ne se ressemblent exactement; l'âge, le sexe, le tempérament, et une foule d'autres circonstances apporteront toujours des différences, d'où il résulte que la moyenne ou le rapport que l'on déduira de la comparaison des faits sera toujours sujet à contestation. Mais, même par hypothèse, je ne saurais admettre que les faits puissent jamais être absolument identiques et comparables dans la statistique, il faut nécessairement qu'ils diffèrent par quelque point, car sans cela la statistique conduirait à un résultat scientifique absolu, tandis qu'elle ne peut donner qu'une *probabilité*, mais

jamais une *certitude*. J'avoue que je ne comprends pas
pourquoi on appelle *lois* les résultats qu'on peut tirer
de la statistique; car la loi scientifique, suivant moi,
ne peut être fondée que sur une certitude et sur un
déterminisme absolu et non sur une probabilité. Ce
serait sortir de mon sujet que d'aller m'égarer dans
toutes les explications qu'on pourrait donner sur la
valeur des méthodes de statistique fondées sur le calcul
des probabilités; mais cependant il est indispensable que
je dise ici ce que je pense de l'application de la statistique
aux sciences physiologiques en général, et à la médecine
en particulier.

Il faut reconnaître dans toute science deux classes de
phénomènes, les uns dont la cause est actuellement
déterminée, les autres dont la cause est encore *indéterminée*.
Pour tous les phénomènes dont la cause est déterminée,
la statistique n'a rien à faire; elle serait même absurde.
Ainsi, dès que les circonstances de l'expérience sont
bien établies, on ne peut plus faire de statistique : on
n'ira pas, par exemple, rassembler les cas pour savoir
combien de fois il arrivera que l'eau soit formée d'oxygène et d'hydrogène; pour savoir combien de fois il
arrivera qu'en coupant le nerf sciatique on ait la paralysie des muscles auxquels il se rend. Les effets arriveront
toujours sans exception et nécessairement, parce que la
cause du phénomène est exactement déterminée. Ce
n'est donc que lorsqu'un phénomène renferme des
conditions encore indéterminées, qu'on pourrait faire
de la statistique; mais ce qu'il faut savoir, c'est qu'on ne
fait de la statistique que parce qu'on est dans l'impossibilité de faire autrement; car jamais la statistique,
suivant moi, ne peut donner la vérité scientifique et ne
peut constituer par conséquent une méthode scientifique
définitive. Un exemple expliquera ma pensée. Des
expérimentateurs, ainsi que nous le verrons plus loin,
ont donné des expériences dans lesquelles ils ont trouvé
que les racines rachidiennes antérieures étaient insensibles; d'autres expérimentateurs ont donné des expériences dans lesquelles ils ont trouvé que les mêmes
racines étaient sensibles. Ici les cas paraissaient aussi
comparables que possible; il s'agissait de la même opération faite par le même procédé, sur les mêmes animaux,
sur les mêmes racines rachidiennes. Fallait-il alors
compter les cas positifs et négatifs et dire : la loi est que
les racines antérieures sont sensibles, par exemple :

25 fois sur 100 ? Ou bien fallait-il admettre, d'après la théorie de ce qu'on appelle la loi des grands nombres, que dans un nombre immense d'expériences on serait arrivé à trouver que les racines sont aussi souvent sensibles qu'insensibles ? Une pareille statistique eût été ridicule, car il y a une raison pour que les racines soient insensibles et une autre raison pour qu'elles soient sensibles ; c'est cette raison qu'il fallait déterminer, je l'ai cherchée et je l'ai trouvée ; de sorte qu'on peut dire maintenant : les racines rachidiennes antérieures sont *toujours sensibles* dans des conditions données, et *toujours insensibles* dans d'autres conditions également déterminées.

Je citerai encore un autre exemple emprunté à la chirurgie. Un grand chirurgien fait des opérations de taille par le même procédé ; il fait ensuite un relevé statistique des cas de mort et des cas de guérison, et il conclut, d'après la statistique, que la loi de la mortalité dans cette opération est de deux sur cinq. Eh bien, je dis que ce rapport ne signifie absolument rien scientifiquement et ne donne aucune certitude pour faire une nouvelle opération, car on ne sait pas si ce nouveau cas devra être dans les guéris ou dans les morts. Ce qu'il y a réellement à faire, au lieu de rassembler empiriquement les faits, c'est de les étudier plus exactement et chacun dans leur déterminisme spécial. Il faut examiner les cas de mort avec grand soin, chercher à y découvrir la cause des accidents mortels, afin de s'en rendre maître et d'éviter ces accidents. Alors, si l'on connaît exactement la cause de la guérison et la cause de la mort, on aura toujours la guérison dans un cas déterminé. On ne saurait admettre, en effet, que les cas qui ont eu des terminaisons différentes fussent identiques en tout point. Il y a évidemment quelque chose qui a été cause de la mort chez le malade qui a succombé, et qui ne s'est pas rencontré chez le malade qui a guéri ; c'est ce quelque chose qu'il faut déterminer, et alors on pourra agir sur ces phénomènes ou les reconnaître et les prévoir exactement ; alors seulement on aura atteint le déterminisme scientifique. Mais ce n'est pas à l'aide de la statistique qu'on y arrivera ; jamais la statistique n'a rien appris ni ne peut rien apprendre sur la nature des phénomènes. J'appliquerai encore ce que je viens de dire à toutes les statistiques faites pour connaître l'efficacité de certains remèdes dans la guérison des maladies.

Outre qu'on ne peut pas faire le dénombrement des malades qui guérissent tout seuls, malgré le remède, la statistique n'apprend absolument rien sur le mode d'action du médicament ni sur le mécanisme de la guérison chez ceux où le remède aurait pu avoir une action.

Les coïncidences, dit-on, peuvent jouer dans les causes d'erreurs de la statistique un si grand rôle, qu'il ne faut conclure que d'après des grands nombres. Mais le médecin n'a que faire de ce qu'on appelle la *loi des grands nombres,* loi qui, suivant l'expression d'un grand mathématicien, est toujours vraie en général et fausse en particulier. Ce qui veut dire que la loi des grands nombres n'apprend jamais rien pour un cas particulier. Or, ce qu'il faut au médecin, c'est de savoir si son malade guérira, et la recherche du déterminisme scientifique seul peut le conduire à cette connaissance. Je ne comprends pas qu'on puisse arriver à une science pratique et précise en se fondant sur la statistique. En effet, les résultats de la statistique, même ceux qui sont fournis par les grands nombres, semblent indiquer qu'il y a dans les variations des phénomènes une compensation qui amène la loi; mais comme cette compensation est illimitée, cela ne peut jamais rien nous apprendre sur un cas particulier, même de l'aveu des mathématiciens; car ils admettent que, si la boule rouge est sortie cinquante fois de suite, ce n'est pas une raison pour qu'une boule blanche ait plus de chance de sortir la cinquante et unième fois.

La statistique ne saurait donc enfanter que les sciences conjecturales; elle ne produira jamais les sciences actives et expérimentales, c'est-à-dire les sciences qui règlent les phénomènes d'après les lois déterminées. On obtiendra par la statistique une conjecture avec une probabilité plus ou moins grande, sur un cas donné, mais jamais une certitude, jamais une détermination absolue. Sans doute la statistique peut guider le pronostic du médecin, et en cela elle lui est utile. Je ne repousse donc pas l'emploi de la statistique en médecine, mais je blâme qu'on ne cherche pas à aller au-delà et qu'on croie que la statistique doive servir de base à la science médicale; c'est cette idée fausse qui porte certains médecins à penser que la médecine ne peut être que conjecturale, et ils en concluent que le médecin est un artiste qui doit suppléer à l'indéterminisme des cas particuliers par son génie, par son tact médical. Ce sont là des idées antiscientifiques contre lesquelles il faut s'élever de toutes ses forces, parce que ce sont elles qui contribuent à faire croupir la médecine dans l'état où elle est depuis si longtemps. Toutes les sciences ont nécessairement commencé par être conjecturales, il y a encore aujourd'hui dans chaque science des parties conjecturales. La médecine est encore presque partout conjecturale, je ne le nie pas; mais je veux dire seulement que la science moderne doit faire ses efforts pour sortir de cet état provisoire qui ne constitue pas un état scientifique définitif, pas plus pour la médecine que pour les autres sciences. L'état scientifique sera long à se constituer et plus difficile en médecine à cause de la complexité des phénomènes; mais le but du médecin savant est de ramener dans sa science comme dans toutes les autres l'indéterminé au déterminé. La statistique ne s'applique donc qu'à des cas dans lesquels il y a encore indétermination dans la cause du phénomène observé. Dans ces circonstances, la statistique ne peut servir, suivant moi, qu'à diriger l'observateur vers la recherche de cette cause indéterminée, mais elle ne peut jamais conduire à aucune loi réelle. J'insiste sur ce point, parce que beaucoup de médecins ont grande confiance dans la statistique, et ils croient que, lorsqu'elle est établie sur des faits bien observés qu'ils considèrent comme comparables entre eux, elle peut conduire à la connaissance de de la loi des phénomènes. J'ai dit plus haut que jamais les faits ne sont identiques, dès lors la statistique n'est qu'un dénombrement empirique d'observations.

En un mot, en se fondant sur la statistique, la médecine ne pourrait être jamais qu'une science conjecturale; c'est seulement en se fondant sur le déterminisme expérimental qu'elle deviendra une science vraie, c'est-à-dire une science certaine. Je considère cette idée comme le pivot de la médecine expérimentale, et, sous ce rapport, le médecin expérimentateur se place à un tout autre point de vue que le médecin dit observateur. En effet, il suffit qu'un phénomène se soit montré une seule fois avec une certaine apparence pour admettre que dans les mêmes conditions il doive se montrer toujours de la même manière. Si donc il diffère dans ses manifestations, c'est que les conditions diffèrent. Mais il n'y a pas de lois dans l'indéterminisme; il n'y en a que dans le déterminisme expérimental, et sans cette dernière condition, il ne saurait y avoir de science. Les médecins en général semblent croire qu'en médecine il y a des lois élastiques et indéterminées. Ce sont là des idées fausses qu'il faut faire disparaître si l'on veut fonder la médecine scientifique. La médecine, en tant que science, a nécessairement des lois qui sont précises et déterminées, qui, comme celles de toutes les sciences, dérivent du critérium expérimental. C'est au développement de ces idées que sera spécialement consacré mon ouvrage, et je l'ai intitulé *Principes de médecine expérimentale*, pour indiquer que ma pensée est simplement d'appliquer à la médecine les principes de la méthode expérimentale, afin qu'au lieu de rester science conjecturale fondée sur la statistique, elle puisse devenir une science exacte fondée sur le déterminisme expérimental. En effet, une science conjecturale peut reposer sur l'indéterminé ; mais une science expérimentale n'admet que des phénomènes déterminés ou déterminables.

Le déterminisme dans l'expérience donne seul la loi qui est absolue, et celui qui connaît la loi véritable n'est plus libre de prévoir le phénomène autrement. L'indéterminisme dans la statistique laisse à la pensée une certaine liberté limitée par les nombres eux-mêmes, et c'est dans ce sens que les philosophes ont pu dire que la liberté commence où le déterminisme finit. Mais quand l'indéterminisme augmente, la statistique ne peut plus le saisir et l'enfermer dans une limite de variations. On sort alors de la science, car c'est le *hasard* ou une cause occulte quelconque qu'on est obligé d'invoquer pour régir les phénomènes. Certainement nous n'arriverons jamais au déterminisme absolu de toute chose ; l'homme ne pourrait plus exister. Il y aura donc toujours de l'indéterminisme dans toutes les sciences, et dans la médecine plus que dans toute autre. Mais la conquête intellectuelle de l'homme consiste à faire diminuer et à refouler l'indéterminisme à mesure qu'à l'aide de la méthode expérimentale il gagne du terrain sur le déterminisme. Cela seul doit satisfaire son ambition, car c'est par cela qu'il étend et qu'il étendra de plus en plus sa puissance sur la nature.

X. — DU LABORATOIRE DU PHYSIOLOGISTE ET DE DIVERS MOYENS NÉCESSAIRES A L'ÉTUDE DE LA MÉDECINE EXPÉRIMENTALE

Toute science expérimentale exige un laboratoire. C'est là que le savant se retire pour chercher à comprendre, au moyen de l'analyse expérimentale, les phénomènes qu'il a observés dans la nature.

Le sujet d'étude du médecin est nécessairement le malade, et son premier champ d'observation est par conséquent l'hôpital. Mais si l'observation clinique peut lui apprendre à connaître la forme et la marche des maladies, elle est insuffisante pour lui en faire comprendre la nature; il lui faut pour cela pénétrer dans l'intérieur du corps et chercher quelles sont les parties internes qui sont lésées dans leurs fonctions. C'est pourquoi on joignit bientôt à l'observation clinique des maladies leur étude nécropsique et les dissections cadavériques. Mais aujourd'hui ces divers moyens ne suffisent plus; il faut pousser plus loin l'investigation et analyser sur le vivant les phénomènes élémentaires des corps organisés en comparant l'état normal à l'état pathologique. Nous avons montré ailleurs l'insuffisance de l'anatomie seule pour rendre compte des phénomènes de la vie, et nous avons vu qu'il faut encore y ajouter l'étude de toutes les conditions physico-chimiques qui entrent comme éléments nécessaires des manifestations vitales, normales ou pathologiques. Cette simple indication fait déjà pressentir que le laboratoire du physiologiste médecin doit être le plus compliqué de tous les laboratoires, parce qu'il a à expérimenter les phénomènes de la vie, qui sont les plus complexes de tous les phénomènes naturels.

Les bibliothèques pourraient encore être considérées comme faisant partie du laboratoire du savant et du médecin expérimentateur. Mais c'est à la condition qu'il lise, pour connaître et contrôler sur la nature, les observations, les expériences ou les théories de ses devanciers, et non pour trouver dans les livres des opinions toutes faites qui le dispenseront de travailler et de chercher à pousser plus loin l'investigation des phénomènes naturels. L'érudition mal comprise a été et est encore un des plus grands obstacles à l'avancement des sciences expérimentales. C'est cette fausse érudition qui, mettant l'autorité des hommes à la place des faits, arrêta la science aux idées de Galien pendant plusieurs siècles sans que personne osât y toucher, et cette superstition scientifique était telle, que Mundini et Vésale, qui vinrent les premiers contredire Galien en confrontant ses opinions avec leurs dissections sur nature, furent considérés comme des novateurs et comme de vrais révolutionnaires. C'est pourtant toujours ainsi que l'érudition scientifique devrait se pratiquer. Il faudrait toujours l'accompagner de recherches critiques faites sur la nature, destinées à contrôler les faits dont on parle et à juger les opinions qu'on discute. De cette manière, la science, en avançant, se simplifierait en s'épurant par une bonne critique expérimentale, au lieu de s'encombrer par l'exhumation et l'accumulation de faits et d'opinions innombrables parmi lesquelles il n'est bientôt plus possible de distinguer le vrai du faux. Il serait hors de propos de m'étendre ici sur les erreurs et sur la fausse direction de la plupart de ces études de littérature médicale que l'on qualifie d'études historiques ou philosophiques de la médecine. Peut-être aurai-je occasion de m'expliquer ailleurs sur ce sujet; pour le moment, je me bornerai à dire que, suivant moi, toutes ces erreurs ont leur origine dans une confusion perpétuelle que l'on fait entre les productions littéraires ou artistiques et les productions de la science, entre la critique d'art et la critique scientifique, entre l'histoire de la science et l'histoire des hommes.

Les productions littéraires et artistiques ne vieillissent jamais, en ce sens qu'elles sont des expressions de sentiments immuables comme la nature humaine. On peut ajouter que les idées philosophiques représentent des aspirations de l'esprit humain qui sont également de tous les temps. Il y a donc là grand intérêt à rechercher ce que les anciens nous ont laissé, parce que sous ce rapport ils peuvent encore nous servir de modèle. Mais la science, qui représente ce que l'homme a appris, est essentiellement mobile dans son expression; elle varie et se perfectionne à mesure que les connaissances acquises augmentent. La science du présent est donc nécessairement au-dessus de celle du passé, et il n'y a aucune espèce de raison d'aller chercher un accroissement de la science moderne dans les connaissances des anciens. Leurs théories, nécessairement fausses puisqu'elles ne renferment pas les faits découverts depuis, ne sauraient avoir aucun profit réel pour les sciences actuelles. Toute science expérimentale ne peut donc faire de progrès qu'en avançant et en poursuivant son œuvre dans l'avenir. Ce serait absurde de croire qu'on doit aller la chercher dans l'étude des livres que nous a légués le passé. On ne peut trouver là que l'histoire de l'esprit humain, ce qui est tout autre chose.

Il faut sans doute connaître ce qu'on appelle la littérature scientifique et savoir ce qui a été fait par les devanciers. Mais la critique scientifique, faite littérairement, ne saurait avoir aucune utilité pour la science. En effet, si, pour juger une œuvre littéraire ou artistique, il n'est pas nécessaire d'être soi-même poète ou artiste, il n'en est pas de même pour les sciences expérimentales. On ne saurait juger un mémoire de chimie sans être chimiste, ni un mémoire de physiologie si l'on n'est pas physiologiste. S'il s'agit de décider entre deux opinions scientifiques différentes, il ne suffit pas d'être bon philologue ou bon traducteur, il faut surtout être profondément versé dans la science technique, il faut même être maître dans cette science et être capable d'expérimenter par soi-même et de faire mieux que ceux dont on discute les opinions. J'ai eu autrefois à discuter une question anatomique relativement aux anastomoses du pneumogastrique et du spinal *. Willis, Scarpa, Bischoff, avaient émis à ce sujet des opinions différentes et même opposées. Un érudit n'aurait pu que rapporter ces diverses opinions et collationner les textes avec plus ou moins d'exactitude, mais cela n'aurait pas résolu la question scientifique. Il fallait donc disséquer et perfectionner les moyens de dissection pour mieux suivre les anastomoses nerveuses, et collationner sur la nature la description de chaque anatomiste : c'est ce que je fis, et je trouvai que la divergence des auteurs venait de ce qu'ils n'avaient pas assigné aux deux nerfs les mêmes délimitations. Dès lors c'est l'anatomie, poussée plus loin, qui a pu expliquer les dissidences anatomiques. Je n'admets donc pas qu'il puisse y avoir dans les sciences des hommes qui fassent leur spécialité de la critique, comme il y en a dans les lettres et dans les arts. La critique dans

---

* Claude Bernard, *Recherches expérimentales sur les fonctions du nerf spinal* (*Mémoires présentés par divers savants étrangers à l'Académie des sciences*, t. X, 1851).

chaque science, pour être vraiment utile, doit être faite par les savants eux-mêmes et par les maîtres les plus éminents.

Une autre erreur assez fréquente est celle qui consiste à confondre l'histoire des hommes avec l'histoire d'une science. L'évolution logique et didactique d'une science expérimentale n'est pas du tout représentée par l'histoire chronologique des hommes qui s'en sont occupés. Toutefois il faut excepter les sciences mathématiques et astronomiques, mais cela ne saurait exister pour les sciences expérimentales physico-chimiques et pour la médecine en particulier. La médecine est née du besoin, a dit Baglivi, c'est-à-dire que, dès qu'il a existé un malade, on lui a porté secours et l'on a cherché à le guérir. La médecine s'est donc trouvée à son berceau une science appliquée mêlée à la religion et aux sentiments de commisération que les hommes éprouvent les uns pour les autres. Mais la médecine existait-elle comme science ? Evidemment non. C'était un empirisme aveugle qui s'est succédé pendant des siècles en s'enrichissant peu à peu et comme par hasard d'observations et de recherches faites dans des directions isolées. La physiologie, la pathologie et la thérapeutique se sont développées comme des sciences distinctes les unes des autres, ce qui est une fausse voie. Aujourd'hui seulement on peut entrevoir la conception d'une médecine scientifique expérimentale par la fusion de ces trois points de vue en un seul.

Le point de vue expérimental est le couronnement d'une science achevée, car il ne faut pas s'y tromper, la science vraie n'existe que lorsque l'homme est arrivé à prévoir exactement les phénomènes de la nature et à les maîtriser. La constatation et le classement des corps ou des phénomènes naturels ne constituent point la science complète. La vraie science agit et explique son action ou sa puissance : c'est là son caractère, c'est là son but. Il est nécessaire ici de développer ma pensée. J'ai entendu souvent dire à des médecins que la physiologie, c'est-à-dire l'explication des phénomènes de la vie soit à l'état physiologique, soit à l'état pathologique, n'était qu'une partie de la médecine, parce que la médecine était la connaissance générale des maladies. J'ai également entendu dire à des zoologistes que la physiologie, c'est-à-dire l'explication des phénomènes de la vie dans toutes leurs variétés, n'était qu'un démembrement ou une spécialité de la zoologie, parce que la zoologie était la connaissance générale des animaux. En parlant dans le même sens, un géologue ou un minéralogiste pourraient dire que la physique et la chimie ne sont que des démembrements de la géologie et de la minéralogie qui comprennent la connaissance générale de la terre et des minéraux. Il y a là des erreurs ou au moins des malentendus qu'il importe d'expliquer. D'abord il faut savoir que toute nos divisions de sciences ne sont pas dans la nature ; elles n'existent que dans notre esprit qui, à raison de son infirmité, est obligé de créer des catégories de corps et de phénomènes afin de mieux les comprendre en étudiant leurs qualités ou propriétés sous des points de vue spéciaux. Il en résulte qu'un même corps peut être étudié minéralogiquement, physiologiquement, pathologiquement, physiquement, chimiquement, etc. ; mais au fond il n'y a dans la nature ni chimie, ni physique, ni zoologie, ni physiologie, ni pathologie ; il n'y a que des corps qu'il s'agit de classer et des phénomènes qu'il s'agit de connaître et de maîtriser. Or la science qui donne à l'homme le moyen d'analyser et de maîtriser expérimentalement les phénomènes est la science la plus avancée et la plus difficile à atteindre. Elle doit nécessairement arriver à être constituée la dernière ; mais on ne saurait pour cela la considérer comme un démembrement des sciences qui l'ont précédée. Sous ce rapport la physiologie, qui est la science des êtres vivants la plus difficile et la plus élevée, ne saurait être regardée comme un démembrement de la médecine ou de la zoologie, pas plus que la physique et la chimie ne sont un démembrement de la géologie ou de la minéralogie. La physique et la chimie sont les deux sciences minérales actives par l'intermédiaire desquelles l'homme peut maîtriser les phénomènes des corps bruts. La physiologie est la science vitale active à l'aide de laquelle l'homme pourra agir sur les animaux et sur l'homme, soit à l'état sain, soit à l'état malade. Ce serait une grande illusion du médecin que de croire qu'il connaît les maladies pour leur avoir donné un nom, pour les avoir classées et décrites, de même que ce serait une illusion du zoologiste et du botaniste que de croire qu'ils connaissent les animaux et les végétaux parce qu'ils les ont dénommés, catalogués, disséqués et renfermés dans un musée après les avoir empaillés, préparés ou desséchés. Un médecin ne connaîtra les maladies que lorsqu'il pourra agir rationnellement et expérimentalement sur elles ; de même le zoologiste ne connaîtra les animaux que lorsqu'il expliquera et réglera les phénomènes de la vie. En résumé, il ne faut pas devenir les dupes de nos propres œuvres ; on ne saurait donner aucune valeur absolue aux classifications scientifiques, ni dans les livres ni dans les académies. Ceux qui sortent des cadres tracés sont les novateurs, et ceux qui y persistent aveuglément s'opposent aux progrès scientifiques. L'évolution même des connaissances humaines veut que les sciences expérimentales soient le but, et cette évolution exige que les sciences de classification qui les précèdent perdent de leur importance à mesure que les sciences expérimentales se développent.

L'esprit de l'homme suit une marche logique et nécessaire dans la recherche de la vérité scientifique. Il observe des faits, les rapproche, en déduit des conséquences qu'il contrôle par l'expérience pour s'élever à des propositions ou à des vérités de plus en plus générales. Il faut sans doute que dans ce travail successif le savant connaisse ce qu'ont fait ses devanciers et en tienne compte. Mais il faut qu'il sache bien que ce ne sont là que des points d'appui pour aller ensuite plus loin, et que toutes les vérités scientifiques nouvelles ne se trouvent pas dans l'étude du passé, mais bien dans des études nouvelles faites sur la nature, c'est-à-dire dans les laboratoires. La littérature scientifique utile est donc surtout la littérature scientifique des travaux modernes afin d'être au courant du progrès scientifique, et encore ne doit-elle pas être poussée trop loin, car elle dessèche l'esprit, étouffe l'invention et l'originalité scientifique. Mais quelle utilité pourrions-nous retirer de l'exhumation de théories vermoulues ou d'observations faites en l'absence de moyens d'investigation convenables ? Sans doute cela peut être intéressant pour connaître les erreurs par lesquelles passe l'esprit humain dans son évolution, mais cela est du temps perdu pour la science proprement dite. Je pense qu'il importe beaucoup de diriger de bonne heure l'esprit des élèves vers la science active expérimentale, en leur faisant comprendre qu'elle se développe dans les laboratoires, au lieu de laisser croire qu'elle réside dans les livres et dans l'interprétation des écrits des anciens. Nous savons par l'histoire la stérilité de cette voie scolastique, et les sciences n'ont pris leur essor que lorsqu'on a substitué à l'autorité des livres l'autorité des faits précisés dans la nature à l'aide de moyens d'expérimentation de plus en plus perfectionnés ; le plus grand mérite de Bacon est d'avoir proclamé bien haut cette vérité. Je considère, quant à moi, que reporter aujourd'hui la médecine vers ces commentaires attardés et vieillis de l'antiquité, c'est rétrograder et retourner vers la scolastique, tandis que la diriger vers les laboratoires et vers l'étude analytique expérimentale des maladies, c'est marcher dans la voie du véritable progrès, c'est-à-dire vers la fondation d'une science médicale expérimentale. C'est chez moi une conviction profonde que je chercherai toujours à faire prévaloir, soit par mon enseignement, soit par mes travaux.

Le laboratoire physiologique doit donc être, actuellement, l'objet cumulant des études du médecin scientifique; mais il importe encore ici de m'expliquer afin d'éviter les malentendus. L'hôpital ou plutôt la salle de malades n'est pas le laboratoire du médecin comme on le croit souvent; ce n'est, ainsi que nous l'avons dit plus haut, que son champ d'observation; c'est là que doit se faire ce qu'on appelle la clinique, c'est-à-dire l'étude aussi complète que possible de la maladie au lit du malade. La médecine débute nécessairement par la clinique, puisque c'est elle qui détermine et définit l'objet de la médecine, c'est-à-dire le problème médical; mais, pour être la première étude du médecin, la clinique n'est pas pour cela la base de la médecine scientifique : c'est la physiologie qui est la base de la médecine scientifique, parce que c'est elle qui doit donner l'explication des phénomènes morbides en montrant les rapports qu'ils ont avec l'état normal. Il n'y aura jamais de science médicale tant que l'on séparera l'explication des phénomènes de la vie à l'état pathologique de l'explication des phénomènes de la vie à l'état normal.

C'est donc là que gît réellement le problème médical, c'est la base sur laquelle la médecine scientifique moderne s'édifiera. On le voit, la médecine expérimentale n'exclut pas la médecine clinique d'observation; au contraire, elle ne vient qu'après elle. Mais elle constitue une science plus élevée et nécessairement plus vaste et plus générale. On conçoit qu'un médecin observateur ou empirique qui ne sort jamais de son hôpital, considère que la médecine s'y renferme tout entière comme une science qui est distincte de la physiologie, dont il ne sent pas le besoin. Mais, pour le savant, il n'y a ni médecine ni physiologie distinctes, il n'y a qu'une science de la vie, il n'y a que des phénomènes de la vie qu'il s'agit d'expliquer aussi bien à l'état pathologique qu'à l'état physiologique. En introduisant cette idée fondamentale et cette conception générale de la médecine dans l'esprit des jeunes gens dès le début de leurs études médicales, on leur montrerait que les sciences physico-chimiques qu'ils ont dû apprendre sont des instruments qui les aideront à analyser les phénomènes de la vie à l'état normal et pathologique. Quand ils fréquenteront l'hôpital, les amphithéâtres et les laboratoires, ils saisiront facilement le lien général qui unit toutes les sciences médicales, au lieu de les apprendre comme des fragments de connaissances détachées n'ayant aucun rapport entre elles.

En un mot, je considère l'hôpital seulement comme le vestibule de la médecine scientifique; c'est le premier champ d'observation dans lequel doit entrer le médecin, mais c'est le laboratoire qui est le vrai sanctuaire de la science médicale; c'est là seulement qu'il cherche les explications de la vie à l'état normal et pathologique au moyen de l'analyse expérimentale. Je n'aurai pas ici à m'occuper de la partie clinique de la médecine, je la suppose connue ou continuant à se perfectionner dans les hôpitaux avec les moyens nouveaux de diagnostic que la physique et la chimie offrent sans cesse à la séméiotique. Je pense que la médecine ne finit pas à l'hôpital comme on le croit souvent, mais qu'elle ne fait qu'y commencer. Le médecin qui est jaloux de mériter ce nom dans le sens scientifique doit, en sortant de l'hôpital, aller dans son laboratoire, et c'est là qu'il cherchera par des expériences sur les animaux à se rendre compte de ce qu'il a observé chez ses malades, soit relativement au mécanisme des maladies, soit relativement à l'action des médicaments, soit relativement à l'origine des lésions morbides des organes ou des tissus. C'est là, en un mot, qu'il fera la vraie science médicale. Tout médecin savant doit donc avoir un laboratoire physiologique, et cet ouvrage est spécialement destiné à donner aux médecins les règles et les principes d'expérimentation qui devront les diriger dans l'étude de la médecine expérimentale, c'est-à-dire dans l'étude analytique et expérimentale des maladies. Les principes de la médecine expérimentale seront donc simplement les principes de l'analyse expérimentale appliqués aux phénomènes de la vie à l'état sain et à l'état morbide.

Aujourd'hui les sciences biologiques n'en sont plus à chercher leur voie. Après avoir, à cause de leur nature complexe, oscillé plus longtemps que les autres sciences plus simples, dans les régions philosophiques et systématiques, elles ont fini par prendre leur essor dans la voie expérimentale, et elles y sont aujourd'hui pleinement entrées. Il ne leur faut donc plus qu'une chose, ce sont des moyens de développement; or ces moyens, ce sont les laboratoires et toutes les conditions et instruments nécessaires à la culture du champ scientifique de la biologie.

Il faut dire à l'honneur de la science française qu'elle a eu la gloire d'inaugurer d'une manière définitive la méthode expérimentale dans la science des phénomènes de la vie. Vers la fin du siècle dernier, la rénovation de la chimie exerça une action puissante sur la marche des sciences physiologiques, et les travaux de Lavoisier et Laplace sur la respiration ouvrirent une voie féconde d'expérimentation physico-chimique analytique pour les phénomènes de la vie. Magendie, mon maître, poussé dans la carrière médicale par la même influence, a consacré sa vie à proclamer l'expérimentation dans l'étude des phénomènes physiologiques. Toutefois l'application de la méthode expérimentale aux animaux s'est trouvée entravée à son début par l'absence de laboratoires appropriés et par des difficultés de tout genre qui disparaissent aujourd'hui, mais que j'ai souvent ressenties moi-même dans ma jeunesse. L'impulsion scientifique partie de la France s'est répandue en Europe, et peu à peu la méthode analytique expérimentale est entrée comme méthode générale d'investigation dans le domaine des sciences biologiques. Mais cette méthode s'est perfectionnée davantage et a donné plus de fruits dans les pays où elle a trouvé des conditions de développement plus favorables. Aujourd'hui, dans toute l'Allemagne, il existe des laboratoires auxquels on donne le nom d'*instituts physiologiques*, qui sont admirablement dotés et organisés pour l'étude expérimentale des phénomènes de la vie. En Russie il en existe également et l'on en construit actuellement de nouveaux sur des proportions gigantesques. Il est tout naturel que la production scientifique soit en harmonie avec les moyens de culture que possède la science, et il n'y a rien d'étonnant dès lors que l'Allemagne, où se trouvent installés le plus largement les moyens de culture des sciences physiologiques, devance les autres pays par le nombre de ses produits scientifiques. Sans doute le génie de l'homme dans les sciences a une suprématie qui ne perd jamais ses droits.

Cependant, pour les sciences expérimentales, le savant se trouve captif dans ses idées s'il n'apprend à interroger la nature par lui-même et s'il ne possède pour cela les moyens convenables et nécessaires. On ne concevrait pas un physicien ou un chimiste sans laboratoire. Mais, pour le médecin, on n'est pas encore assez habitué à croire qu'un laboratoire lui soit nécessaire; on croit que l'hôpital et les livres lui suffisent. C'est là une erreur; la connaissance clinique ne suffit pas plus au médecin que la connaissance des minéraux ne suffirait au chimiste ou au physicien. Il faut que le physiologiste médecin analyse expérimentalement les phénomènes de la matière vivante, comme le physicien et le chimiste analysent expérimentalement les phénomènes de la matière brute. Le laboratoire est donc la condition *sine qua non* du développement de la médecine expérimentale, comme il l'a été pour toutes les autres sciences physico-chimiques. Sans cela l'expérimentateur et la science expérimentale ne sauraient exister.

Je ne m'étendrai pas plus longtemps sur un sujet aussi important et qu'il serait impossible de développer ici suffisamment; je terminerai en disant qu'il est une vérité bien établie dans la science moderne, c'est que les cours scientifiques ne peuvent que faire naître le goût des sciences et leur servir d'introduction. Le professeur, en indiquant dans une chaire didactique les résultats acquis d'une science ainsi que sa méthode, forme l'esprit de ses auditeurs, les rend aptes à apprendre et à choisir leur direction, mais il ne saurait jamais prétendre en faire des savants. C'est dans le laboratoire que se trouve la pépinière réelle du vrai savant expérimentateur, c'est-à-dire de celui qui crée la science que d'autres pourront ensuite vulgariser. Or, si l'on veut avoir beaucoup de fruits, la première chose est de soigner les pépinières des arbres à fruits. L'évidence de cette vérité tend à amener et amènera nécessairement une réforme universelle et profonde dans l'enseignement scientifique. Car, je le répète, on a reconnu partout aujourd'hui que c'est dans le laboratoire que germe et s'élabore la science pure pour se répandre ensuite et couvrir le monde de ses applications utiles. C'est donc de la source scientifique qu'il faut avant tout se préoccuper, puisque la science appliquée procède nécessairement de la science pure.

La science et les savants sont cosmopolites, et il semble

peu important qu'une vérité scientifique se développe
sur un point quelconque du globe dès que tous les
hommes, par suite de la diffusion générale des sciences,
peuvent y participer. Cependant je ne saurais m'empêcher de faire des vœux pour que mon pays, qui se montre
le promoteur et le protecteur de tout progrès scientifique
et qui a été le point de départ de cette ère brillante que
parcourent aujourd'hui les sciences physiologiques expérimentales *, possède le plus tôt possible des laboratoires physiologiques vastes et publiquement organisés
de manière à former des pléiades de physiologistes
et de jeunes médecins expérimentateurs. Le laboratoire
seul apprend les difficultés réelles de la science à ceux qui
le fréquentent, il leur montre que la science pure a toujours été la source de toutes les richesses que l'homme
acquiert et de toutes les conquêtes réelles qu'il fait sur
les phénomènes de la nature. C'est là en outre une excellente éducation pour la jeunesse, parce qu'elle lui fait
comprendre que les applications actuelles si brillantes
des sciences ne sont que l'épanouissement de travaux
antérieurs, et que ceux qui, aujourd'hui, profitent de
leurs bienfaits, doivent un tribut de reconnaissance à
leurs devanciers qui ont péniblement cultivé l'arbre de
la science sans le voir fructifier.

Je ne saurais traiter ici de toutes les conditions qui
sont nécessaires à l'installation d'un bon laboratoire de
physiologie ou de médecine expérimentale. Ce serait,
on le comprend, rassembler tout ce qui doit être développé plus tard dans cet ouvrage. Je me bornerai donc
à ajouter un seul mot. J'ai dit plus haut que le laboratoire
du physiologiste médecin doit être le plus complexe
de tous les laboratoires, parce qu'il s'agit d'y faire l'analyse expérimentale la plus complexe de toutes, analyse
pour laquelle l'expérimentateur a besoin du secours de
toutes les autres sciences. Le laboratoire du médecin
physiologiste doit être en rapport avec l'hôpital, de
manière à en recevoir les divers produits pathologiques
sur lesquels doit porter l'investigation scientifique. Il
faut ensuite que ce laboratoire renferme des animaux

* En 1771, un cours de physiologie expérimentale était professé par
A. Portal au Collège de France; les expériences furent recueillies par
M. Collomb, qui les publia sous forme de lettres en 1771; elles ont
reparu en 1808 avec quelques additions dans l'ouvrage de Portal,
intitulé : *Mémoires sur la nature et le traitement de plusieurs maladies,
avec le précis d'expériences sur les animaux vivants*. Paris, 1800-1825.

sains ou malades pour l'étude des questions de physiologie normale ou pathologique. Mais comme c'est surtout par des moyens empruntés aux sciences physico-chimiques que se fait l'analyse des phénomènes vitaux soit à l'état normal, soit à l'état pathologique, il faut nécessairement être pourvu d'un plus ou moins grand nombre d'instruments. Souvent même certaines questions scientifiques exigent impérieusement, pour pouvoir être résolues, des instruments coûteux et compliqués, de sorte qu'on peut dire alors que la question scientifique est véritablement subordonnée à une question d'argent. Toutefois je n'approuve pas le luxe d'instruments dans lequel sont tombés certains physiologistes. Il faut, selon moi, chercher autant que possible à simplifier les instruments, non seulement pour des raisons pécuniaires, mais aussi pour des raisons scientifiques; car il faut bien savoir que plus un instrument est compliqué, plus il introduit de causes d'erreur dans les expériences. L'expérimentateur ne grandit pas par le nombre et la complexité de ses instruments; c'est le contraire. Berzelius et Spallanzani sont de grands expérimentateurs qui ont été grands par leurs découvertes et par la simplicité des instruments qu'ils ont mis en usage pour y arriver. Notre principe sera donc, dans le cours de cet ouvrage, de chercher autant que possible à simplifier les moyens d'étude, car il faut que l'instrument soit un auxiliaire et un moyen de travail pour l'expérimentateur, mais non une source d'erreur de plus en raison de ses complications.

TROISIÈME PARTIE

APPLICATIONS
DE LA MÉTHODE EXPÉRIMENTALE
A L'ÉTUDE DES PHÉNOMÈNES DE LA VIE

CHAPITRE PREMIER

EXEMPLES D'INVESTIGATION EXPÉRIMENTALE PHYSIOLOGIQUE

Les idées que nous avons développées dans les deux premières parties de cette introduction seront d'autant mieux comprises que nous pourrons en faire l'application aux recherches de physiologie et de médecine expérimentales et les montrer ainsi comme des préceptes faciles à retenir pour l'expérimentateur. C'est pourquoi j'ai réuni dans ce qui va suivre un certain nombre d'exemples qui m'ont paru les plus convenables pour atteindre mon but. Dans tous ces exemples, je me suis, autant que possible, cité moi-même, par cette seule raison qu'en fait de raisonnement et de procédés intellectuels, je serai bien plus sûr de ce que j'avancerai en racontant ce qui m'est arrivé qu'en interprétant ce qui a pu se passer dans l'esprit des autres. D'ailleurs je n'ai pas la prétention de donner ces exemples comme des modèles à suivre; je ne les emploie que pour mieux exprimer mes idées et mieux faire saisir ma pensée.

Des circonstances très diverses peuvent servir de point de départ aux recherches d'investigations scientifiques; je ramènerai cependant toutes ces variétés à deux cas principaux :

1º Une recherche expérimentale a pour point de départ une observation.

2º Une recherche expérimentale a pour point de départ une hypothèse ou une théorie.

I. — UNE RECHERCHE EXPÉRIMENTALE A POUR POINT DE DÉPART UNE OBSERVATION

Les idées expérimentales naissent très souvent par hasard et à l'occasion d'une observation fortuite. Rien n'est plus ordinaire, et c'est même le procédé le plus simple pour commencer un travail scientifique. On se promène, comme l'on dit, dans le domaine de la science, et l'on poursuit ce qui se présente par hasard devant les yeux. Bacon compare l'investigation scientifique à une chasse; les observations qui se présentent sont le gibier. En continuant la même comparaison, on peut ajouter que si le gibier se présente quand on le cherche, il arrive aussi qu'il se présente quand on ne le cherche pas, ou bien quand on en cherche un d'une autre espèce. Je vais citer un exemple dans lequel ces deux cas se sont présentés successivement. J'aurai soin en même temps d'analyser chaque circonstance de cette investigation physiologique, afin de montrer l'application des principes que nous avons développés dans la première partie de cette Introduction et principalement dans les chapitres Ier et IIe.

Premier exemple. — On apporta un jour dans mon laboratoire des lapins venant du marché. On les plaça sur une table où ils urinèrent et j'observai par hasard que leur urine était claire et acide. Ce fait me frappa, parce que les lapins ont ordinairement l'urine trouble et alcaline en leur qualité d'herbivores, tandis que les carnivores, ainsi qu'on le sait, ont, au contraire, les urines claires et acides. Cette observation d'acidité de l'urine chez les lapins me fit venir la pensée que ces animaux devaient être dans la condition alimentaire des carnivores. Je supposai qu'ils n'avaient probablement pas mangé depuis longtemps et qu'ils se trouvaient ainsi transformés par l'abstinence en véritables animaux carnivores vivant de leur propre sang. Rien n'était plus facile que de vérifier par l'expérience cette idée préconçue ou cette hypothèse. Je donnai à manger de l'herbe aux lapins, et quelques heures après, leurs urines étaient devenues troubles et alcalines. On soumit ensuite les mêmes lapins à l'abstinence, et après vingt-quatre ou trente-six heures au plus leurs urines étaient redevenues claires et fortement acides; puis elles devenaient de nouveau alcalines en leur donnant de l'herbe, etc. Je répétai cette expérience si simple un grand nombre de fois sur les lapins et toujours avec le même résultat. Je la répétai ensuite chez le cheval, animal herbivore qui a également l'urine trouble et alcaline. Je trouvai que l'abstinence produit comme chez le lapin une prompte acidité de l'urine avec un accroissement relativement très considérable de l'urée, au point qu'elle cristallise parfois spontanément dans l'urine refroidie. J'arrivai ainsi, à la suite de mes expériences, à cette proposition générale qui alors n'était pas connue, à savoir *qu'à jeun tous les animaux se nourrissent de viande*, de sorte que les herbivores ont alors des urines semblables à celles des carnivores.

Il s'agit ici d'un fait particulier bien simple qui permet de suivre facilement l'évolution du raisonnement expérimental. Quand on voit un phénomène qu'on n'a pas l'habitude de voir, il faut toujours se demander à quoi il peut tenir, ou autrement dit, quelle en est la cause prochaine; alors il se présente à l'esprit une réponse ou une idée qu'il s'agit de soumettre à l'expérience. En voyant l'urine acide chez les lapins, je me suis demandé instinctivement quelle pouvait en être la cause. L'*idée* expérimentale a consisté dans le rapprochement que mon esprit a fait spontanément entre l'acidité de l'urine chez le lapin, et l'état d'abstinence que je considérai comme une vraie alimentation de carnassier. Le *raisonnement* inductif que j'ai fait implicitement est le syllogisme suivant : Les urines des carnivores sont acides; or, les lapins que j'ai sous les yeux ont les urines acides; donc ils sont carnivores, c'est-à-dire à jeun. C'est ce qu'il fallait établir par l'*expérience*.

Mais pour prouver que mes lapins à jeun étaient bien des carnivores, il y avait une contre-épreuve à faire. Il fallait réaliser expérimentalement un lapin carnivore en le nourrissant avec de la viande, afin de voir si ses urines seraient alors claires, acides et relativement chargées d'urée comme pendant l'abstinence. C'est pourquoi je fis nourrir des lapins avec du bœuf bouilli froid (nourriture qu'ils mangent très bien quand on ne leur donne pas autre chose). Ma prévision fut encore vérifiée, et pendant toute la durée de cette alimentation animale les lapins gardèrent des urines claires et acides.

Pour achever mon expérience, je voulus en outre voir par l'autopsie de mes animaux si la digestion de la viande s'opérait chez un lapin comme chez un carnivore. Je trouvai, en effet, tous les phénomènes d'une très bonne digestion dans les réactions intestinales, et je constatai que tous les vaisseaux chylifères étaient gorgés d'un chyle très abondant, blanc, laiteux, comme chez les carnivores. Mais voici qu'à propos de ces autopsies, qui m'offrirent la confirmation de mes idées sur la digestion de la viande chez les lapins, il se présenta un fait auquel je n'avais nullement pensé et qui devint pour moi, comme on va le voir, le point de départ d'un nouveau travail.

Deuxième exemple (suite du précédent). — Il m'arriva, en sacrifiant les lapins auxquels j'avais fait manger de la viande, de remarquer que des chylifères blancs et laiteux commençaient à être visibles sur l'intestin grêle à la partie inférieure du duodénum, environ à 30 centimètres au-dessous du pylore. Ce fait attira mon attention, parce que chez les chiens les chylifères commencent à être visibles beaucoup plus haut dans le duodénum et immédiatement après le pylore. En examinant la chose de plus près, je constatai que cette particularité chez le lapin coïncidait avec l'insertion du canal pancréatique situé dans un point très bas, et précisément dans le voisinage du lieu où les chylifères commençaient à contenir du chyle rendu blanc et laiteux par l'émulsion des matières grasses alimentaires.

L'*observation* fortuite de ce fait réveilla en moi une idée et fit naître dans mon esprit la pensée que le suc pancréatique pouvait bien être la cause de l'émulsion des matières grasses et par suite celle de leur absorption par les vaisseaux chylifères. Je fis encore instinctivement le syllogisme suivant : Le chyle blanc est dû à l'émulsion de la graisse; or chez le lapin, le chyle blanc se forme au niveau du déversement du suc pancréatique dans l'intestin; donc c'est le suc pancréatique qui émulsionne la graisse et forme le chyle blanc. C'est ce qu'il fallait juger par l'expérience.

En vue de cette idée préconçue, j'imaginai et j'instituai aussitôt une *expérience* propre à vérifier la réalité ou la fausseté de ma supposition. Cette expérience consistait à essayer directement la propriété du suc pancréatique sur les matières grasses neutres ou alimentaires. Mais le suc pancréatique ne s'écoule pas naturellement au dehors, comme la salive ou l'urine, par exemple; son organe sécréteur est, au contraire, profondément situé dans la cavité abdominale. Je fus donc obligé de mettre en usage des procédés d'*expérimentation* pour me procurer chez l'animal vivant ce liquide pancréatique dans des conditions physiologiques convenables et en quantité suffisante. C'est alors que je pus réaliser mon expérience, c'est-à-dire contrôler mon idée préconçue, et l'expérience me prouva que l'idée était juste. En effet, du suc pancréatique obtenu dans des conditions convenables sur des chiens, des lapins et divers autres animaux, mêlé avec de l'huile ou de la graisse fondue, s'émulsionnait instantanément d'une manière persistante, et plus tard acidifiait ces corps gras en les décomposant, à l'aide d'un ferment particulier, en acide gras et glycérine, etc., etc.

Je ne poursuivrai pas plus loin ces expériences que j'ai longuement développées dans un travail spécial *. J'ai voulu seulement montrer ici comment une première observation faite par hasard sur l'acidité de l'urine des lapins m'a donné l'idée de faire des expériences sur leur alimentation carnassière, et comment ensuite, en poursuivant ces expériences, j'ai fait naître, sans la chercher, une autre observation relative à la disposition spéciale de l'insertion du canal pancréatique chez le lapin. Cette seconde observation, survenue dans l'expérience et engendrée par elle, m'a donné à son tour l'idée de faire des expériences sur l'action du suc pancréatique.

On voit par les exemples précédents comment l'*observation* d'un fait ou phénomène, survenu par hasard, fait naître par anticipation une *idée* préconçue ou une hypothèse sur la cause probable du phénomène observé; comment l'idée préconçue engendre un raisonnement qui déduit l'expérience propre à la vérifier; comment, dans un cas, il a fallu pour opérer cette vérification recourir à l'expérimentation, c'est-à-dire à l'emploi de procédés opératoires plus ou moins compliqués, etc. Dans le dernier exemple l'expérience a eu un double rôle; elle a d'abord jugé et confirmé les prévisions du raisonnement qui l'avait engendrée, mais de plus elle a provoqué une nouvelle observation. On peut donc appeler cette observation *une observation provoquée ou engendrée par l'expérience*. Cela prouve qu'il faut, comme nous l'avons dit, observer tous les résultats d'une expérience, ceux qui sont relatifs à l'idée préconçue et ceux même qui n'ont aucun rapport avec elle. Si l'on ne voyait que les faits relatifs à son idée préconçue, on se priverait souvent de faire des découvertes. Car il arrive fréquemment qu'une mauvaise expérience peut provoquer une très bonne observation, comme le prouve l'exemple qui va suivre.

Troisième exemple. — En 1857, j'entrepris une série d'expériences sur l'élimination des substances par l'urine, et cette fois les résultats de l'expérience ne confirmèrent

* Claude Bernard, *Mémoire sur le pancréas et sur le rôle du suc pancréatique dans les phénomènes digestifs.* Paris, 1856.

pas, comme dans les exemples précédents, mes prévisions ou mes idées préconçues sur le mécanisme de l'élimination des substances par l'urine. Je fis donc ce qu'on appelle habituellement une mauvaise expérience ou de mauvaises expériences. Mais nous avons précédemment posé en principe qu'il n'y a pas de mauvaises expériences, car, quand elles ne répondent pas à la recherche pour laquelle on les avait instituées, il faut encore profiter des observations qu'elles peuvent fournir pour donner lieu à d'autres expériences.

En recherchant comment s'éliminaient par le sang qui sort du rein les substances que j'avais injectées, j'observai par hasard que le sang de la veine rénale était rutilant, tandis que le sang des veines voisines était noir comme du sang veineux ordinaire. Cette particularité imprévue me frappa et je fis ainsi l'*observation* d'un fait nouveau qu'avait engendré l'expérience et qui était étranger au but expérimental que je poursuivais dans cette même expérience. Je renonçai donc à mon idée primitive qui n'avait pas été vérifiée et je portai toute mon attention sur cette singulière coloration du sang veineux rénal, et lorsque je l'eus bien constatée et que je me fus assuré qu'il n'y avait pas de cause d'erreur dans l'observation du fait, je me demandai tout naturellement quelle pouvait en être la cause. Ensuite, examinant l'urine qui coulait par l'uretère et en réfléchissant, l'idée me vint que cette coloration rouge du sang veineux pourrait bien être en rapport avec l'état sécrétoire ou fonctionnel du rein. Dans cette hypothèse, en faisant cesser la sécrétion rénale, le sang veineux devait devenir noir : c'est ce qui arriva; en rétablissant la sécrétion rénale, le sang veineux devait redevenir rutilant : c'est ce que je pus vérifier encore chaque fois que j'excitais la sécrétion de l'urine. J'obtins ainsi la preuve expérimentale qu'il y a un rapport entre la sécrétion de l'urine et la coloration du sang de la veine rénale.

Mais ce n'est point encore tout. A l'état normal le sang veineux du rein est à peu près constamment rutilant, parce que l'organe urinaire sécrète d'une manière à peu près continue bien qu'alternativement pour chaque rein. Or, je voulus savoir si la couleur rutilante du sang veineux constituait un fait général propre aux autres glandes, et obtenir de cette manière une contre-épreuve bien nette qui me démontrât que c'était le phénomène sécrétoire par lui-même qui amenait cette modification dans la coloration du sang veineux. Voici comment je raisonnai : si, dis-je, c'est la sécrétion qui entraîne, ainsi que cela paraît être, la rutilance du sang veineux glandulaire, il arrivera, dans les organes glandulaires qui comme les glandes salivaires sécrètent d'une manière intermittente, que le sang veineux changera de couleur d'une manière intermittente et se montrera noir pendant le repos de la glande et rouge pendant la sécrétion. Je mis donc à découvert sur un chien la glande sous-maxillaire, ses conduits, ses nerfs et ses vaisseaux. Cette glande fournit à l'état normal une sécrétion intermittente que l'on peut exciter ou faire cesser à volonté. Or je constatai clairement que pendant le repos de la glande, quand rien ne coulait par le conduit salivaire, le sang veineux offrait en effet une coloration noire, tandis qu'aussitôt que la sécrétion apparaissait, le sang devenait rutilant pour reprendre la couleur noire quand la sécrétion s'arrêtait, puis restait noir pendant tout le temps que durait l'intermittence, etc [*].

Ces dernières observations ont ensuite été le point de départ de nouvelles idées qui m'ont guidé pour faire des recherches relatives à la cause chimique du changement de couleur du sang glandulaire pendant la sécrétion. Je ne poursuivrai pas ces expériences dont j'ai d'ailleurs publié les détails [**]. Il me suffira d'avoir prouvé que les recherches scientifiques ou les idées expérimentales peuvent prendre naissance à l'occasion d'observations fortuites et en quelque sorte *involontaires* qui se présentent à nous, soit spontanément, soit à l'occasion d'une expérience faite dans un autre but.

Mais il arrive encore un autre cas, c'est celui dans lequel l'expérimentateur provoque et fait naître *volontairement* une observation. Ce cas rentre pour ainsi dire dans le précédent; seulement il en diffère en ce que, au lieu d'attendre que l'observation se présente par hasard dans une circonstance fortuite, on la provoque par une expérience. En reprenant la comparaison de Bacon, nous pourrions dire que l'expérimentateur ressemble dans ce cas à un chasseur qui, au lieu d'attendre tran-

[*] Claude Bernard, *Leçons sur les propriétés physiologiques et les altérations pathologiques des liquides de l'organisme.* Paris, 1859, t. II.
[**] Claude Bernard, *Sur la quantité d'oxygène que contient le sang veineux des organes glandulaires* (*Comptes rendus de l'Acad. des sciences*, t. XLVII, 6 septembre 1858).

quillement le gibier, cherche à le faire lever en pratiquant une battue dans les lieux où il suppose son existence. C'est ce que nous avons appelé l'*expérience pour voir* (p. 50). On met ce procédé en usage toutes les fois qu'on n'a pas d'idée préconçue pour entreprendre des recherches sur un sujet à l'occasion duquel des observations antérieures manquent. Alors on expérimente pour faire naître des observations qui puissent à leur tour faire naître des idées. C'est ce qui arrive habituellement en médecine quand on veut rechercher l'action d'un poison ou d'une substance médicamenteuse quelconque sur l'économie animale; on fait des expériences pour voir, et ensuite on se guide d'après ce qu'on a vu.

Quatrième exemple. — En 1845, M. Pelouze me remit une substance toxique appelée *curare* qui lui avait été rapportée d'Amérique. On ne connaissait alors rien sur le mode d'action physiologique de cette substance. On savait seulement, d'après d'anciennes observations et par les relations intéressantes de Alex. de Humboldt, de MM. Boussingault et Roulin, que cette substance d'une préparation complexe et difficile à déterminer tue très rapidement un animal quand on l'introduit sous la peau. Mais je ne pouvais point par les observations antérieures me faire une idée préconçue sur le mécanisme de la mort par le curare, il me fallait avoir pour cela des observations nouvelles relatives aux troubles organiques que ce poison pouvait amener. Dès lors je provoquai l'apparition de ces observations, c'est-à-dire que je fis des expériences *pour voir* des choses sur lesquelles je n'avais aucune idée préconçue. Je plaçai d'abord du curare sous la peau d'une grenouille, elle mourut après quelques minutes; aussitôt je l'ouvris et j'examinai successivement, dans cette autopsie physiologique, ce qu'étaient devenues les propriétés physiologiques connues des divers tissus. Je dis à dessein *autopsie physiologique* parce qu'il n'y a que celles-là qui soient réellement instructives. C'est la disparition des propriétés physiologiques qui explique la mort et non pas les altérations anatomiques. En effet, dans l'état actuel de la science, nous voyons les propriétés physiologiques disparaître dans une foule de cas sans que nous puissions démontrer, à l'aide de nos moyens d'investigation, aucune altération anatomique correspondante; c'est le cas du curare, par exemple. Tandis que nous trouverons, au contraire, des exemples où les propriétés physiologiques persistent malgré des altérations anatomiques très marquées avec lesquelles les fonctions ne sont point incompatibles. Or chez ma grenouille empoisonnée par le curare, le cœur continuait ses mouvements, les globules du sang n'étaient point altérés en apparence dans leurs propriétés physiologiques non plus que les muscles, qui avaient conservé leur contractilité normale. Mais, bien que l'appareil nerveux eût conservé son apparence anatomique normale, les propriétés des nerfs avaient cependant complètement disparu. Il n'y avait plus de mouvements ni volontaires ni réflexes, et les nerfs moteurs excités directement ne déterminaient plus aucune contraction dans les muscles. Pour savoir s'il n'y avait rien d'accidentel et d'erroné dans cette première observation, je la répétai plusieurs fois et je la vérifiai de diverses manières; car la première chose indispensable quand on veut raisonner expérimentalement, c'est d'être bon observateur et de bien s'assurer qu'il n'y a pas d'erreur dans l'observation qui sert de point de départ au raisonnement. Or, je trouvai chez les mammifères et chez les oiseaux les mêmes phénomènes que chez les grenouilles, et la disparition des propriétés physiologiques du système nerveux moteur devint le fait constant. Partant de ce fait bien établi, je pus alors pousser plus avant l'analyse des phénomènes et déterminer le mécanisme de la mort par le curare. Je procédai toujours par des raisonnements analogues à ceux signalés dans l'exemple précédent, et d'idée en idée, d'expérience en expérience, je m'élevai à des faits de plus en plus précis. J'arrivai finalement à cette proposition générale que *le curare détermine la mort par la destruction de tous les nerfs moteurs sans intéresser les nerfs sensitifs* *.

Dans les cas où l'on fait une expérience *pour voir*, l'idée préconçue et le raisonnement, avons-nous dit, semblent manquer complètement, et cependant on a nécessairement raisonné à son insu par syllogisme. Dans le cas du curare j'ai instinctivement raisonné de la manière suivante : il n'y a pas de phénomène sans cause, et par conséquent pas d'empoisonnement sans une lésion physiologique qui sera particulière ou spéciale au poison employé; or, pensai-je, le curare doit produire la mort par une action qui lui est propre et

---

* Voy. Claude Bernard, *Leçons sur les effets des substances toxiques*. Paris, 1857. *Du curare* (*Revue des Deux-Mondes*, 1er septembre 1864).

en agissant sur certaines parties organiques déterminées. Donc, en empoisonnant l'animal par le curare et en examinant aussitôt après la mort les propriétés de ses divers tissus, je pourrai peut-être trouver et étudier une lésion spéciale à ce poison.

L'esprit ici est donc encore *actif* et l'*expérience pour voir*, qui paraît faite à l'aventure, rentre cependant dans notre définition générale de l'expérience (p. 39). En effet, dans toute initiative, l'esprit raisonne toujours, et même quand nous semblons faire les choses sans motifs, une logique instinctive dirige l'esprit. Seulement on ne s'en rend pas compte, par cette raison bien simple qu'on commence par raisonner avant de savoir et de dire qu'on raisonne, de même qu'on commence par parler avant d'observer que l'on parle, de même encore que l'on commence par voir et entendre avant de savoir ce que l'on voit et ce que l'on entend.

Cinquième exemple. — Vers 1846, je voulus faire des expériences sur la cause de l'empoisonnement par l'oxyde de carbone. Je savais que ce gaz avait été signalé comme toxique, mais je ne savais absolument rien sur le mécanisme de cet empoisonnement; je ne pouvais donc pas avoir d'opinion préconçue. Que fallait-il faire alors? Il fallait faire naître une idée en faisant apparaître un fait, c'est-à-dire instituer encore là une expérience *pour voir*. En effet, j'empoisonnai un chien en lui faisant respirer de l'oxyde de carbone, et immédiatement après la mort je fis l'ouverture de son corps. Je regardai l'état des organes et des liquides. Ce qui fixa tout aussitôt mon attention, ce fut que le sang était rutilant dans tous les vaisseaux; dans les veines aussi bien que dans les artères, dans le cœur droit aussi bien que dans le cœur gauche. Je répétai cette expérience sur des lapins, sur des oiseaux, sur des grenouilles, et partout je trouvai la même coloration rutilante générale du sang. Mais je fus distrait de poursuivre cette recherche et je gardai cette *observation* pendant longtemps sans m'en servir autrement que pour la citer dans mes cours à propos de la coloration du sang.

En 1856, personne n'avait poussé la question expérimentale plus loin, et dans mon cours au Collège de France sur les *substances toxiques et médicamenteuses*, je repris l'étude sur l'empoisonnement par l'oxyde de carbone que j'avais commencée en 1846. Je me trouvais alors dans un cas mixte, car, à cette époque, je savais déjà que l'empoisonnement par l'oxyde de carbone rend le sang rutilant dans tout le système circulatoire. Il fallait faire des hypothèses et établir une idée préconçue sur cette première observation afin d'aller plus avant. Or, en réfléchissant sur ce fait de rutilance du sang, j'essayai de l'interpréter avec les connaissances antérieures que j'avais sur la cause de la couleur du sang, et alors toutes les réflexions suivantes se présentèrent à mon esprit. La couleur rutilante du sang, dis-je, est spéciale au sang artériel et en rapport avec la présence de l'oxygène en forte proportion, tandis que la coloration noire tient à la disparition de l'oxygène et à la présence d'une plus grande proportion d'acide carbonique; dès lors il me vint à l'idée que l'oxyde de carbone, en faisant persister la couleur rutilante dans le sang veineux, aurait peut-être empêché l'oxygène de se changer en acide carbonique dans les capillaires. Il semblait pourtant difficile de comprendre comment tout cela pouvait être la cause de la mort. Mais continuant toujours mon raisonnement intérieur et préconçu, j'ajoutai : Si tout cela était vrai, le sang pris dans les veines des animaux empoisonnés par l'oxyde de carbone devra contenir de l'oxygène comme le sang artériel; c'est ce qu'il faut voir.

A la suite de ces raisonnements fondés sur l'interprétation de mon observation, j'instituai une *expérience* pour vérifier mon *hypothèse* relative à la persistance de l'oxygène dans le sang veineux. Je fis pour cela passer un courant d'hydrogène dans du sang veineux rutilant pris sur un animal empoisonné par l'oxyde de carbone, mais je ne pus déplacer, comme à l'ordinaire, de l'oxygène. J'essayai d'agir de même sur le sang artériel, je ne réussis pas davantage. Mon idée préconçue était donc fausse. Mais cette impossibilité d'obtenir de l'oxygène du sang d'un chien empoisonné par l'oxyde de carbone fut pour moi une deuxième *observation* qui me suggéra de nouvelles idées d'après lesquelles je formai une nouvelle hypothèse. Que pouvait être devenu cet oxygène du sang ? Il ne s'était pas changé en acide carbonique, car on ne déplaçait pas non plus des grandes quantités de ce gaz en faisant passer un courant d'hydrogène dans le sang des animaux empoisonnés. D'ailleurs cette supposition était en opposition avec la couleur du sang. Je m'épuisai en conjectures sur la manière dont l'oxyde de carbone pouvait faire disparaître l'oxygène du sang, et comme les gaz se déplacent les uns par les autres, je dus naturellement penser que l'oxyde de carbone pouvait avoir déplacé l'oxygène et l'avoir chassé du sang. Pour le savoir, je résolus de varier l'expérimentation et de placer le sang dans des conditions artificielles qui me permissent de retrouver l'oxygène déplacé. J'étudiai alors l'action de l'oxyde de carbone sur le sang par l'*empoisonnement artificiel*. Pour cela, je pris une certaine quantité de sang artériel d'un animal sain, je plaçai ce sang sur le mercure dans une éprouvette contenant de l'oxyde de carbone, j'agitai ensuite le tout afin d'empoisonner le sang à l'abri du contact de l'air extérieur. Puis après un certain temps j'examinai si l'air contenu dans l'éprouvette, en contact avec le sang empoisonné, avait été modifié, et je constatai que cet air en contact avec le sang s'était notablement enrichi en oxygène, en même temps que la proportion d'oxyde de carbone y avait diminué. Ces expériences, répétées dans les mêmes conditions, m'apprirent qu'il y avait eu là un simple échange volume à volume entre l'oxyde de carbone et l'oxygène du sang. Mais l'oxyde de carbone, en déplaçant l'oxygène qu'il avait expulsé du sang, était resté fixé dans le globule du sang et ne pouvait plus être déplacé par l'oxygène ni par d'autres gaz. De sorte que la mort arrivait par la mort des globules sanguins, ou autrement dit par la cessation de l'exercice de leur propriété physiologique qui est essentielle à la vie.

Ce dernier exemple, que je viens de rapporter d'une manière très succincte, est complet, et il montre d'un bout à l'autre comment la méthode expérimentale procède et réussit pour arriver à connaître la cause prochaine des phénomènes. D'abord je ne savais absolument rien sur le mécanisme du phénomène empoisonnement par l'oxyde de carbone. Je fis une expérience *pour voir*, c'est-à-dire pour observer. Je recueillis une première observation sur une modification spéciale de la couleur du sang. J'interprétai cette observation, et je fis une *hypothèse* que l'expérience prouva être fausse. Mais cette expérience me fournit une deuxième *observation*, sur laquelle je raisonnai de nouveau en m'en servant comme point de départ pour faire une nouvelle hypothèse sur le mécanisme de la soustraction de l'oxygène au sang. En construisant des hypothèses successivement sur les faits à mesure que je les observais, j'arrivai finalement à démontrer que l'oxyde de carbone se substitue dans le globule du sang à la place de l'oxygène, par suite d'une combinaison avec la substance du globule du sang.

Ici l'analyse expérimentale a atteint son but. C'est un des rares exemples en physiologie que je suis heureux de pouvoir citer. Ici la *cause prochaine* du phénomène empoisonnement est trouvée, et elle se traduit par une expression théorique qui rend compte de tous les faits et qui renferme en même temps toutes les observations et toutes les expériences. La théorie formulée ainsi pose le fait principal d'où se déduisent tous les autres : *L'oxyde de carbone se combine plus fortement que l'oxygène avec l'hémato-globuline du globule du sang.* On a prouvé tout récemment que l'oxyde de carbone forme une combinaison définie avec l'hémato-globuline *. De sorte que le globule du sang, comme minéralisé par la stabilité de cette combinaison, perd ses propriétés vitales. Dès lors tout se déduit logiquement : l'oxyde de carbone, à raison de sa *propriété* de plus forte combinaison, chasse du sang l'oxygène qui lui est essentiel à la vie; les globules du sang deviennent inertes et l'on voit l'animal mourir avec les symptômes de l'hémorrhagie, par une vraie paralysie des globules.

Mais quand une théorie est bonne et qu'elle donne bien la cause *physico-chimique* réelle et déterminée des phénomènes, elle renferme non seulement les faits observés, mais elle en peut prévoir d'autres et conduire à des applications raisonnées, qui seront les conséquences logiques de la théorie. Nous rencontrons encore ici ce critérium. En effet, si l'oxyde de carbone a la propriété de chasser l'oxygène en se combinant à sa place avec le globule du sang, on pourra se servir de ce gaz pour faire l'analyse des gaz du sang et en particulier pour la détermination de l'oxygène. J'ai déduit de mes expériences cette application qui est aujourd'hui généralement adopté **. On a fait des applications à la médecine légale de cette propriété de l'oxyde de carbone pour retrouver la matière colorante du sang, et l'on peut déjà aussi tirer des faits physiologiques signalés plus haut, des conséquences relatives à l'hygiène, à la pathologie

---

* Hope-Seyler, *Handbuch der physiologisch- und pathologisch- chemischen Analyse.* Berlin, 1865.
** Claude Bernard, *De l'emploi de l'oxyde de carbone pour la détermination de l'oxygène du sang* (*Comptes rendus de l'Acad. des sciences*, séance du 6 septembre 1858, t. XLVII).

expérimentale, et notamment au mécanisme de certaines
anémies.

Sans doute, toutes ces déductions de la théorie
demandent encore comme toujours les vérifications expérimentales, et la logique ne suffit pas ; mais cela tient
à ce que les conditions d'action de l'oxyde de carbone
sur le sang peuvent présenter d'autres circonstances
complexes et une foule de détails que la théorie ne peut
encore prévoir. Sans cela, ainsi que nous l'avons dit
souvent (voy. p. 61), nous conclurions par la seule
logique et sans avoir besoin de vérification expérimentale. C'est donc à cause des nouveaux éléments variables
et imprévus, qui peuvent s'introduire dans les conditions d'un phénomène, que jamais dans les sciences
expérimentales la logique seule ne suffit. Même
quand on a une théorie qui paraît bonne, elle n'est
jamais que relativement bonne et elle renferme toujours
une certaine proportion d'inconnu.

II. — UNE RECHERCHE EXPÉRIMENTALE A POUR POINT DE DÉPART UNE HYPOTHÈSE OU UNE THÉORIE

Nous avons déjà dit (p. 56) et nous verrons plus loin
que dans la constatation d'une observation, il ne faut
jamais aller au-delà du fait. Mais il n'en est pas de même
dans l'institution d'une expérience ; je veux montrer
qu'à ce moment les hypothèses sont indispensables et que
leur utilité est précisément alors de nous entraîner hors
du fait et de porter la science en avant. Les hypothèses ont
pour objet non seulement de nous faire faire des expériences nouvelles, mais elles nous font découvrir souvent
des faits nouveaux que nous n'aurions pas aperçus sans
elles. Dans les exemples qui précèdent nous avons vu
que l'on peut partir d'un fait particulier pour s'élever
successivement à des idées plus générales, c'est-à-dire
à une théorie. Mais il arrive aussi, comme nous venons
de le voir, qu'on peut partir d'une hypothèse qui se
déduit d'une théorie. Dans ce cas, bien qu'il s'agisse
d'un raisonnement déduit logiquement d'une théorie,
c'est néanmoins encore une hypothèse qu'il faut vérifier par l'expérience. Ici en effet les théories ne nous
représentent qu'un assemblage de faits antérieurs sur
lesquels s'appuie l'hypothèse, mais qui ne sauraient lui
servir de démonstration expérimentale. Nous avons

dit que dans ce cas il fallait ne pas subir le joug des théories, et que garder l'indépendance de son esprit était la meilleure condition pour trouver la vérité et pour faire faire des progrès à la science. C'est ce que prouveront les exemples suivants.

Premier exemple. — En 1843, dans un de mes premiers travaux, j'entrepris d'étudier ce que deviennent les différentes substances alimentaires dans la nutrition. Je commençai, ainsi que je l'ai déjà dit, par le sucre, qui est une substance définie et plus facile que toutes les autres à reconnaître et à poursuivre dans l'économie. J'injectai dans ce but des dissolutions de sucre de canne dans le sang des animaux et je constatai que ce sucre, même injecté dans le sang à faible dose, passait dans les urines. Je reconnus ensuite que le suc gastrique, en modifiant ou en transformant ce sucre de canne, le rendait assimilable, c'est-à-dire destructible dans le sang *.

Alors je voulus savoir dans quel organe ce sucre alimentaire disparaissait, et j'admis par hypothèse que le sucre que l'alimentation introduit dans le sang pourrait être détruit dans le poumon ou dans les capillaires généraux. En effet, la théorie régnante à cette époque et qui devait être naturellement mon point de départ, admettait que le sucre qui existe chez les animaux provient exclusivement des aliments et que ce sucre se détruit dans l'organisme animal par des phénomènes de combustion, c'est-à-dire de respiration. C'est ce qui avait fait donner au sucre le nom d'*aliment respiratoire*. Mais je fus immédiatement conduit à voir que la théorie sur l'origine du sucre chez les animaux, qui me servait de point de départ, était fausse. En effet, par suite d'expériences que j'indiquerai plus loin, je fus amené non à trouver l'organe destructeur du sucre, mais au contraire je découvris un organe formateur de cette substance, et je trouvai que le sang de tous les animaux contient du sucre, même quand ils n'en mangent pas. Je constatai donc là un fait nouveau, imprévu par la théorie et que l'on n'avait pas remarqué, sans doute, parce que l'on était sous l'empire d'idées théoriques opposées auxquelles on avait accordé trop de confiance. Alors, j'abandonnai tout aussitôt toutes mes hypothèses sur la destruction du sucre, pour suivre ce résultat inattendu qui a été depuis l'origine féconde d'une voie

* Claude Bernard, thèse pour le doctorat en médecine. Paris, 1843.

nouvelle d'investigation et une mine de découvertes qui est loin d'être épuisée.

Dans ces recherches je me suis conduit d'après les principes de la méthode expérimentale que nous avons établis, c'est-à-dire qu'en présence d'un fait nouveau bien constaté et en contradiction avec une théorie, au lieu de garder la théorie et d'abandonner le fait, j'ai gardé le fait que j'ai étudié, et je me suis hâté de laisser la théorie, me conformant à ce précepte que nous avons indiqué dans le deuxième chapitre : *Quand le fait qu'on rencontre est en opposition avec une théorie régnante, il faut accepter le fait et abandonner la théorie, lors même que celle-ci, soutenue par de grands noms, est généralement adoptée.*

Il faut donc distinguer, comme nous l'avons dit, les principes d'avec les théories et ne jamais croire à ces dernières d'une manière absolue. Ici nous avions une théorie d'après laquelle on admettait que le règne végétal avait seul le pouvoir de créer les principes immédiats que le règne animal doit détruire. D'après cette théorie établie et soutenue par les chimistes contemporains les plus illustres, les animaux étaient incapables de produire du sucre dans leur organisme. Si j'avais cru à la théorie d'une manière absolue, j'aurais dû conclure que mon expérience devait être entachée d'erreur, et peut-être que des expérimentateurs moins défiants que moi auraient passé condamnation immédiatement et ne se seraient pas arrêtés plus longtemps sur une observation qu'on pouvait théoriquement accuser de renfermer des causes d'erreurs, puisqu'elle montrait du sucre dans le sang chez les animaux soumis à une alimentation dépourvue de matières amidonnées ou sucrées. Mais, au lieu de me préoccuper de la validité de la théorie, je ne m'occupai que du fait dont je cherchai à bien établir la réalité. Je fus ainsi amené par de nouvelles expériences et au moyen de contre-épreuves convenables à confirmer ma première observation et à trouver que le foie était un organe où du sucre animal se formait dans certaines circonstances données pour se répandre ensuite dans toute la masse du sang et dans les tissus et liquides organiques.

Cette glycogénie animale que j'ai découverte, c'est-à-dire cette faculté que possèdent les animaux, aussi bien que les végétaux, de produire du sucre, est aujourd'hui un résultat acquis à la science, mais on n'est point encore fixé sur une théorie plausible des phénomènes.

Les faits nouveaux que j'ai fait connaître ont été la source de grand nombre de travaux et de beaucoup de théories diverses et contradictoires en apparence, soit entre elles, soit avec les miennes. Quand on entre sur un terrain neuf, il ne faut pas craindre d'émettre des vues même hasardées afin d'exciter la recherche dans toutes les directions. Il ne faut pas, suivant l'expression de Priestley, rester dans l'inaction par une fausse modestie fondée sur la crainte de se tromper. J'ai donc fait des théories plus ou moins hypothétiques sur la glycogénie; depuis moi, on en a fait d'autres : mes théories, ainsi que celles des autres, vivront ce que doivent vivre des théories nécessairement très partielles et provisoires quand on est au début d'une nouvelle série de recherches. Mais elles seront plus tard remplacées par d'autres qui représenteront un état plus avancé de la question, et ainsi de suite. Les théories sont comme des degrés successifs que monte la science en élargissant de plus en plus son horizon, parce que les théories représentent et comprennent nécessairement d'autant plus de faits qu'elles sont plus avancées. Le vrai progrès est de changer de théorie pour en prendre de nouvelles qui aillent plus loin que les premières jusqu'à ce qu'on en trouve une qui soit assise sur un plus grand nombre de faits. Dans le cas qui nous occupe, la question n'est pas de condamner l'ancienne théorie au profit de celle qui est plus récente. Ce qui est important, c'est d'avoir ouvert une voie nouvelle, car ce qui ne périra jamais, ce sont les faits bien observés que les théories éphémères ont fait surgir; ce sont là les seuls matériaux sur lesquels l'édifice de la science s'élèvera un jour quand elle possédera un nombre de faits suffisants et qu'elle aura pénétré assez loin dans l'analyse des phénomènes pour en connaître la loi ou le déterminisme exact.

En résumé, les théories ne sont que des hypothèses vérifiées par un nombre plus ou moins considérable de faits; celles qui sont vérifiées par le plus grand nombre de faits sont les meilleures; mais encore ne sont-elles jamais définitives et ne doit-on jamais y croire d'une manière absolue. On a vu, par les exemples qui précèdent, que, si l'on avait eu une confiance entière dans la théorie régnante sur la destruction du sucre chez les animaux, et si l'on n'avait eu en vue que sa confirmation, on n'aurait probablement pas été mis sur la voie des faits nouveaux que nous avons rencontrés. L'hypothèse fondée sur une théorie a, il est vrai, provoqué l'expérience, mais dès que les résultats de l'expérience sont apparus, la théorie et l'hypothèse ont dû disparaître, car le fait expérimental n'était plus qu'une observation qu'il fallait faire sans idée préconçue (voy. p. 52).

Le grand principe est donc dans des sciences aussi complexes et aussi peu avancées que la physiologie, de se préoccuper très peu de la valeur des hypothèses ou des théories et d'avoir toujours l'œil attentif pour observer tout ce qui apparaît dans une expérience. Une circonstance en apparence accidentelle et inexplicable peut devenir l'occasion de la découverte d'un fait nouveau important, comme on va le voir par la continuation de l'exemple cité précédemment.

Deuxième exemple, suite du précédent. — Après avoir trouvé, ainsi que je l'ai dit plus haut, qu'il existe dans le foie des animaux du sucre à l'état normal et dans toute espèce d'alimentation, je voulus connaître la proportion de cette substance et ses variations dans certains états physiologiques et pathologiques. Je commençai donc des dosages de sucre dans le foie d'animaux placés dans diverses circonstances physiologiquement déterminées. Je répétais toujours deux dosages de la matière sucrée, et d'une manière simultanée, avec le même tissu hépatique. Mais un jour il m'arriva, étant pressé par le temps, de ne pas pouvoir faire mes deux analyses au même moment, je fis rapidement un dosage immédiatement après la mort de l'animal, et je renvoyai l'autre analyse au lendemain. Mais je trouvai cette fois des quantités de sucre beaucoup plus grandes que celles que j'avais obtenues la veille pour le même tissu hépatique, et je remarquai d'un autre côté que la proportion de sucre que j'avais trouvée la veille dans le foie, examiné immédiatement après la mort de l'animal, était beaucoup plus faible que celle que j'avais rencontrée dans les expériences que j'avais fait connaître comme donnant la proportion normale du sucre hépatique. Je ne savais à quoi rapporter cette singulière variation obtenue avec le même foie et le même procédé d'analyse. Que fallait-il faire ? Fallait-il considérer ces deux dosages si discordants comme une mauvaise expérience et ne pas en tenir compte ? Fallait-il prendre une moyenne entre les deux expériences ? C'est un expédient que plusieurs expérimentateurs auraient pu choisir pour se tirer d'embarras.

Mais je n'approuve pas cette manière d'agir par des raisons que j'ai données ailleurs. J'ai dit, en effet, qu'il ne faut jamais rien négliger dans l'observation des faits, et je regarde comme une règle indispensable de critique expérimentale (p. 237) de ne jamais admettre sans preuve l'existence d'une cause d'erreur dans une expérience, et de chercher toujours à se rendre raison de toutes les circonstances anormales qu'on observe. Il n'y a rien d'accidentel, et ce qui pour nous est accident n'est qu'un fait inconnu qui peut devenir, si on l'explique, l'occasion d'une découverte plus ou moins importante. C'est ce qui m'est arrivé dans ce cas.

Je voulus savoir en effet quelle était la raison qui m'avait fait trouver deux nombres si différents dans le dosage du foie de mon lapin. Après m'être assuré qu'il n'y avait pas d'erreur tenant au procédé de dosage, après avoir constaté que les diverses parties du foie sont sensiblement toutes également riches en sucre, il ne me resta plus à examiner que l'influence du temps qui s'était écoulé depuis la mort de l'animal jusqu'au moment de mon deuxième dosage. Jusqu'alors, sans y attacher aucune importance, j'avais fait mes expériences quelques heures après la mort de l'animal, et, pour la première fois, je m'étais trouvé dans le cas de faire immédiatement un dosage quelques minutes après la mort et de renvoyer l'autre au lendemain, c'est-à-dire vingt-quatre heures après. En physiologie, les questions de temps ont toujours une grande importance, parce que la matière organique éprouve des modifications nombreuses et incessantes. Il pouvait donc s'être produit quelque modification chimique dans le tissu hépatique. Pour m'en assurer, je fis une série de nouvelles expériences, qui dissipèrent toutes les obscurités en me montrant que le tissu du foie va constamment en s'enrichissant en sucre pendant un certain temps après la mort. De sorte qu'on peut avoir des quantités de sucre très variables, suivant le moment dans lequel on fait son examen. Je fus donc ainsi amené à rectifier mes anciens dosages et à découvrir ce fait nouveau, à savoir, que des quantités considérables de sucre se produisent dans le foie des animaux après la mort. Je montrai, par exemple, qu'en faisant passer dans un foie encore chaud et aussitôt après la mort de l'animal un courant d'eau froide injecté avec force par les vaisseaux hépatiques, on débarrasse complètement le tissu hépatique du sucre qu'il contient;

mais le lendemain ou quelques heures après, quand on place le foie lavé à une douce température, on trouve son tissu de nouveau chargé d'une grande quantité de sucre qui s'est produit depuis le lavage *.

Quand je fus en possession de cette première découverte que le sucre se forme chez les animaux après la mort comme pendant la vie, je voulus pousser plus loin l'examen de ce singulier phénomène, et c'est alors que je fus amené à trouver que le sucre se produit dans le foie à l'aide d'une matière diastasique réagissant sur une substance amylacée que j'ai isolée et que j'ai appelée *matière glycogène*. De sorte que j'ai pu démontrer de la manière la plus nette que chez les animaux le sucre se forme par un mécanisme en tout semblable à celui qui se rencontre dans les végétaux.

Cette seconde série de faits représente des résultats qui sont encore aujourd'hui solidement acquis à la science et qui ont fait faire beaucoup de progrès à la question glycogénique dans les animaux. Je viens de dire très succinctement comment ces faits ont été découverts et comment ils ont eu pour point de départ une circonstance expérimentale futile en apparence. J'ai cité ce cas afin de prouver qu'on ne saurait jamais rien négliger dans les recherches expérimentales; car tous les accidents ont leur cause nécessaire. On ne doit donc jamais être trop absorbé par la pensée qu'on poursuit, ni s'illusionner sur la valeur de ses idées ou de ses théories scientifiques; il faut toujours avoir les yeux ouverts à tout événement, l'esprit douteur et indépendant (p. 123), disposé à examiner tout ce qui se présente et à ne rien laisser passer sans en rechercher la raison. Il faut être, en un mot, dans une disposition intellectuelle qui semble paradoxale, mais qui, suivant moi, représente le véritable esprit de l'investigateur. Il faut *avoir une foi robuste et ne pas croire ;* je m'explique en disant qu'il faut en science croire fermement aux principes et douter des formules; en effet, d'un côté nous sommes sûrs que le déterminisme existe, mais nous ne sommes jamais certains de le tenir. Il faut être inébranlable sur les principes de la science expérimentale (déterminisme), et ne pas croire absolument aux théories. L'aphorisme

---

* Claude Bernard, *Sur le mécanisme de la formation du sucre dans le foie* (*Comptes rendus par l'Acad. des sciences*, 24 septembre 1855). — Suite (*Comptes rendus de l'Acad. des sciences*, 23 mars 1857).

que j'ai exprimé plus haut peut s'appuyer sur ce que nous avons développé ailleurs (voy. p. 109), à savoir, que pour les sciences expérimentales, le principe est dans notre esprit, tandis que les formules sont dans les choses extérieures. Pour la pratique des choses on est bien obligé de laisser croire que la vérité (au moins la vérité provisoire) est représentée par la théorie ou par la formule. Mais en philosophie scientifique et expérimentale ceux qui placent leur foi dans les formules ou dans les théories ont tort. Toute la science humaine consiste à chercher la vraie formule ou la vraie théorie de la vérité dans un ordre quelconque. Nous en approchons toujours, mais la trouverons-nous jamais d'une manière complète ? Ce n'est pas le lieu d'entrer dans le développement de ces idées philosophiques ; reprenons notre sujet et passons à un nouvel exemple expérimental.

Troisième exemple. — Vers l'année 1852, je fus amené par mes études à faire des expériences sur l'influence du système nerveux sur les phénomènes de la nutrition et de la calorification. On avait observé que dans beaucoup de cas, les paralysies complexes, ayant leur siège dans des nerfs mixtes, sont suivies tantôt d'un réchauffement, tantôt d'un refroidissement des parties paralysées. Or, voici comment je raisonnai, pour expliquer ce fait, en me fondant, d'une part, sur les observations connues, et d'autre part, sur les théories régnantes relativement aux phénomènes de la nutrition et de la calorification. La paralysie des nerfs, dis-je, doit amener le refroidissement des parties en ralentissant les phénomènes de combustion dans le sang, puisque ces phénomènes sont considérés comme la cause de la calorification animale. Or, d'un autre côté, les anatomistes ont remarqué depuis longtemps que les nerfs sympathiques accompagnent spécialement les vaisseaux artériels. Donc, pensai-je par induction, ce doivent être les nerfs sympathiques qui, dans la lésion d'un tronc nerveux mixte, agissent pour produire le ralentissement des phénomènes chimiques dans les vaisseaux capillaires, et c'est leur paralysie qui doit amener par suite le refroidissement des parties. Si mon hypothèse est vraie, ajoutai-je, elle pourra se vérifier en coupant seulement les nerfs sympathiques vasculaires qui vont dans une partie et en respectant les autres. Je devrai obtenir alors un refroidissement par la paralysie des nerfs vasculaires sans que le mouvement ni la sensibilité aient disparu, puisque j'aurai laissé intacts les nerfs moteurs et sensitifs ordinaires. Pour réaliser mon expérience je cherchai donc un procédé d'expérimentation convenable qui me permît de couper les nerfs vasculaires seuls en respectant les autres. Le choix des animaux prenait ici de l'importance relativement à la solution de la question (p. 176); or je trouvai que la disposition anatomique qui rend isolé le grand sympathique cervical chez certains animaux, tels que le lapin et le cheval, rendait cette solution possible.

Après tous ces raisonnements je fis donc la section du grand sympathique dans le cou sur un lapin pour contrôler mon hypothèse et voir ce qui arriverait relativement à la calorification dans le côté de la tête où se distribue ce nerf. J'avais été conduit, ainsi qu'on vient de le voir, en me fondant sur la théorie régnante et sur des observations antérieures, à faire l'hypothèse que la température devait être abaissée par la section de ce nerf sympathique. Or c'est précisément le contraire qui arriva. Aussitôt après la section du grand sympathique dans la partie moyenne du cou, je vis survenir dans tout le côté correspondant de la tête du lapin, une suractivité considérable dans la circulation accompagnée d'une augmentation de caloricité. Le résultat était donc exactement contraire à celui que mon hypotèse déduite de la théorie m'avait fait prévoir; mais alors je fis comme toujours, c'est-à-dire que j'abandonnai aussitôt les théories et les hypothèses pour observer et étudier le fait en lui-même afin d'en déterminer aussi exactement que possible les conditions expérimentales. Aujourd'hui mes expériences sur les nerfs vasculaires et calorifiques ont ouvert une voie nouvelle de recherches et ont été le sujet d'un grand nombre de travaux qui, j'espère, pourront fournir un jour des résultats d'une grande importance en physiologie et en pathologie *.

Cet exemple prouve, comme les précédents, qu'on peut rencontrer dans les expériences des résultats différents de ceux que les théories et les hypothèses nous font prévoir. Mais si je désire appeler plus particulièrement l'attention sur ce troisième exemple, c'est qu'il nous

---

* Claude Bernard, *Recherches expérimentales sur le grand sympathique, etc.* (*Mémoires de la Société de biologie*, t. V, 1853). — *Sur les nerfs vasculaires et caloriques du grand sympathique* (*Comptes rendus de l'Acad. des sciences*, 1852, t. XXXIV, 1862, t. LV.)

offre encore un enseignement important, à savoir que, sans cette hypothèse directrice de l'esprit, le fait expérimental qui la contredit n'aurait pas été aperçu. En effet, je ne suis pas le premier expérimentateur qui ait coupé sur des animaux vivants la portion cervicale du grand sympathique. Pourfour du Petit avait pratiqué cette expérience au commencement du siècle dernier, et il découvrit les effets de ce nerf sur la pupille en partant d'une hypothèse anatomique d'après laquelle ce nerf était supposé porter les esprits animaux dans les yeux *. Depuis lors beaucoup de physiologistes ont répété la même opération dans le but de vérifier ou d'expliquer les modifications de l'œil que Pourfour du Petit avait le premier signalées. Mais aucun de ces physiologistes n'avait remarqué le phénomène de calorification des parties dont je parle et ne l'avait rattaché à la section du grand sympathique, bien que ce phénomène eût dû se produire nécessairement sous les yeux de tous ceux qui, avant moi, avaient coupé cette partie du sympathique. L'hypothèse, ainsi qu'on le voit, m'avait préparé l'esprit à voir les choses suivant une certaine direction donnée par l'hypothèse même, et ce qui le prouve, c'est que moi-même, comme les autres expérimentateurs, j'avais bien souvent divisé le grand sympathique pour répéter l'expérience de Pourfour du Petit sans voir le fait de calorification que j'ai découvert plus tard quand une hypothèse m'a porté à faire des recherches dans ce sens. L'influence de l'hypothèse est donc ici des plus évidentes; on avait le fait sous les yeux et on ne le voyait pas parce qu'il ne disait rien à l'esprit. Il était cependant des plus simples à apercevoir, et, depuis que je l'ai signalé, tous les physiologistes sans exception l'ont constaté et vérifié avec la plus grande facilité.

En résumé, les hypothèses et les théories, même mauvaises, sont utiles pour conduire à des découvertes. Cette remarque est vraie pour toutes les sciences. Les alchimistes ont fondé la chimie en poursuivant des problèmes chimériques et des théories fausses aujourd'hui. Dans les sciences physiques, qui sont plus avancées que la biologie, on pourrait citer encore maintenant des savants qui font de grandes découvertes en s'appuyant

---

* Pourfour du Petit, *Mémoire dans lequel il est démontré que les nerfs intercostaux fournissent des rameaux qui portent des esprits dans les yeux* (*Histoire de l'Académie pour l'année* 1727).

sur des théories fausses. Cela paraît être en effet une nécessité de la faiblesse de notre esprit que de ne pouvoir arriver à la vérité qu'en passant par une multitude d'erreurs et d'écueils.

Quelle conclusion générale le physiologiste tirera-t-il de tous les exemples qui précèdent ? Il doit en conclure que les idées et les théories admises, dans l'état actuel de la science biologique, ne représentent que des vérités restreintes et précaires qui sont destinées à périr. Il doit conséquemment avoir fort peu de confiance dans la valeur réelle de ces théories, mais pourtant s'en servir comme d'instruments intellectuels nécessaires à l'évolution de la science et propres à lui faire découvrir des faits nouveaux. Aujourd'hui l'art de découvrir des phénomènes nouveaux et de les constater exactement doit être l'objet spécial des préoccupations de tous les biologues. Il faut fonder la critique expérimentale en créant des méthodes rigoureuses d'investigation et d'expérimentation qui permettront d'établir les observations d'une manière indiscutable et feront disparaître par suite les erreurs de faits qui sont la source des erreurs de théories. Celui qui tenterait maintenant une généralisation de la biologie entière prouverait qu'il n'a pas un sentiment exact de l'état actuel de cette science. Aujourd'hui le problème biologique commence à peine à être posé, et, de même qu'il faut assembler et tailler les pierres avant de songer à édifier un monument, de même il faut d'abord assembler et préparer les faits qui devront constituer la science des corps vivants. C'est à l'expérimentation que ce rôle incombe, sa méthode est fixée, mais les phénomènes qu'elle doit analyser sont si complexes, que le vrai promoteur de la science pour le moment sera celui qui pourra donner quelques principes de simplification dans les procédés d'analyse ou apporter des perfectionnements dans les instruments de recherche. Quand les faits existent en nombre suffisant et bien clairement établis, les généralisations ne se font jamais attendre. Je suis convaincu que dans les sciences expérimentales en évolution, et particulièrement dans celles qui sont aussi complexes que la biologie, la découverte d'un nouvel instrument d'observation ou d'expérimentation rend beaucoup plus de services que beaucoup de dissertations systématiques ou philosophiques. En effet, un nouveau procédé, un nouveau moyen d'investigation, augmentent notre puissance et rendent possibles des découvertes et des recherches qui ne l'auraient pas été sans son secours. C'est ainsi que les recherches sur la formation du sucre chez les animaux n'ont pu être faites que lorsque la chimie a eu donné des réactifs pour reconnaître le sucre beaucoup plus sensibles que ceux que l'on avait auparavant.

CHAPITRE II

EXEMPLES DE CRITIQUE
EXPÉRIMENTALE PHYSIOLOGIQUE

La critique expérimentale repose sur des principes absolus qui doivent diriger l'expérimentateur dans la constatation et dans l'interprétation des phénomènes de la nature. La critique expérimentale sera particulièrement utile dans les sciences biologiques où règnent des théories si souvent étayées par des idées fausses ou assises sur des faits mal observés. Il s'agira ici de rappeler, par des exemples, les principes en vertu desquels il convient de juger les théories physiologiques et de discuter les faits qui leur servent de bases. Le critérium par excellence est, ainsi que nous le savons déjà, le principe du déterminisme expérimental uni au doute philosophique. A ce propos, je rappellerai encore que dans les sciences il ne faut jamais confondre les *principes* avec les *théories*. Les principes sont les axiomes scientifiques; ce sont des vérités absolues qui constituent un critérium immuable. Les théories sont des généralités ou des idées scientifiques qui résument l'état actuel de nos connaissances; elles constituent des vérités toujours relatives et destinées à se modifier par le progrès même des sciences. Donc si nous posons comme conclusion fondamentale qu'il ne faut pas croire absolument aux formules de la science, il faut croire au contraire d'une manière absolue à ses principes. Ceux qui croient trop aux théories et qui négligent les principes prennent l'ombre pour la réalité, ils manquent de critérium solide et ils sont livrés à toutes les causes d'erreurs qui en dérivent. Dans toute science le progrès réel consiste à changer les théories de manière à en obtenir qui soient de plus en plus parfaites. En effet, à quoi servirait d'étudier, si l'on ne pouvait changer d'opinion ou de théorie; mais les principes et la méthode scientifiques sont supérieurs à la théorie, ils sont immuables et ne doivent jamais varier.

La critique expérimentale doit donc se prémunir non seulement contre la croyance aux théories, mais éviter aussi de se laisser égarer en accordant trop de valeur aux mots que nous avons créés pour nous représenter les prétendues forces de la nature. Dans toutes les sciences, mais dans les sciences physiologiques plus que dans toutes les autres, on est exposé à se faire illusion sur les mots. Il ne faut jamais oublier que toutes les qualifications de forces minérales ou vitales données aux phénomènes de la nature ne sont qu'un langage figuré dont il importe que nous ne soyons pas les dupes. Il n'y a de réel que les manifestations des phénomènes et les conditions de ces manifestations qu'il s'agit de déterminer; c'est là ce que la critique expérimentale ne doit jamais perdre de vue. En un mot, la critique expérimentale met tout en doute, excepté le principe du déterminisme scientifique et rationnel dans les faits (p. 88-109). La critique expérimentale est toujours fondée sur cette même base, soit qu'on se l'applique à soi-même, soit qu'on l'applique aux autres; c'est pourquoi dans ce qui va suivre nous donnerons en général deux exemples : l'un choisi dans nos propres recherches, l'autre choisi dans les travaux des autres. En effet, dans la science, il ne s'agit pas seulement de chercher à critiquer les autres, mais le savant doit toujours jouer vis-à-vis de lui-même le rôle d'un critique sévère. Toutes les fois qu'il avance une opinion ou qu'il émet une théorie, il doit être le premier à chercher à les contrôler par la critique et à les asseoir sur des faits bien observés et exactement déterminés.

I. — LE PRINCIPE DU DÉTERMINISME EXPÉRIMENTAL N'ADMET PAS DES FAITS CONTRADICTOIRES

Premier exemple. — Il y a longtemps déjà que j'ai fait connaître une expérience qui, à cette époque, surprit beaucoup les physiologistes : cette expérience consiste à rendre un animal artificiellement diabétique au moyen de la piqûre du plancher du quatrième ventricule. J'arrivai à tenter cette piqûre par suite de considérations théoriques que je n'ai pas à rappeler; ce qu'il importe seulement de savoir ici, c'est que je réussis du premier coup, c'est-à-dire que je vis le premier lapin que j'opérai devenir très fortement diabétique. Mais ensuite il m'arriva de répéter un grand nombre de fois (huit ou dix fois) cette expérience sans obtenir le premier résultat. Je me trouvais dès lors en présence d'un fait positif et de huit ou dix faits négatifs; cependant il ne me vint jamais dans l'esprit de nier ma première expérience positive au profit des expériences négatives qui la suivirent. Etant bien convaincu que mes insuccès ne tenaient qu'à ce que j'ignorais le déterminisme de ma première expérience, je persistai à expérimenter en cherchant à reconnaître exactement les conditions de l'opération. Je parvins, à la suite de mes essais, à fixer le lieu précis de la piqûre, et à donner les conditions dans lesquelles doit être placé l'animal opéré; de sorte qu'aujourd'hui on peut reproduire le fait du diabète artificiel toutes les fois que l'on se met dans les conditions connues exigées pour sa manifestation.

A ce qui précède j'ajouterai une réflexion qui montrera de combien de causes d'erreurs le physiologiste peut se trouver entouré dans l'investigation des phénomènes de la vie. Je suppose qu'au lieu de réussir du premier coup à rendre un lapin diabétique, tous les faits négatifs se fussent d'abord montrés, il est évident qu'après avoir échoué deux ou trois fois, j'en aurais conclu non seulement que la théorie qui m'avait guidé était mauvaise, mais que la piqûre du quatrième ventricule ne produisait pas le diabète. Cependant je me serais trompé. Combien de fois a-t-on dû et devra-t-on encore se tromper ainsi! Il paraît impossible même d'éviter d'une manière absolue ces sortes d'erreurs. Mais nous voulons seulement tirer de cette expérience une autre conclusion générale qui sera corroborée par les exemples suivants, à savoir, que les faits négatifs considérés seuls n'apprennent jamais rien.

Deuxième exemple. — Tous les jours on voit des discussions qui restent sans profit pour la science parce que l'on n'est pas assez pénétré de ce principe, que chaque fait ayant son déterminisme, un fait négatif ne prouve rien et ne saurait jamais détruire un fait positif. Pour prouver ce que j'avance, je citerai les critiques que M. Longet a faites autrefois des expériences de Magendie. Je choisirai cet exemple, d'une part, parce qu'il est très instructif, et d'autre part, parce que je m'y suis trouvé mêlé et que j'en connais exactement toutes les circonstances. Je commencerai par les critiques de M. Longet relatives aux expériences de Magendie sur les propriétés de la sensibilité récurrente des racines rachidiennes antérieures *. La première chose que M. Longet reproche à Magendie, c'est d'avoir varié d'opinion sur la sensibilité des racines antérieures, et d'avoir dit en 1822 que les racines antérieures sont à peine sensibles, et en 1839 qu'elles sont très sensibles, etc. A la suite de ces critiques, M. Longet s'écrie : « La vérité est une; que le lecteur choisisse, s'il l'ose, au milieu de ces assertions contradictoires opposées du même auteur (*loc. cit.*, p. 22). Enfin, ajoute M. Longet, M. Magendie aurait dû au moins nous dire, pour nous tirer d'embarras, lesquelles de ses expériences il a convenablement faites, celles de 1822 ou celles de 1839 » (*loc. cit.*, p. 23).

Toutes ces critiques sont mal fondées et manquent complètement aux règles de la critique scientifique expérimentale. En effet, si Magendie a dit en 1822 que les racines antérieures étaient insensibles, c'est évidemment qu'il les avait trouvées insensibles; s'il a dit ensuite en 1839 que les racines antérieures étaient très sensibles, c'est qu'alors il les avait trouvées très sensibles. Il n'y a pas à choisir, comme le croit M. Longet, entre ces deux résultats; il faut les admettre tous deux, mais seulement les expliquer et les déterminer dans leurs conditions respectives. Quand M. Longet s'écrie : La vérité est une..., cela voudrait-il dire que, si l'un des deux résultats est vrai, l'autre doit être faux ? Pas du tout; ils sont vrais tous deux, à moins de dire que dans un cas Magendie a menti, ce qui n'est certainement pas dans la pensée du critique. Mais, en vertu du principe scientifique du déterminisme des phénomènes, nous devons affirmer *a priori* et d'une manière absolue qu'en 1822 et en 1839, Magendie n'a pas vu le phénomène dans des conditions identiques, et ce sont précisément ces différences de conditions qu'il faut chercher à déterminer afin de faire concorder les deux résultats et de trouver ainsi la cause de la variation du phénomène. Tout ce que M. Longet aurait pu reprocher à Magendie, c'était de ne pas avoir

---

* F. A. Longet, *Recherches cliniques et expérimentales sur les fonctions des faisceaux de la moelle épinière et des racines des nerfs rachidiens, précédées d'un Examen historique et critique des expériences faites sur ces organes depuis sir Ch. Bell, et suivies d'autres recherches sur diverses parties du système nerveux* (Archives générales de médecine, 1841, 3e série, t. X, p. 296, et XI, p. 129).

cherché lui-même la raison de la différence des deux résultats; mais la critique d'exclusion que M. Longet applique aux expériences de Magendie est fausse et en désaccord, ainsi que nous l'avons dit, avec les principes de la critique expérimentale.

On ne saurait douter qu'il s'agisse dans ce qui précède d'une critique sincère et purement scientifique, car, dans une autre circonstance relative à la même discussion, M. Longet s'est appliqué à lui-même cette même critique d'exclusion, et il a été conduit, dans sa propre critique, au même genre d'erreur que dans celle qu'il appliquait à Magendie.

En 1839, M. Longet suivait, ainsi que moi, le laboratoire du Collège de France, lorsque Magendie, retrouvant la sensibilité des racines rachidiennes antérieures, montra qu'elle est empruntée aux racines postérieures, et revient par la périphérie, d'où le nom de sensibilité en retour ou sensibilité récurrente qu'il lui donna. M. Longet vit donc alors, comme Magendie et moi, que la racine antérieure était sensible et qu'elle l'était par l'influence de la racine postérieure, et il le vit si bien, qu'il réclama pour lui la découverte de ce dernier fait *. Mais il arriva plus tard, en 1841, que M. Longet, voulant répéter l'expérience de Magendie, ne trouva pas la sensibilité dans la racine antérieure. Par une circonstance assez piquante, M. Longet se trouva alors, relativement au même fait de sensibilité des racines rachidiennes antérieures, exactement dans la même position que celle qu'il avait reprochée à Magendie, c'est-à-dire qu'en 1839, M. Longet avait vu la racine antérieure sensible et qu'en 1841 il la voyait insensible. L'esprit sceptique de Magendie ne s'émouvait pas de ces obscurités et de ces contradictions apparentes; il continuait à expérimenter et disait toujours ce qu'il voyait. L'esprit de M. Longet, au contraire, voulait avoir la vérité d'un côté ou de l'autre; c'est pourquoi il se décida pour les expériences de 1841, c'est-à-dire pour les expériences négatives, et voici ce qu'il dit, à ce propos : « Bien que j'aie fait valoir à cette époque (1839) mes prétentions à la découverte de l'un de ces faits (la sensibilité récurrente), aujourd'hui, que j'ai multiplié et varié les expériences sur

* *Comptes rendus de l'Académie des sciences*, t. VIII, p. 787, 3 et 10 juin; *Comptes rendus de l'Académie des sciences*, 4 juin; *Gazette des hôpitaux*, 13 et 18 juin 1839.

ce point de physiologie, je viens combattre ces mêmes
faits comme erronés, qu'on les regarde comme la propriété de Magendie ou la mienne. Le culte dû à la vérité
exige qu'on ne craigne jamais de revenir sur une erreur
commise. Je ne ferai que rappeler ici l'insensibilité tant
de fois prouvée par nous des racines et des faisceaux
antérieurs, pour que l'on comprenne bien l'inanité de
ces résultats qui, comme tant d'autres, ne font qu'encombrer la science et gêner sa marche *. » Il est certain,
d'après cet aveu, que M. Longet n'est animé que du
désir de trouver la vérité, et M. Longet le prouve quand
il dit qu'il ne faut jamais craindre de revenir sur une
erreur commise. Je partage tout à fait son sentiment et
j'ajouterai qu'il est toujours instructif de revenir d'une
erreur commise. Ce précepte est donc excellent et chacun peut en faire usage; car tout le monde est exposé à
se tromper, excepté ceux qui ne font rien. Mais, la
première condition pour revenir d'une erreur, c'est
de prouver qu'il y a erreur. Il ne suffit pas de dire : Je
me suis trompé; il faut dire comment on s'est trompé,
et c'est là précisément ce qui est important. Or, M. Longet n'explique rien; il semble dire purement et simplement : En 1839, j'ai vu les racines sensibles, en 1841 je
les ai vues insensibles plus souvent, donc je me suis
trompé en 1839. Un pareil raisonnement n'est pas admis-
sible. Il s'agit en effet, en 1839, à propos de la sensibilité
des racines antérieures, d'expériences nombreuses dans
lesquelles on a coupé successivement les racines rachidiennes, pincé les différents bouts pour constater leurs
propriétés. Magendie a écrit un demi-volume sur ce
sujet. Quand ensuite on ne rencontre plus ces résultats,
même un grand nombre de fois, il ne suffit pas de dire,
pour juger la question, qu'on s'est trompé la première
fois et qu'on a raison la seconde. Et d'ailleurs pourquoi
se serait-on trompé ? Dira-t-on qu'on a eu les sens infi-
dèles à une époque et non à l'autre ? Mais alors il faut
renoncer à l'expérimentation; car la première condition
pour un expérimentateur, c'est d'avoir confiance dans
ses sens et de ne jamais douter que de ses interprétations. Si maintenant, malgré tous les efforts et toutes
les recherches, on ne peut pas trouver la raison matérielle de l'erreur, il faut suspendre son jugement et conserver en attendant les deux résultats, mais ne jamais

* Loc. cit. p. 21.

croire qu'il suffise de nier des faits positifs au nom de faits négatifs plus nombreux, *aut vice versa*. Des faits négatifs, quelque nombreux qu'ils soient, ne détruisent jamais un seul fait positif. C'est pourquoi la négation pure et simple n'est point de la critique, et, en science, ce procédé doit être repoussé d'une manière absolue, parce que jamais la science ne se constitue par des négations.

En résumé, il faut être convaincu que les faits négatifs ont leur déterminisme comme les faits positifs. Nous avons posé en principe que toutes les expériences sont bonnes dans le déterminisme de leurs conditions respectives; c'est dans la recherche des conditions de chacun de ces déterminismes que gît précisément l'enseignement qui doit nous donner les lois du phénomène, puisque par là nous connaissons les conditions de son existence et de sa non-existence. C'est en vertu de ce principe que je me suis dirigé, quand, après avoir assisté en 1839 aux expériences de Magendie et en 1841 aux discussions de M. Longet, je voulus moi-même me rendre compte des phénomènes et juger les dissidences. Je répétai les expériences et je trouvai, comme Magendie et comme M. Longet, des cas de sensibilité et des cas d'insensibilité des racines rachidiennes antérieures; mais, convaincu que ces deux cas tenaient à des circonstances expérimentales différentes, je cherchai à déterminer ces circonstances, et, à force d'observation et de persévérance, je finis par trouver * les conditions dans lesquelles il faut se placer pour obtenir l'un ou l'autre résultat. Aujourd'hui que les conditions du phénomène sont connues, personne ne discute plus. M. Longet lui-même ** et tous les physiologistes admettent le fait de la sensibilité récurrente comme constant dans les conditions que j'ai fait connaître.

D'après ce qui précède il faut donc établir comme principe de la critique expérimentale le déterminisme absolu et nécessaire des phénomènes. Ce principe, bien compris, doit nous rendre circonspects contre cette tendance naturelle à la contradiction que nous avons tous. Il est certain que tout expérimentateur, particulièrement un débutant, éprouve toujours un secret plaisir quand il rencontre quelque chose qui est autrement

---

* Claude Bernard, *Leçons sur la physiologie et la pathologie du système nerveux*, p. 32.
** Voy. Longet, *Traité de physiologie*, 1860, t. II, p. 177.

que ce que d'autres avaient vu avant lui. Il est porté
par son premier mouvement à contredire, surtout quand
il s'agit de contredire un homme haut placé dans la
science. C'est un sentiment dont il faut se défendre
parce qu'il n'est pas scientifique. La contradiction pure
serait une accusation de mensonge, et il faut l'éviter,
car heureusement les faussaires scientifiques sont rares.
D'ailleurs ce dernier cas ne relevant plus de la science,
je n'ai pas à donner de précepte à ce sujet. Je veux seulement faire remarquer ici que la critique ne consiste pas
à prouver que d'autres se sont trompés, et quand même
on prouverait qu'un homme éminent s'est trompé, ce
ne serait pas une grande découverte; et cela ne peut devenir un travail profitable pour la science qu'autant que
l'on montre comment cet homme s'est trompé. En effet,
les grands hommes nous instruisent souvent autant par
leurs erreurs que par leurs découvertes. J'entends quelquefois dire : Signaler une erreur, cela équivaut à faire
une découverte. Oui, à la condition que l'on mette au
jour une vérité nouvelle en montrant la cause de l'erreur,
et alors il n'est plus nécessaire de combattre l'erreur,
elle tombe d'elle-même. C'est ainsi que la critique
équivaut à une découverte; c'est quand elle explique
tout sans rien nier, et qu'elle trouve le déterminisme
exact de faits en apparence contradictoires. Par ce déterminisme tout se réduit, tout devient lumineux, et alors,
comme dit Leibnitz, la science en s'étendant s'éclaire
et se simplifie.

II. — LE PRINCIPE DU DÉTERMINISME REPOUSSE DE LA SCIENCE LES FAITS INDÉTERMINÉS OU IRRATIONNELS

Nous avons dit ailleurs (p. 90) que notre raison comprend scientifiquement le déterminé et l'indéterminé,
mais qu'elle ne saurait admettre l'*indéterminable*, car ce
ne serait rien autre chose qu'admettre le merveilleux,
l'occulte ou le surnaturel, qui doivent être absolument
bannis de toute science expérimentale. De là il résulte
que, quand un fait se présente à nous, il n'acquiert de
valeur scientifique que par la connaissance de son déterminisme. Un fait brut n'est pas scientifique et un fait
dont le déterminisme n'est point rationnel doit de même
être repoussé de la science. En effet, si l'expérimentateur
doit soumettre ses idées au critérium des faits, je n'ad-

mets pas qu'il doive y soumettre sa raison; car alors il éteindrait le flambeau de son seul critérium intérieur et il tomberait nécessairement dans le domaine de l'indéterminable, c'est-à-dire de l'occulte et du merveilleux. Sans doute il existe dans la science un grand nombre de faits bruts qui sont encore incompréhensibles; je ne veux pas conclure qu'il faut de parti pris repousser tous ces faits, mais je veux seulement dire qu'ils doivent être gardés en réserve, en attendant, comme *faits bruts*, et ne pas être introduits dans la science, c'est-à-dire dans le raisonnement expérimental, avant qu'ils soient fixés dans leur condition d'existence par un déterminisme rationnel. Autrement on serait arrêté à chaque instant dans le raisonnement expérimental ou bien conduit inévitablement à l'absurde. Les exemples suivants, que je pourrais beaucoup multiplier, prouveront ce que j'avance.

Premier exemple. — J'ai fait, il y a quelques années *, des expériences sur l'influence de l'éther sur les sécrétions intestinales. Or, il m'arriva d'observer à ce propos que l'injection de l'éther dans le canal intestinal d'un chien à jeun, même depuis plusieurs jours, faisait naître des chylifères blancs magnifiques, absolument comme chez un animal en pleine digestion d'aliments mixtes dans lesquels il y a de la graisse. Ce fait, répété un grand nombre de fois, était indubitable. Mais quelle signification lui donner ? Quel raisonnement établir sur sa cause ? Fallait-il dire : L'éther fait sécréter du chyle, c'est un fait ? Mais cela devenait absurde, puisqu'il n'y avait pas d'aliments dans l'intestin. Comme on le voit, la raison repoussait ce déterminisme absurde et irrationnel dans l'état actuel de nos connaissances. C'est pourquoi je cherchais où pouvait se trouver la raison de ce fait incompréhensible, et je finis par voir qu'il y avait une cause d'erreur, et que ces chylifères provenaient de ce que l'éther dissolvait l'huile qui graissait le piston de la seringue avec laquelle je l'injectais dans l'estomac; de sorte qu'en injectant l'éther avec une pipette de verre au lieu d'une seringue, il n'y avait plus de chylifères. C'est donc l'irrationalisme du fait qui m'a conduit à voir *a priori* qu'il devait être faux et qu'il ne pouvait servir de base à un raisonnement scientifique. Sans cela, je n'aurais pas trouvé cette singulière cause d'erreur, qui rési-

---

* Claude Bernard, *Leçons sur les effets des substances toxiques et médicamenteuses*, p. 428.

dait dans le piston d'une seringue. Mais cette cause d'erreur reconnue, tout s'expliqua, et le fait devient rationnel, en ce sens que les chylifères s'étaient produits là par l'absorption de la graisse, comme toujours ; seulement l'éther activait cette absorption et rendait le phénomène plus apparent.

Deuxième exemple. — Il avait été vu par des expérimentateurs habiles et exacts * que le venin du crapaud empoisonne très rapidement les grenouilles et d'autres animaux, tandis qu'il n'a aucun effet sur le crapaud lui-même. En effet, voici l'expérience bien simple qui semble le prouver : si l'on prend sur le bout d'une lancette du venin des parotides d'un crapaud de nos contrées et qu'on insinue ce venin sous la peau d'une grenouille ou d'un oiseau, on voit bientôt périr ces animaux, tandis que, si l'on a introduit la même quantité de venin sous la peau d'un crapaud à peu près du même volume, ce dernier n'en meurt pas et n'en éprouve même aucun effet. C'est là encore un fait brut qui ne pouvait devenir scientifique qu'à la condition de savoir comment ce venin agit sur la grenouille et pourquoi ce venin n'agit pas sur le crapaud. Il fallait nécessairement pour cela étudier le mécanisme de la mort, car il aurait pu se rencontrer des circonstances particulières qui eussent expliqué la différence des résultats sur la grenouille et sur le crapaud. C'est ainsi qu'il y a une disposition particulière des naseaux et de l'épiglotte qui explique très bien par exemple pourquoi la section des deux faciaux est mortelle chez le cheval et ne l'est pas chez les autres animaux. Mais ce fait exceptionnel reste néanmoins rationnel ; il confirme la règle, comme on dit, en ce qu'il ne change rien au fond de la paralysie nerveuse qui est identique chez tous les animaux. Il n'en fut pas ainsi pour le cas qui nous occupe ; l'étude du mécanisme de la mort par le venin de crapaud amena à cette conclusion, que le venin de crapaud tue en arrêtant le cœur des grenouilles, tandis qu'il n'agit pas sur le cœur du crapaud. Or, pour être logique, il fallait nécessairement admettre que les fibres musculaires du cœur du crapaud sont d'une autre nature que celles du cœur de la grenouille, puisqu'un poison qui agit sur les unes n'agit pas sur les autres. Cela devenait impossible ; car admettre que des éléments organiques

* Vulpian, *Comptes rendus et Mémoires de la Société de biologie*, 1854, p. 133 ; 1856, p. 125 ; 1858, 2e série, t. V, Paris, 1859, p. 113 ; 1864.

identiques quant à leur structure et à leurs propriétés physiologiques, cessent d'être identiques devant une action toxique identique, ce serait prouver qu'il n'y a pas de déterminisme nécessaire dans les phénomènes, et dès lors la science se trouverait niée par ce fait. C'est en vertu de ces idées que j'ai repoussé le fait mentionné ci-dessus comme irrationnel et que j'ai voulu répéter des expériences, bien que je ne doutasse pas de leur exactitude, comme fait brut. J'ai vu alors * que le venin du crapaud tue la grenouille très facilement avec une dose qui est de beaucoup insuffisante pour le crapaud, mais que celui-ci s'empoisonne néanmoins si l'on augmente assez la dose. De sorte que la différence signalée se réduisait à une question de quantité et n'avait plus la signification contradictoire qu'on pouvait lui donner. C'est donc encore l'irrationalisme du fait qui a porté à lui donner une autre signification.

III. — LE PRINCIPE DU DÉTERMINISME EXIGE QUE LES FAITS SOIENT COMPARATIVEMENT DÉTERMINÉS

Nous venons de voir que notre raison nous oblige à repousser des faits qui ont une apparence indéterminée et nous porte à les critiquer afin de leur trouver un sens rationnel avant de les introduire dans le raisonnement expérimental. Mais comme la critique, ainsi que nous l'avons dit, repose à la fois sur la raison et sur le doute philosophique, il en résulte qu'il ne suffit pas qu'un fait expérimental se présente avec une apparence simple et logique pour que nous l'admettions, mais nous devons encore douter et voir par une contre-expérience si cette apparence rationnelle n'est pas trompeuse. Ce précepte est de rigueur absolue, surtout dans les sciences médicales qui, à raison de leur complexité, recèlent davantage de causes d'erreurs. J'ai donné ailleurs (p. 91) le caractère expérimental de la contre-épreuve, je n'y reviendrai pas ; je veux seulement faire remarquer ici que, lors même qu'un fait paraît logique, c'est-à-dire rationnel, cela ne saurait jamais suffire pour nous dispenser de faire la contre-épreuve ou la contre-expérience, de sorte que je considérerai ce précepte comme une sorte de *consigne* qu'il faut

* Claude Bernard, *Cours de pathologie expérimentale, Medical Times*, 1860.

suivre aveuglément même dans les cas qui paraissent les plus clairs et les plus rationnels. Je vais citer deux exemples qui montreront la nécessité d'exécuter toujours et quand même cette consigne de l'expérience comparative.

Premier exemple. — J'ai expliqué précédemment (p. 230) comment je fus autrefois conduit à étudier le rôle du sucre dans la nutrition, et à rechercher le mécanisme de la destruction de ce principe alimentaire dans l'organisme. Il fallait, pour résoudre la question, rechercher le sucre dans le sang et le poursuivre dans les vaisseaux intestinaux qui l'avaient absorbé, jusqu'à ce qu'on pût constater le lieu de sa disparition. Pour réaliser mon expérience, je donnai à un chien une soupe au lait sucrée; puis je sacrifiai l'animal en digestion, et je trouvai que le sang des vaisseaux sus-hépatiques, qui représente le sang total des organes intestinaux et du foie, renfermait du sucre. Il était tout naturel et, comme on dit, logique, de penser que ce sucre trouvé dans les veines sus-hépatiques était celui que j'avais donné à l'animal dans sa soupe. Je suis certain même que plus d'un expérimentateur s'en serait tenu là et aurait considéré comme superflu, sinon comme ridicule, de faire une expérience comparative. Cependant, je fis l'expérience comparative, parce que j'étais convaincu par principe de sa nécessité absolue : ce qui veut dire que je suis convaincu qu'en physiologie il faut toujours douter, même dans les cas où le doute semble le moins permis. Cependant je dois ajouter qu'ici l'expérience comparative était encore commandée par cette autre circonstance que j'employais, pour déceler le sucre, la réduction des sels de cuivre dans la potasse. C'est en effet là un caractère empirique du sucre, qui pouvait être donné par des substances encore inconnues de l'économie. Mais, je le répète, même sans cela il eût fallu faire l'expérience comparative comme une consigne expérimentale; car ce cas même prouve qu'on ne saurait jamais prévoir quelle peut en être l'importance.

Je pris donc par comparaison avec le chien à la soupe sucrée un autre chien auquel je donnai de la viande à manger, en ayant soin qu'il n'entrât d'ailleurs aucune matière sucrée ou amidonnée dans son alimentation, puis je sacrifiai cet animal pendant la digestion, et j'examinai comparativement le sang de ses veines sus-hépatiques. Mais mon étonnement fut grand quand je constatai que ce sang contenait également du sucre chez l'animal qui n'en avait pas mangé.

On voit donc qu'ici l'expérience comparative m'a conduit à la découverte de la présence constante du sucre dans le sang des veines sus-hépatiques des animaux, quelle que soit leur alimentation. On conçoit qu'alors j'abandonnai toutes mes hypothèses sur la destruction du sucre pour suivre ce fait nouveau et inattendu. Je mis d'abord son existence hors de doute par des expériences répétées, et je constatai que chez les animaux à jeun, le sucre existait aussi dans le sang. Tel fut le début de mes recherches sur la glycogénie animale. Elles eurent pour origine, ainsi qu'on le voit, une expérience comparative faite dans un cas où l'on aurait pu s'en croire dispensé. Mais s'il y a des avantages attachés à l'expérience comparative, il y a nécessairement aussi des inconvénients à ne pas la pratiquer. C'est ce que prouve l'exemple suivant.

Deuxième exemple. — Magendie fit autrefois des recherches sur les usages du liquide céphalo-rachidien, et il fut amené à conclure que la soustraction du liquide céphalo-rachidien entraîne chez les animaux une sorte de titubation et un désordre caractéristique dans les mouvements. En effet, si, après avoir mis à découvert la membrane occipito-atloïdienne, on la perce pour faire écouler le liquide céphalo-rachidien, on remarque que l'animal est pris de désordres moteurs spéciaux. Rien ne semblait plus naturel et plus simple que d'attribuer cette influence sur les mouvements à la soustraction du liquide céphalo-rachidien, cependant c'était une erreur, et Magendie m'a raconté comment un autre expérimentateur fut amené par hasard à le trouver. Cet expérimentateur fut interrompu dans son expérience au moment où, ayant coupé les muscles de la nuque, il venait de mettre la membrane occipito-atloïdienne à nu, mais sans l'avoir encore percée pour faire évacuer le liquide céphalo-rachidien. Or, l'expérimentateur vit, en revenant continuer son expérience, que cette simple opération préliminaire avait produit la même titubation, quoique le liquide céphalo-rachidien n'eût pas été soustrait. On avait donc attribué à la soustraction du liquide céphalo-rachidien ce qui n'était que le fait de la section des muscles de la nuque. Evidemment l'expérience comparative eût résolu la difficulté. Il aurait fallu, dans ce cas, mettre, ainsi que nous l'avons dit, deux animaux dans les mêmes conditions *moins une*, c'est-à-dire mettre la membrane occipito-atloïdienne à nu chez deux animaux, et ne la piquer, pour faire écouler le liquide, que chez l'un d'eux; alors on aurait pu juger par comparaison et préciser ainsi la part exacte de la soustraction du liquide céphalo-rachidien dans les désordres de la myotilité. Je pourrais citer un grand nombre d'erreurs arrivées à des expérimentateurs habiles pour avoir négligé le précepte de l'expérience comparative. Seulement, comme il est souvent difficile, ainsi que l'ont prouvé les exemples que j'ai cités, de savoir d'avance si l'expérience comparative sera nécessaire ou non, je répète qu'il faut, pour éviter tout embarras, admettre l'expérience comparative comme une véritable consigne devant être exécutée même quand elle est inutile, afin de ne pas en manquer quand elle est nécessaire. L'expérience comparative aura lieu tantôt sur deux animaux, comme nous l'avons dit dans le cas précédent, tantôt, pour être plus exacte, elle devra porter sur deux organes similaires d'un même animal. C'est ainsi que, voulant autrefois juger de l'influence de certaines substances sur la production de la matière glycogène dans le foie, je n'ai jamais pu trouver deux animaux comparables sous ce rapport, même en les mettant dans des conditions alimentaires exactement semblables, c'est-à-dire à jeun pendant le même nombre de jours. Les animaux, suivant leur âge, leur sexe, leur embonpoint, etc., supportent plus ou moins l'abstinence et détruisent plus ou moins de matière glycogène, de sorte que je n'étais jamais sûr que les différences trouvées fussent le résultat de la différence d'alimentation. Pour enlever cette cause d'erreur, je fus obligé de faire l'expérience complète sur le même animal en lui enlevant préalablement un morceau de foie, avant l'injection alimentaire et un autre après. De même quand il s'agit aussi de voir l'influence de la contraction sur la respiration musculaire chez la grenouille, il est nécessaire de comparer les deux membres d'un même animal parce que, dans ce cas, deux grenouilles ne sont pas toujours comparables entre elles.

IV. — LA CRITIQUE EXPÉRIMENTALE NE DOIT PORTER QUE SUR DES FAITS ET JAMAIS SUR DES MOTS

J'ai dit, au commencement de ce chapitre, que l'on était souvent illusionné par une valeur trompeuse que l'on donne aux mots. Je désire expliquer ma pensée par des exemples :

Premier exemple. — En 1845, je faisais à la Société philomathique une communication dans laquelle je discutais des expériences de Brodie et de Magendie sur la ligature du canal cholédoque, et je montrais que les résultats différents que ces expérimentateurs avaient obtenus tenaient à ce que l'un, ayant opéré sur des chiens, avait lié le canal cholédoque seul, tandis que l'autre, ayant opéré sur des chats, avait compris sans s'en douter, dans sa ligature, à la fois le canal cholédoque et un conduit pancréatique. Je donnais ainsi la raison de la différence des résultats obtenus, et je concluais qu'en physiologie comme ailleurs, les expériences peuvent être rigoureuses et fournir des résultats identiques toutes les fois que l'on opère dans des conditions exactement semblables.

A ce propos, un membre de la Société, Gerdy, chirurgien de la Charité, professeur à la Faculté de médecine et connu par divers ouvrages de chirurgie et de physiologie, demanda la parole pour attaquer mes conclusions. « L'explication anatomique que vous donnez, me dit-il, des expériences de Brodie et de Magendie est juste, mais je n'admets pas la conclusion générale que vous en tirez. En effet, vous dites qu'en physiologie les résultats des expériences sont identiques quand on opère dans des conditions identiques; je nie qu'il en soit ainsi. Cette conclusion serait exacte pour la nature brute, mais elle ne saurait être vraie pour la nature vivante. Toutes les fois, ajouta-t-il, que la vie intervient dans les phénomènes, on a beau être dans des conditions identiques, les résultats peuvent être différents. » Comme preuve de son opinion, Gerdy cita des cas d'individus atteints de la même maladie auxquels il avait administré les mêmes médicaments et chez lesquels les résultats avaient été différents. Il rappela aussi des cas d'opérations semblables faites pour les mêmes maladies, mais suivies de guérison dans un cas et de mort dans l'autre. Toutes ces différences tenaient, suivant lui, à ce que la vie modifie par elle-même les résultats, quoique les conditions de l'expérience aient été les mêmes; ce qui ne pouvait pas arriver, pensait-il, pour les phénomènes des corps bruts, dans lesquels la vie n'intervient pas. Dans la Société philomathique, ces idées trouvèrent immédiatement une opposition générale. Tout le monde fit remarquer à Gerdy que ses opinions n'étaient rien moins que la négation de la science biologique et qu'il se faisait complètement illusion sur l'identité des conditions dans les cas dont il parlait, en ce sens que les maladies qu'il regardait comme semblables et identiques ne l'étaient pas du tout, et qu'il rapportait à l'influence de la vie ce qui devait être mis sur le compte de notre ignorance dans des phénomènes aussi complexes que ceux de la pathologie. Gerdy persista à soutenir que la *vie* avait pour effet de modifier les phénomènes de manière à les faire différer, chez les divers individus, lors même que les conditions dans lesquelles ils s'accomplissaient étaient identiques. Gerdy croyait que la vitalité de l'un n'était pas la vitalité de l'autre, et que par suite il devait exister entre les individus des différences qu'il était impossible de déterminer. Il ne voulut pas abandonner son idée, il se retrancha dans le mot de *vitalité*, et l'on ne put lui faire comprendre que ce n'était là qu'un mot vide de sens qui ne répondait à rien, et que dire qu'une chose était due à la vitalité, c'était dire qu'elle était inconnue.

En effet, on est très souvent la dupe de ce mirage des mots *vie, mort, santé, maladie, idiosyncrasie*. On croit avoir donné une explication quand on a dit qu'un phénomène est dû à l'influence vitale, à l'influence morbide ou à l'idiosyncrasie individuelle. Cependant il faut bien savoir que, quand nous disons phénomène vital, cela ne veut rien dire, si ce n'est que c'est un phénomène propre aux êtres vivants dont nous ignorons encore la cause, car je pense que tout phénomène appelé vital aujourd'hui devra tôt ou tard être ramené à des propriétés définies de la matière organisée ou organique. On peut sans doute employer l'expression de vitalité, comme les chimistes emploient le mot d'affinité, mais en sachant qu'au fond il n'y a que des phénomènes et des conditions de phénomènes qu'il faut connaître; quand la condition du phénomène sera connue, alors les forces vitales ou minérales occultes disparaîtront.

Sur ce point, je suis très heureux d'être en parfaite harmonie d'idées avec mon confrère et ami M. Henri Sainte-Claire Deville. C'est ce qu'on verra dans les paroles suivantes prononcées par M. Sainte-Claire Deville en exposant devant la Société chimique de Paris ses belles découvertes sur les effets des hautes températures *.

---

* H. Sainte-Claire Deville, *Leçons sur la dissociation prononcées devant la Société chimique*. Paris, 1866. Sous presse.

« Il ne faut pas se dissimuler que l'étude des causes premières dans les phénomènes que nous observons et que nous mesurons présente en elle un danger sérieux. Échappant à toute définition précise et indépendante des faits particuliers, elles nous amènent bien plus souvent que nous ne le pensons à commettre de véritables pétitions de principes, et à nous contenter d'explications spécieuses qui ne peuvent résister à une critique sévère. L'affinité principalement, définie comme la force qui préside aux combinaisons chimiques, a été pendant longtemps et est encore une cause occulte, une sorte d'archée à laquelle on rapporte tous les faits incompris et qu'on considère dès lors comme expliqués, tandis qu'ils ne sont souvent que classés et souvent même mal classés : de même on attribue à la force catalytique * une multitude de phénomènes fort obscurs et qui, selon moi, le deviennent davantage lorsqu'on les rapporte en bloc à une cause entièrement inconnue. Certainement on a cru les ranger dans une même catégorie quand on leur a donné le même nom. Mais la légitimité de cette classification n'a même pas été démontrée. Qu'y a-t-il, en effet, de plus arbitraire que de placer les uns à côté des autres les phénomènes catalytiques qui dépendent de l'action ou de la *présence* de la mousse de platine et de l'acide sulfurique concentré, quand le platine ou l'acide ne sont pas, pour ainsi dire, partie prenante dans l'opération? Ces phénomènes seront peut-être expliqués plus tard d'une manière essentiellement différente, suivant qu'ils auront été produits sous l'influence d'une matière poreuse comme la mousse de platine, ou sous l'influence d'un agent chimique très énergique comme l'acide sulfurique concentré.

« Il faut donc laisser de côté dans nos études toutes ces forces inconnues auxquelles on n'a recours que parce qu'on n'en a pas mesuré les effets. Au contraire, toute notre attention doit être portée sur l'observation et la détermination numérique de ces effets, lesquels sont seuls à notre portée. On établit par ce travail leurs différences et leurs analogies et une lumière nouvelle résulte de ces comparaisons et de ces mesures.

* Tout ceci est applicable aux forces inventées récemment, forces de dissolution, de diffusion, force cristallogénique, à toutes les forces particulières attractives et répulsives qu'on fait intervenir pour expliquer les phénomènes de caléfaction, de surfusion, les phénomènes électriques, etc.

« Ainsi la chaleur et l'affinité sont constamment en présence dans nos théories chimiques. L'affinité nous échappe entièrement et nous lui attribuons cependant la combinaison qui serait l'effet de cette cause inconnue. Etudions simplement les circonstances *physiques* qui accompagnent la combinaison, et nous verrons combien de phénomènes mesurables, combien de rapprochements curieux s'offrent à nous à chaque instant. La chaleur détruit, dit-on, l'affinité. Etudions avec persistance la décomposition des corps sous l'influence de la chaleur estimée en quantité ou travail, température ou force vive : nous verrons de suite combien cette étude est fructueuse et indépendante de toute hypothèse, de toute force inconnue, inconnue même au point de vue de l'espèce d'unités à laquelle il faut rapporter sa mesure exacte ou approchée. C'est en ce sens surtout que l'affinité, considérée comme force, est une cause occulte, à moins qu'elle ne soit simplement l'expression d'une *qualité* de la matière. Dans ce cas elle servirait simplement à désigner le fait que telles ou telles substances peuvent ou ne peuvent pas se combiner dans telles ou telles circonstances définies. »

Quand un phénomène qui a lieu en dehors du corps vivant ne se passe pas dans l'organisme, ce n'est pas parce qu'il y a là une entité appelé la *vie* qui empêche le phénomène d'avoir lieu, mais c'est parce que la condition du phénomène ne se rencontre pas dans le corps comme au-dehors. C'est ainsi qu'on a pu dire que la vie empêche la fibrine de se coaguler dans les vaisseaux chez un animal vivant, tandis que, en dehors des vaisseaux la fibrine se coagule, parce que la vie n'agit plus sur elle. Il n'en est rien ; il faut certaines conditions physico-chimiques pour faire coaguler la fibrine ; elles sont plus difficiles à réaliser sur le vivant, mais elles peuvent cependant s'y rencontrer, et, dès qu'elles se montrent, la fibrine se coagule aussi bien dans l'organisme qu'au-dehors. La vie qu'on invoquait n'est donc qu'une condition physique qui existe ou qui n'existe pas. J'ai montré que le sucre se produit en plus grande abondance dans le foie après la mort que pendant la vie ; il est des physiologistes qui en ont conclu que la vie avait une influence sur la formation du sucre dans le foie ; ils ont dit que la vie empêchait cette formation et que la mort la favorisait. Ce sont là des opinions vitales qu'on est surpris d'entendre à notre époque et qu'on est étonné de voir être soutenues par des hommes qui se piquent d'appliquer l'exactitude des sciences physiques à la physiologie et à la médecine. Je montrerai plus tard que ce ne sont encore là que des conditions physiques qui sont présentes ou absentes, mais il n'y a rien autre chose de réel; car encore une fois, au fond de toutes ces explications il n'y a que les conditions ou le *déterminisme* des phénomènes à trouver.

En résumé, il faut savoir que les mots que nous employons pour exprimer les phénomènes, quand nous ignorons leurs causes, ne sont rien par eux-mêmes, et que, dès que nous leur accordons une valeur dans la critique ou dans les discussions, nous sortons de l'expérience et nous tombons dans la scolastique. Dans les discussions ou dans les explications de phénomènes, il faut toujours bien se garder de sortir de l'observation et de substituer un mot à la place du fait. On est même très souvent attaquable uniquement parce qu'on est sorti du fait et qu'on a conclu par un mot qui va au-delà de ce qui a été observé. L'exemple suivant le prouvera clairement.

Deuxième exemple. — Lorsque je fis mes recherches sur le suc pancréatique, je constatai que ce fluide renferme une matière spéciale, la *pancréatine,* qui a les caractères mixtes de l'albumine et de la caséine. Cette matière se rapproche de l'albumine en ce qu'elle est coagulable par la chaleur, mais elle diffère en ce que, comme la caséine, elle est précipitable par le sulfate de magnésie. Avant moi, Magendie avait fait des expériences sur le suc pancréatique et il avait dit, d'après ses essais, que le suc pancréatique est un liquide qui contient de l'*albumine,* tandis que moi, je concluais d'après mes recherches, que le suc pancréatique ne renfermait pas d'albumine, mais contenait de la pancréatine, qui est une matière distincte de l'albumine. Je montrai mes expériences à Magendie en lui faisant remarquer que nous étions en désaccord sur la conclusion, mais que nous étions cependant d'accord sur le fait que le suc pancréatique était coagulable par la chaleur; mais seulement il y avait d'autres caractères nouveaux que j'avais vus qui m'empêchaient de conclure à la présence de l'albumine. Magendie me répondit : « Cette dissidence entre nous vient de ce que j'ai conclu plus que je n'ai vu; si j'avais dit simplement : Le suc pancréatique est un liquide coagulable par la chaleur, je serais resté dans le fait et j'aurais été inat-

taquable. » Cet exemple que j'ai toujours retenu me
paraît bien fait pour montrer combien peu il faut attacher de valeur aux mots en dehors des faits qu'ils représentent. Ainsi le mot albumine ne signifie rien par lui-
même ; il nous rappelle seulement des caractères et des
phénomènes. En étendant cet exemple à la médecine,
nous verrions qu'il en est de même et que les mots
fièvre, inflammation, et les noms des maladies en général, n'ont aucune signification par eux-mêmes.

Quand on crée un mot pour caractériser un phénomène, on s'entend en général à ce moment sur l'idée
qu'on veut lui faire exprimer et sur la signification exacte
qu'on lui donne, mais plus tard, par les progrès de la
science, le sens du mot change pour les uns, tandis que
pour les autres le mot reste dans le langage avec sa signification primitive. Il en résulte alors une discordance
qui, souvent, est telle, que des hommes, en employant
le même mot, expriment des idées très différentes.
Notre langage n'est en effet qu'approximatif, et il est si
peu précis, même dans les sciences, que, si l'on perd des
phénomènes de vue pour s'attacher aux mots, on est
bien vite en dehors de la réalité. On ne peut alors que
nuire à la science quand on discute pour conserver un
mot qui n'est plus qu'une cause d'erreur, en ce sens
qu'il n'exprime plus la même idée pour tous. Concluons
donc qu'il faut toujours s'attacher aux phénomènes et
ne voir dans le mot qu'une expression vide de sens si
les phénomènes qu'il doit représenter ne sont pas déterminés ou s'ils viennent à manquer.

L'esprit a naturellement des tendances systématiques,
et c'est pour cela que l'on cherche à s'accorder plutôt
sur les mots que sur les choses. C'est une mauvaise direction dans la critique expérimentale qui embrouille les
questions et fait croire à des dissidences qui, le plus souvent, n'existent que dans la manière dont on interprète
les phénomènes au lieu de porter sur l'existence des faits
et sur leur importance réelle. Comme tous ceux qui ont
eu le bonheur d'introduire dans la science des faits inattendus ou des idées nouvelles, j'ai été et je suis encore
l'objet de beaucoup de critiques. Je n'ai point répondu
jusqu'ici à mes contradicteurs parce que, ayant toujours
des travaux à poursuivre, le temps et l'occasion m'ont
manqué ; mais dans la suite de cet ouvrage l'opportunité
se présentera tout naturellement de faire cet examen, et
en appliquant les principes de critique expérimentale que

nous avons indiqués dans les paragraphes précédents, il nous sera facile de juger toutes ces critiques. Nous dirons seulement, en attendant, qu'il y a toujours deux choses essentielles à distinguer dans la critique expérimentale : *le fait* d'expérience et son *interprétation*. La science exige avant tout qu'on s'accorde sur le fait parce que c'est lui qui constitue la base sur laquelle on doit raisonner. Quant aux interprétations et aux idées, elles peuvent varier, et c'est même un bien qu'elles soient discutées, parce que ces discussions portent à faire d'autres recherches et à entreprendre de nouvelles expériences. Il s'agira donc de ne jamais perdre de vue en physiologie les principes de la vraie critique scientifique et de n'y jamais mêler aucune personnalité ni aucun artifice. Parmi les artifices de la critique, il en est beaucoup dont nous n'avons pas à nous occuper parce qu'ils sont extra-scientifiques, mais il en est un cependant qu'il faut signaler. C'est celui qui consiste à ne relever dans un travail que ce qu'il y a d'attaquable et de défectueux en négligeant ou en dissimulant ce qu'il y a de bon et d'important. Ce procédé est celui d'une fausse critique. En science, le mot de critique n'est point synonyme de dénigrement; critiquer signifie rechercher la vérité en séparant ce qui est vrai de ce qui est faux, en distinguant ce qui est bon de ce qui est mauvais. Cette critique, en même temps qu'elle est juste pour le savant, est la seule qui soit profitable pour la science. C'est ce qu'il nous sera facile de démontrer par la suite dans les exemples particuliers dont nous aurons à faire mention.

CHAPITRE III

DE L'INVESTIGATION ET
DE LA CRITIQUE APPLIQUÉES
A LA MÉDECINE EXPÉRIMENTALE

Les procédés d'investigation et de critique scientifiques ne sauraient différer d'une science à l'autre, et à plus forte raison dans les diverses parties d'une même science. Il sera donc facile de montrer que les règles que nous avons indiquées dans le chapitre précédent pour les recherches physiologiques sont absolument les mêmes que celles qu'il convient de suivre pour la pathologie et pour la thérapeutique. Ce qui veut dire que les méthodes d'investigation dans les phénomènes de la vie doivent être les mêmes à l'état normal et à l'état pathologique. C'est là un principe qui nous paraît fondamental dans les sciences biologiques.

I. — DE L'INVESTIGATION PATHOLOGIQUE ET THÉRAPEUTIQUE

En pathologie et en thérapeutique, comme en physiologie, l'investigation scientifique a pour point de départ tantôt un fait fortuit ou survenu par hasard, tantôt une hypothèse, c'est-à-dire une idée.

J'ai entendu parfois émettre par des médecins l'opinion que la médecine n'est pas une science, parce que toutes les connaissances que l'on possède en médecine pratique sont empiriques et nées du hasard, tandis que les connaissances scientifiques se déduisent avec certitude d'une théorie ou d'un principe. Il y a là une erreur que je désire faire remarquer.

Toutes les connaissances humaines ont forcément commencé par des observations fortuites. L'homme ne pouvait en effet avoir la connaissance des choses qu'après les avoir vues, et la première fois c'est nécessairement

par hasard qu'il a dû les voir. Ce n'est qu'après avoir
acquis un certain nombre de notions, par l'observation,
que l'homme a raisonné sur ce qu'il avait observé d'abord
par hasard, puis il a été conduit à se faire des idées sur
les choses, à rapprocher les faits anciens et à en déduire
de nouveaux qui leur étaient analogues; en un mot, il
a été amené, après l'observation empirique, à trouver
d'autres faits, non plus par pur hasard, mais par induction.

Au fond l'empirisme, c'est-à-dire l'observation ou
l'expérience fortuite, a donc été l'origine de toutes les
sciences, il en a été forcément la première période.
Mais l'empirisme n'est un état permanent dans aucune
science. Dans les sciences complexes de l'humanité,
l'empirisme gouvernera nécessairement la pratique bien
plus longtemps que dans les sciences plus simples.
Aujourd'hui la pratique médicale est empirique dans le
plus grand nombre des cas; mais cela ne veut pas dire
que la médecine ne sortira jamais de l'empirisme. Elle
en sortira plus difficilement à cause de la complexité
des phénomènes, mais c'est une raison pour redoubler
d'efforts et pour entrer dans la voie scientifique aussitôt
qu'on le pourra. En un mot, l'empirisme n'est point la
négation de la science expérimentale, comme semblent le
croire certains médecins, ce n'en est que le premier état.
Il faut ajouter même que l'empirisme ne disparaît
jamais complètement d'aucune science. Les sciences,
en effet, ne s'illuminent pas dans toutes leurs parties à
la fois; elles ne se développent que successivement. En
physique et en chimie, il est des parties où l'empirisme
existe encore; ce qui le prouve, c'est que tous les jours
on y fait des découvertes par hasard, c'est-à-dire imprévues par les théories régnantes. Je conclurai donc que
dans les sciences on ne fait des découvertes que parce que
toutes ont encore des parties obscures. En médecine, les
découvertes à faire sont plus nombreuses, car l'empirisme et l'obscurité règnent presque partout. Cela prouve
que cette science si complexe est plus arriérée que
d'autres, mais voilà tout.

Les observations médicales nouvelles se font généralement par hasard; si un malade porteur d'une affec-
tion jusqu'alors inconnue entre dans un hôpital ou vient
consulter un médecin, c'est bien par hasard que le médecin rencontre ce malade. Mais c'est exactement de la
même manière qu'un botaniste rencontre dans la cam-

pagne une plante qu'il ne connaissait pas, et c'est aussi par hasard qu'un astronome aperçoit dans le ciel une planète dont il ignorait l'existence. Dans ces circonstances, l'initiative du médecin consiste à voir et à ne pas laisser échapper le fait que le hasard lui a offert et son mérite se réduit à l'observer avec exactitude. Je ne puis entrer ici dans l'examen des caractères que doit avoir une bonne observation médicale. Il serait également fastidieux de rapporter des exemples d'observations médicales faites par hasard; elles fourmillent dans les ouvrages de médecine et tout le monde en connaît. Je me bornerai donc à dire d'une manière générale que, pour faire une bonne observation médicale, il est non seulement nécessaire d'avoir l'esprit d'observation, mais il faut de plus être physiologiste. On interprétera mieux les significations diverses d'un phénomène morbide, on lui donnera sa valeur réelle et on ne tombera point dans l'inconvénient que Sydenham reprochait à certains médecins de mettre des phénomènes importants d'une maladie sur le même plan que d'autres phénomènes insignifiants et accidentels, comme un botaniste qui décrirait les morsures de chenilles au nombre des caractères d'une plante *. Il faut apporter du reste dans l'observation d'un phénomène pathologique, c'est-à-dire d'une maladie, exactement les mêmes conditions d'esprit et la même rigueur que dans l'observation d'un phénomène physiologique. Il ne faut jamais aller au-delà du fait et être en quelque sorte le photographe de la nature.

Mais une fois l'observation médicale bien posée, elle devient, comme en physiologie, le point de départ d'idées ou d'hypothèses que le médecin expérimentateur est conduit à vérifier par de nouvelles observations faites sur les malades ou par des expérimentations instituées sur les animaux.

Nous avons dit qu'il arrive souvent qu'en faisant une recherche physiologique, il surgit un fait nouveau qu'on ne cherchait pas, cela se voit également en pathologie. Il me suffira de citer, pour le prouver, l'exemple récent de Zenker qui, en poursuivant la recherche de certaines altérations du système musculaire dans la fièvre typhoïde, trouva des trichines qu'il ne cherchait pas **. En patho-

---

* Sydenham, *Médecine pratique*. Préface, p. 12.
** Voy. *Rapport des prix de médecine et de chirurgie pour* 1864 *(Comptes rendus de l'Acad. des sciences)*.

logie comme en physiologie, le mérite de l'investigateur consiste à poursuivre dans une expérience ce qu'il y cherche, mais à voir en même temps ce qu'il ne cherchait pas.

L'investigation pathologique peut aussi avoir pour point de départ une théorie, une hypothèse ou une idée préconçue. Il serait facile de donner des exemples qui prouveraient qu'en pathologie comme en physiologie, des idées absurdes peuvent parfois conduire à des découvertes utiles, de même qu'il ne serait pas difficile de trouver des arguments pour prouver que les théories même les plus accréditées ne doivent être regardées que comme des théories provisoires et non comme des vérités absolues auxquelles il faille faire plier les faits.

L'investigation thérapeutique rentre exactement dans les mêmes règles que l'investigation physiologique et pathologique. Tout le monde sait que le hasard a été le premier promoteur de la science thérapeutique, et que c'est par hasard qu'on a observé les effets de la plupart des médicaments. Souvent aussi les idées ont guidé le médecin dans ses essais thérapeutiques, et il faut dire aussi que souvent c'étaient des théories ou des idées les plus étranges ou les plus absurdes. Il me suffira de citer les théories de Paracelse qui déduisaient l'action des médicaments d'après des influences astrologiques, et de rappeler les idées de Porta qui donnait aux plantes des usages médicamentaux déduits de la ressemblance de ces plantes avec certains organes malades; ainsi la carotte guérissait la jaunisse; la pulmonaire, la phthisie, etc. *.

En résumé, nous ne saurions établir aucune distinction fondée entre les méthodes d'investigation que l'on doit appliquer en physiologie, en pathologie et en thérapeutique. C'est toujours la même méthode d'observation et d'expérimentation immuable dans ses principes, offrant seulement quelques particularités dans l'application suivant la complexité relative des phénomènes. Nous ne saurions trouver, en effet, aucune différence radicale entre la nature des phénomènes physiologiques, pathologiques et thérapeutiques. Tous ces phénomènes dérivent de lois qui, étant propres à la matière vivante, sont identiques dans leur essence et ne varient que par

---

* Voyez Chevreul, *Considérations sur l'histoire de la partie de la médecine qui concerne la prescription des remèdes* (*Journal des savants*, 1865.)

les conditions diverses dans lesquelles les phénomènes se manifestent. Nous verrons, plus tard, que les lois physiologiques se retrouvent dans les phénomènes pathologiques d'où il suit que la véritable base scientifique de la thérapeutique doit être donnée par la connaissance de l'action physiologique des causes morbides, des médicaments ou des poisons, ce qui est exactement la même chose.

II. — DE LA CRITIQUE EXPÉRIMENTALE PATHOLOGIQUE ET THÉRAPEUTIQUE

C'est la critique des faits qui donne aux sciences leur véritable caractère. Toute critique scientifique doit ramener les faits au rationalisme. Si, au contraire, la critique est ramenée à un sentiment personnel, la science disparaît parce qu'elle repose sur un critérium qui ne peut ni se prouver ni se transmettre ainsi que cela doit avoir lieu pour les vérités scientifiques. J'ai souvent entendu des médecins à qui l'on demandait la raison de leur diagnostic répondre : Je ne sais pas comment je reconnais tel cas, mais cela se voit; ou bien quand on leur demandait pourquoi ils administraient certains remèdes, ils répondaient qu'ils ne sauraient le dire exactement, et que d'ailleurs ils n'étaient pas tenus d'en rendre raison, puisque c'était leur tact médical et leur intuition qui les dirigeaient. Il est facile de comprendre que les médecins qui raisonnent ainsi nient la science. Mais, en outre, on ne saurait s'élever avec trop de force contre de semblables idées qui sont mauvaises non seulement parce qu'elles étouffent pour la jeunesse tout germe scientifique, mais parce qu'elles favorisent surtout la paresse, l'ignorance et le charlatanisme. Je comprends parfaitement qu'un médecin dise qu'il ne se rend pas toujours compte d'une manière rationnelle de ce qu'il fait et j'admets qu'il en conclue que la science médicale est encore plongée dans les ténèbres de l'empirisme; mais qu'il parte de là pour élever son tact médical ou son intuition à la hauteur d'un critérium qu'il prétend ensuite imposer sans autre preuve, c'est ce qui est complètement antiscientifique.

La seule critique scientifique qui existe en pathologie et en thérapeutique comme en physiologie est la critique expérimentale, et cette critique, qu'on se l'applique à

soi-même ou aux travaux des autres, doit toujours être
fondée sur le déterminisme absolu des faits. La critique
expérimentale, ainsi que nous l'avons vu, doit faire
repousser la statistique comme base de la science pathologique et thérapeutique expérimentales. Il faudra en
pathologie et en thérapeutique répudier les faits indéterminés, c'est-à-dire ces observations mal faites ou parfois même imaginées que l'on apporte sans cesse comme
des objections perpétuelles. Ce sont, comme en physiologie, des faits bruts qui ne sauraient entrer dans le
raisonnement scientifique qu'à la condition d'être déterminés et exactement définis dans leurs conditions
d'existence.

Mais le caractère de la critique en pathologie et en
thérapeutique, c'est d'exiger avant tout l'observation
ou l'expérience comparative. En effet, comment un médecin pourra-t-il juger l'influence d'une cause morbifique
s'il n'élimine par une expérience comparative toutes les
circonstances accessoires qui peuvent devenir des causes
d'erreurs et lui faire prendre de simples coïncidences
pour des relations de cause à effet. En thérapeutique
surtout la nécessité de l'expérience comparative a toujours
frappé les médecins doués de l'esprit scientifique. On ne
peut juger de l'influence d'un remède sur la marche et la
terminaison d'une maladie, si préalablement on ne
connaît la marche et la terminaison naturelles de cette
maladie. C'est pourquoi Pinel disait dans sa clinique :
Cette année nous observerons les maladies sans les traiter,
et l'année prochaine nous les traiterons. On doit scientifiquement adopter l'idée de Pinel sans cependant
admettre cette expérience comparative à longue échéance
qu'il proposait. En effet, les maladies peuvent varier
dans leur gravité d'une année à l'autre; les observations
de Sydenham sur l'influence indéterminée ou inconnue
de ce qu'il appelle le génie épidémique sont là pour
le prouver. L'expérience comparative exige donc, pour
être valable, d'être faite dans le même temps et sur des
malades aussi comparables que possible. Malgré cela,
cette comparaison est encore hérissée de difficultés
immenses que le médecin doit chercher à diminuer; car
l'expérience comparative est la condition *sine qua non*
de la médecine expérimentale et scientifique, autrement
le médecin marche à l'aventure et devient le jouet de
mille illusions. Un médecin qui essaye un traitement
et qui guérit ses malades est porté à croire que la guérison

est due à son traitement. Souvent des médecins se vantent d'avoir guéri tous leurs malades par un remède qu'ils ont employé. Mais la première chose qu'il faudrait leur demander, ce serait s'ils ont essayé de ne rien faire, c'est-à-dire de ne pas traiter d'autres malades; car, autrement, comment savoir si c'est le remède ou la nature qui a guéri ? Gall a écrit un livre assez peu connu * sur cette question de savoir quelle est la part de la nature et de la médecine dans la guérison des maladies, et il conclut tout naturellement que cette part est fort difficile à faire. Tous les jours on peut se faire les plus grandes illusions sur la valeur d'un traitement si on n'a pas recours à l'expérience comparative. J'en rappellerai seulement un exemple récent relatif au traitement de la pneumonie. L'expérience comparative a montré en effet que le traitement de la pneumonie par la saignée, que l'on croyait très efficace, n'est qu'une illusion thérapeutique **.

De tout cela je conclurai donc que l'observation et l'expérience comparatives sont la seule base solide de la médecine expérimentale, et que la physiologie, la pathologie et la thérapeutique doivent être soumises aux lois de cette critique commune.

* Gall, *Philosophische medicinische Untersuchungen über Kunst und Natur im gesunden und kranken Zustand der Menschen.* Leipzig, 1800.
** Béclard, *Rapport général sur les prix décernés en 1862 (Mémoires de l'Académie de médecine).* Paris, 1863, tome XXVI, page XXIII.

CHAPITRE IV

DES OBSTACLES PHILOSOPHIQUES
QUE RENCONTRE
LA MÉDECINE EXPÉRIMENTALE

D'après tout ce qui a été dit dans cette introduction, les obstacles principaux que rencontre la médecine expérimentale résident dans la complexité énorme des phénomènes qu'elle étudie. Je n'ai pas à revenir sur ce point qui a été développé déjà sous toutes les formes. Mais, outre ces difficultés toutes matérielles et en quelque sorte objectives, il y a pour la médecine expérimentale des obstacles qui résident dans des vices de méthodes, dans des mauvaises habitudes de l'esprit ou dans certaines idées fausses dont nous allons dire quelques mots.

I. — DE LA FAUSSE APPLICATION DE LA PHYSIOLOGIE
A LA MÉDECINE

Je n'ai certainement pas la prétention d'avoir le premier proposé d'appliquer la physiologie à la médecine. Cela a été recommandé depuis longtemps et des tentatives très nombreuses ont été faites dans cette direction. Dans mes travaux et dans mon enseignement au Collège de France je ne fais donc que poursuivre une idée qui déjà porte ses fruits par les applications qu'on en fait à la médecine. Aujourd'hui plus que jamais, les jeunes médecins marchent dans cette voie, qui est considérée avec juste raison comme la voie du progrès. Toutefois j'ai vu souvent cette application de la physiologie à la médecine être très mal comprise, de sorte que non seulement elle ne produit pas tous les bons résultats qu'on est en droit d'en attendre, mais elle devient même nuisible et fournit alors des arguments aux détracteurs de la médecine expérimentale. Il importe donc beaucoup de nous expliquer à ce sujet; car il s'agit ici d'une importante question de méthode, et ce sera une nouvelle occasion de fixer d'une manière plus précise le véritable point de vue de ce que nous appelons la *Médecine expérimentale*.

La médecine expérimentale diffère dans son but de la *Médecine d'observation* de la même manière que les sciences d'observation, en général, diffèrent des sciences expérimentales. Le but d'une science d'observation est de découvrir les lois des phénomènes naturels afin de les prévoir; mais elle ne saurait les modifier ni les maîtriser à son gré. Le type de ces sciences est l'astronomie; nous pouvons prévoir les phénomènes astronomiques, mais nous ne saurions rien y changer. Le but d'une science expérimentale est de découvrir les lois des phénomènes naturels, non seulement pour les prévoir, mais dans le but de les régler à son gré et de s'en rendre maître; telles sont la physique et la chimie.

Or, parmi les médecins il en est qui ont pu croire que la médecine devait rester une science d'observation, c'est-à-dire une médecine capable de prévoir le cours et l'issue des maladies, mais ne devant pas agir directement sur la maladie. Il en est d'autres, et je suis du nombre, qui ont pensé que la médecine pouvait être une science expérimentale, c'est-à-dire une médecine capable de descendre dans l'intérieur de l'organisme, et de trouver le moyen de modifier et de régler jusqu'à un certain point les ressorts cachés de la machine vivante. Les médecins observateurs ont considéré l'organisme vivant comme un petit monde contenu dans le grand, comme une sorte de planète vivante et éphémère dont les mouvements étaient régis par des lois que l'observation simple pouvait nous faire découvrir de manière à prévoir la marche et l'évolution des phénomènes vitaux à l'état sain ou malade, mais sans jamais devoir modifier en rien leur cours naturel. Cette doctrine se trouve dans toute sa pureté dans Hippocrate. La médecine d'observation simple, on le comprend, exclut toute intervention médicale active, c'est pour cela qu'elle est aussi connue sous le nom de *médecine expectante*, c'est-à-dire de médecine qui observe et prévoit le cours des maladies, mais sans avoir pour but d'agir directement sur leur marche *. Sous ce rapport il est très rare de trouver un médecin purement hippocra-

---

* Leçon d'ouverture du cours de médecine au Collège de France. *Revue des cours scientifiques*, 31 décembre 1864.

tiste, et il serait facile de prouver que beaucoup de médecins, qui préconisent bien haut l'hippocratisme, ne s'en
réfèrent pas du tout à ses préceptes quand ils se livrent
aux écarts des médications empiriques les plus actives
et les plus désordonnées. Ce n'est pas que je condamne
ces essais thérapeutiques qui ne sont, la plupart du
temps, que des expérimentations *pour voir*, seulement
je dis que ce n'est plus là de la médecine hippocratique,
mais de l'empirisme. Le médecin empirique, qui agit
plus ou moins aveuglément, expérimente en définitive
sur les phénomènes vitaux et, à ce titre, il se place
dans la période empirique de la médecine expérimentale.

La médecine expérimentale est donc la médecine qui
a la prétention de connaître les lois de l'organisme sain
et malade de manière non seulement à prévoir les phénomènes, mais aussi de façon à pouvoir les régler et les
modifier dans certaines limites. D'après ce que nous
avons dit plus haut, on s'apercevra facilement que la
médecine tend fatalement à devenir expérimentale, et
que tout médecin qui donne des médicaments actifs
à ses malades coopère à l'édification de la médecine
expérimentale. Mais, pour que cette action du médecin
expérimentateur sorte de l'empirisme et mérite le nom
de science, il faut qu'elle soit fondée sur la connaissance
des lois qui régissent les actions vitales dans le milieu
intérieur de l'organisme, soit à l'état sain, soit à l'état
pathologique. La base scientifique de la médecine expérimentale est la physiologie; nous l'avons dit bien souvent, il faut le proclamer bien haut parce que, hors de là,
il n'y a point de science médicale possible. Les malades
ne sont au fond que des phénomènes physiologiques
dans des conditions nouvelles qu'il s'agit de déterminer;
les actions toxiques et médicamenteuses se ramènent,
comme nous le verrons, à de simples modifications
physiologiques dans les propriétés des éléments histologiques de nos tissus. En un mot, la physiologie doit être
constamment appliquée à la médecine pour comprendre
et expliquer le mécanisme des maladies et l'action des
agents médicamenteux ou toxiques. Or, c'est précisément cette application de la physiologie qu'il s'agit ici
de bien définir.

Nous avons vu plus haut en quoi la médecine expérimentale diffère de l'hippocratisme et de l'empirisme;
mais nous n'avons pas dit pour cela que la médecine

expérimentale dût renier la médecine d'observation et l'emploi empirique des médicaments; loin de là, la médecine expérimentale se sert de l'observation médicale et de l'empirisme comme point d'appui nécessaire. En effet, la médecine expérimentale ne repousse jamais systématiquement aucun fait ni aucune observation populaire, elle doit tout examiner expérimentalement et elle cherche l'explication scientifique des faits que la médecine d'observation et l'empirisme ont d'abord constatés. Donc la médecine expérimentale est ce que je pourrais appeler la seconde période de la médecine d'observation; et il est tout naturel dès lors que la seconde période s'ajoute à la première en reposant sur elle. Donc la première condition pour faire de la médecine expérimentale, c'est d'être d'abord médecin observateur; c'est de partir de l'observation pure et simple du malade faite aussi complètement que possible; puis la science expérimentale arrive ensuite pour analyser chacun des symptômes en cherchant à les ramener à des explications et à des lois vitales qui comprendront le rapport de l'état pathologique avec l'état normal ou physiologique.

Mais dans l'état actuel de la science biologique, nul ne saurait avoir la prétention d'expliquer complètement la pathologie par la physiologie; il faut y tendre parce que c'est la voie scientifique; mais il faut se garder de l'illusion de croire que le problème est résolu. Par conséquent, ce qu'il est prudent et raisonnable de faire pour le moment, c'est d'expliquer dans une maladie tout ce que l'on peut en expliquer par la physiologie en laissant ce qui est encore inexplicable pour les progrès ultérieurs de la science biologique. Cette sorte d'analyse successive, qui ne s'avance dans l'application des phénomènes pathologiques qu'à mesure que les progrès de la science physiologique le permettent, isole peu à peu, et par voie d'élimination, l'élément essentiel de la maladie, en saisit plus exactement les caractères et permet de diriger les efforts de la thérapeutique avec plus de certitude. En outre, avec cette marche analytique progressive, on conserve toujours à la maladie son caractère et sa physionomie propres. Mais si au lieu de cela on profite de quelques rapprochements possibles entre la pathologie et la physiologie pour vouloir expliquer d'emblée toute la maladie, alors on perd le malade de vue, on défigure la maladie et par une fausse application de la physiologie on retarde la médecine expérimentale au lieu de lui faire faire des progrès.

Malheureusement je devrai faire ce reproche de fausse application de la physiologie à la pathologie non seulement à des physiologistes purs, mais je l'adresserai aussi à des pathologistes ou à des médecins de profession. Dans diverses publications récentes de médecine, dont j'approuve et loue d'ailleurs les tendances physiologiques, j'ai vu par exemple qu'on commençait par faire, avant l'exposé des observations médicales, un résumé de tout ce que la physiologie expérimentale avait appris sur les phénomènes relatifs à la maladie dont on devait s'occuper. Ensuite on apportait des observations de malades, parfois sans but scientifique précis, d'autres fois pour montrer que la physiologie et la pathologie concordaient. Mais, outre que la concordance n'est pas toujours facile à établir, parce que la physiologie expérimentale offre souvent des points encore à l'étude, je trouve une semblable manière de procéder essentiellement funeste pour la science médicale, en ce qu'elle subordonne la pathologie, science plus complexe, à la physiologie, science plus simple. En effet, c'est l'inverse de ce qui a été dit précédemment qu'il faut faire; il faut poser d'abord le problème médical tel qu'il est donné par l'observation de la maladie, puis analyser expérimentalement les phénomènes pathologiques en cherchant à en donner l'explication physiologique. Mais dans cette analyse l'observation médicale ne doit jamais disparaître ni être perdue de vue; elle reste comme la base constante ou le terrain commun de toutes les études et de toutes les explications.

Dans mon ouvrage, je ne pourrai présenter les choses dans l'ensemble que je viens de dire, parce que j'ai dû me borner à donner les résultats de mon expérience dans la science physiologique, que j'ai le plus étudiée. J'ai la pensée d'être utile à la médecine scientifique en publiant ce simple essai sur les principes de la médecine expérimentale. En effet, la médecine est si vaste, que jamais on ne peut espérer trouver un homme qui puisse en cultiver avec fruit toutes les parties à la fois. Seulement il faut que chaque médecin, dans la partie où il s'est cantonné, comprenne bien la connexion scientifique de toutes les sciences médicales afin de donner à ses recherches une direction utile pour l'ensemble et d'éviter ainsi l'anarchie scientifique. Si je ne fais pas ici de la médecine clinique, je dois néanmoins la sous-entendre et lui assigner la première place dans la médecine expérimentale. Donc, si je concevais un traité de médecine expérimentale, je procéderais en faisant de l'observation des maladies la base invariable de toutes les analyses expérimentales. Je procéderais ensuite symptôme par symptôme dans mes explications jusqu'à épuisement des lumières qu'on peut obtenir aujourd'hui de la physiologie expérimentale, et de tout cela il résulterait une observation médicale réduite et simplifiée.

En disant plus haut qu'il ne faut expliquer dans les maladies, au moyen de la physiologie expérimentale, que ce qu'on peut expliquer, je ne voudrais pas qu'on comprît mal ma pensée et qu'on crût que j'avoue qu'il y a dans les maladies des choses qu'on ne pourra jamais expliquer physiologiquement. Ma pensée serait complètement opposée; car je crois qu'on expliquera tout en pathologie mais peu à peu, à mesure que la physiologie expérimentale se développera. Il y a sans doute aujourd'hui des maladies, comme les maladies éruptives, par exemple, sur lesquelles nous ne pouvons rien encore expliquer parce que les phénomènes physiologiques qui leur sont relatifs nous sont inconnus. L'objection qu'en tirent certains médecins contre l'utilité de la physiologie, en médecine, ne saurait donc être prise en considération. C'est là une manière d'argumenter qui tient de la scolastique et qui prouve que ceux qui l'emploient n'ont pas une idée exacte du développement d'une science telle que peut être la médecine expérimentale.

En résumé, la physiologie expérimentale, en devenant la base naturelle de la médecine expérimentale, ne saurait supprimer l'observation du malade ni en diminuer l'importance. De plus, les connaissances physiologiques sont indispensables non seulement pour expliquer la maladie, mais elles sont aussi nécessaires pour faire une bonne observation clinique. J'ai vu par exemple des observateurs décrire comme accidentels ou s'étonner de certains phénomènes calorifiques qui résultaient parfois de la lésion des nerfs; s'ils avaient été physiologistes, ils auraient su quelle valeur il fallait donner à ces phénomènes morbides, qui ne sont en réalité que des phénomènes physiologiques.

II. — L'IGNORANCE SCIENTIFIQUE ET CERTAINES ILLUSIONS DE L'ESPRIT MÉDICAL SONT UN OBSTACLE AU DÉVELOPPEMENT DE LA MÉDECINE EXPÉRIMENTALE

Nous venons de dire que les connaissances en physiologie sont les bases scientifiques indispensables au médecin; par conséquent il faut cultiver et répandre les sciences physiologiques si l'on veut favoriser le développement de la médecine expérimentale. Cela est d'autant plus nécessaire que c'est le seul moyen de fonder la médecine scientifique, et nous sommes malheureusement encore loin du temps où nous verrons l'esprit scientifique régner généralement parmi les médecins. Or, cette absence d'habitude scientifique de l'esprit est un obstacle considérable parce qu'elle laisse croire aux forces occultes dans la médecine, repousse le déterminisme dans les phénomènes de la vie et admet facilement que les phénomènes des êtres vivants sont régis par des forces vitales mystérieuses qu'on invoque à tout instant. Quand un phénomène obscur ou inexplicable se présente en médecine, au lieu de dire : Je ne sais, ainsi que tout savant doit faire, les médecins ont l'habitude de dire : C'est la vie; sans paraître se douter que c'est expliquer l'obscur par le plus obscur encore. Il faut donc s'habituer à comprendre que la science n'est que le déterminisme des conditions des phénomènes, et chercher toujours à supprimer complètement la vie de l'explication de tout phénomène physiologique; la vie n'est rien qu'un mot qui veut dire ignorance, et quand nous qualifions un phénomène de *vital*, cela équivaut à dire que c'est un phénomène dont nous ignorons la cause prochaine ou les conditions. La science doit expliquer toujours le plus obscur et le plus complexe par le plus simple et le plus clair. Or, la vie, qui est ce qu'il y a de plus obscur, ne peut jamais servir d'explication à rien. J'insiste sur ce point parce que j'ai vu des chimistes invoquer parfois eux-mêmes la vie pour expliquer certains phénomènes physico-chimiques spéciaux aux êtres vivants. Ainsi le ferment de la levure de bière est une matière vivante organisée qui a la propriété de dédoubler le sucre en alcool et acide carbonique et en quelques autres produits. J'ai quelquefois entendu dire que cette propriété de dédoubler le sucre était due à la *vie* propre du globule de levure. C'est là une explication vitale qui ne veut rien dire et qui n'explique en rien la faculté dédoublante de la levure de bière. Nous ignorons la nature de cette propriété dédoublante, mais elle doit nécessairement appartenir à l'ordre physico-chimique et être aussi nettement déterminée que la propriété de la mousse de platine, par exemple, qui provoque des dédoublements plus ou moins analogues, mais qu'on ne saurait attribuer dans ce cas à aucune force vitale. En un mot, toutes les propriétés de la matière vivante sont, au fond, ou des propriétés connues et déterminées, et alors nous les appelons propriétés *physico-chimiques*, ou des propriétés inconnues et indéterminées, et alors nous les nommons propriétés *vitales*. Sans doute il y a pour les êtres vivants une force spéciale qui ne se rencontre pas ailleurs, et qui préside à leur organisation, mais l'existence de cette force ne saurait rien changer aux notions que nous nous faisons des propriétés de la matière organisée, matière qui, une fois créée, est douée de propriétés physico-chimiques fixes et déterminées. La force vitale est donc une force *organisatrice et nutritive*, mais elle ne détermine en aucune façon la manifestation des propriétés de la matière vivante. En un mot, le physiologiste et le médecin doivent chercher à ramener les propriétés vitales à des propriétés physico-chimiques et non les propriétés physico-chimiques à des propriétés vitales.

Cette habitude des explications vitales rend crédule et favorise l'introduction dans la science de faits erronés ou absurdes. Ainsi tout récemment j'ai été consulté par un médecin praticien très honorable et très considéré d'ailleurs, qui me demandait mon avis sur un cas très merveilleux dont il était très sûr, disait-il, parce qu'il avait pris toutes les précautions nécessaires pour bien l'observer; il s'agissait d'une femme qui vivait en bonne santé, sauf quelques accidents nerveux, et qui n'avait rien mangé ni bu depuis plusieurs années. Il est évident que ce médecin, persuadé que la force vitale était capable de tout, ne cherchait pas d'autre explication et croyait que son cas pouvait être vrai. La plus petite idée scientifique et les plus simples notions de physiologie auraient cependant pu le détromper en lui montrant que ce qu'il avançait équivalait à peu près à dire qu'une bougie peut briller et rester allumée pendant plusieurs années sans s'user.

La croyance que les phénomènes des êtres vivants sont

dominés par une force vitale indéterminée donne souvent aussi une base fausse à l'expérimentation, et substitue un mot vague à la place d'une analyse expérimentale précise. J'ai vu souvent des médecins soumettre à l'investigation expérimentale certaines questions dans lesquelles ils prenaient pour point de départ la vitalité de certains organes, l'idiosyncrasie de certains individus ou l'antagonisme de certains médicaments. Or, la vitalité, l'idiosyncrasie et l'antagonisme ne sont que des mots vagues qu'il s'agirait d'abord de caractériser et de ramener à une signification définie. C'est donc un principe absolu en méthode expérimentale de prendre toujours pour point de départ d'une expérimentation ou d'un raisonnement un fait précis ou une bonne observation, et non un mot vague. C'est pour ne pas se conformer à ce précepte analytique que, le plus souvent, les discussions des médecins et des naturalistes n'aboutissent pas. En un mot, il est de rigueur dans l'expérimentation sur les êtres vivants comme dans les corps bruts, de bien s'assurer avant de commencer l'analyse expérimentale d'un phénomène, que ce phénomène existe, et de ne jamais se laisser illusionner par les mots qui nous font perdre de vue la réalité des faits.

Le doute est, ainsi que nous l'avons développé ailleurs, la base de l'expérimentation; toutefois il ne faut pas confondre le doute philosophique avec la négation systématique qui met en doute même les principes de la science. Il ne faut douter que des théories, et encore il ne faut en douter que jusqu'au déterminisme expérimental. Il y a des médecins qui croient que l'esprit scientifique n'impose pas de limite au doute. A côté de ces médecins qui nient la science médicale en admettant qu'on ne peut rien savoir de positif, il en est d'autres qui la nient par un procédé contraire, en admettant qu'on apprend la médecine sans savoir comment et qu'on la possède par une sorte de science infuse qu'ils appellent le *tact médical*. Sans doute je ne conteste pas qu'il puisse exister en médecine comme dans les autres sciences pratiques, ce qu'on appelle le *tact* ou le *coup d'œil*. Tout le monde sait, en effet, que l'habitude peut donner une sorte de connaissance empirique des choses capable de guider le praticien, quoiqu'il ne s'en rende pas toujours exactement compte au premier abord. Mais ce que je blâme, c'est de rester volontairement dans cet état d'empirisme et de ne pas chercher à en sortir. Par l'observation attentive et par l'étude on peut toujours arriver à se rendre compte de ce que l'on fait et parvenir par suite à transmettre aux autres ce que l'on sait. Je ne nie pas d'ailleurs que la pratique médicale n'ait de grandes exigences; mais ici je parle science pure et je combats le tact médical comme une donnée antiscientifique qui, par ses excès faciles, nuit considérablement à la science.

Une autre opinion fausse assez accréditée et même professée par de grands médecins praticiens, est celle qui consiste à dire que la médecine n'est pas destinée à devenir une science, mais seulement un art, et que par conséquent le médecin ne doit pas être un savant, mais un artiste. Je trouve cette idée erronée et encore essentiellement nuisible au développement de la médecine expérimentale. D'abord qu'est-ce qu'un artiste ? C'est un homme qui réalise dans une œuvre d'art une idée ou un sentiment qui lui est personnel. Il y a donc deux choses : l'artiste et son œuvre; l'œuvre juge nécessairement l'artiste. Mais que sera le médecin artiste ? Si c'est un médecin qui traite une maladie d'après une idée ou un sentiment qui lui sont personnels, où sera alors l'œuvre d'art, qui jugera cet artiste médecin ? Sera-ce la guérison de la maladie ? Outre que ce serait là une œuvre d'art d'un genre singulier, cette œuvre lui sera toujours fortement disputée par la nature. Quand un grand peintre ou un grand sculpteur font un beau tableau ou une magnifique statue, personne n'imagine que la statue ait pu pousser de la terre ou que le tableau ait pu se faire tout seul, tandis qu'on peut parfaitement soutenir que la maladie a guéri toute seule et prouver souvent qu'elle aurait mieux guéri sans l'intervention de l'artiste. Que deviendra donc alors le critérium ou l'œuvre de l'art médical ? Le critérium disparaîtra évidemment, car on ne saurait juger le mérite d'un médecin par le nombre des malades qu'il dit avoir guéris; il devra avant tout prouver scientifiquement que c'est lui qui les a guéris et non la nature. Je n'insisterai pas plus longtemps sur cette prétention artistique des médecins qui n'est pas soutenable. Le médecin ne peut être raisonnablement qu'un savant ou, en attendant, un empirique. L'empirisme, qui au fond veut dire expérience (ἐμπειρία, expérience), n'est que l'expérience inconsciente ou non raisonnée, acquise par l'observation journalière des faits d'où naît la méthode expérimentale elle-même (voy. p. 41). Mais, ainsi que nous le verrons encore dans le paragraphe suivant, l'empirisme, pris dans son vrai sens, n'est que le premier pas de la médecine expérimentale. Le médecin empirique doit tendre à la science, car si, dans la pratique, il se détermine souvent d'après le sentiment d'une expérience inconsciente, il doit toujours au moins, se diriger d'après une induction fondée sur une instruction médicale aussi solide que possible. En un mot, il n'y a pas d'artiste médecin parce qu'il ne peut y avoir d'œuvres d'art médical ; ceux qui se qualifient ainsi nuisent à l'avancement de la science médicale parce qu'ils augmentent la personnalité du médecin en diminuant l'importance de la science ; ils empêchent par là qu'on ne cherche dans l'étude expérimentale des phénomènes un appui et un critérium que l'on croit posséder en soi, par suite d'une inspiration ou par un simple sentiment. Mais, ainsi que je viens de le dire, cette prétendue inspiration thérapeutique du médecin n'a souvent d'autres preuves qu'un fait de hasard qui peut favoriser l'ignorant et le charlatan, aussi bien que l'homme instruit. Cela n'a donc aucun rapport avec l'inspiration de l'artiste qui doit se réaliser finalement dans une œuvre que chacun peut juger et dont l'exécution exige toujours des études profondes et précises accompagnées souvent d'un travail opiniâtre. Je considère donc que l'inspiration des médecins qui ne s'appuient pas sur la science expérimentale n'est que de la fantaisie, et c'est au nom de la science et de l'humanité qu'il faut la blâmer et la proscrire.

En résumé, la médecine expérimentale, qui est synonyme de médecine scientifique, ne pourra se constituer qu'en introduisant de plus en plus l'esprit scientifique parmi les médecins. La seule chose à faire pour atteindre ce but est, selon moi, de donner à la jeunesse une solide instruction physiologique expérimentale. Ce n'est pas que je veuille dire que la physiologie constitue toute la médecine, je me suis expliqué ailleurs à ce sujet, mais je veux dire que la physiologie expérimentale est la partie la plus scientifique de la médecine, et que les jeunes médecins prendront, par cette étude, des habitudes scientifiques qu'ils porteront ensuite dans l'investigation pathologique et thérapeutique. Le désir que j'exprime ici répondrait à peu près à la pensée de Laplace, à qui on demandait pourquoi il avait proposé de mettre des médecins à l'Académie des sciences puisque la médecine n'est pas une science : « C'est, répondit-il, afin qu'ils se trouvent avec des savants. »

III. — LA MÉDECINE EMPIRIQUE ET LA MÉDECINE EXPÉ-
RIMENTALE NE SONT POINT INCOMPATIBLES; ELLES
DOIVENT ÊTRE AU CONTRAIRE INSÉPARABLES L'UNE DE
L'AUTRE

Il y a bien longtemps que l'on dit et que l'on répète
que les médecins physiologistes les plus savants sont
les plus mauvais médecins et qu'ils sont les plus embar-
rassés quand il faut agir au lit du malade. Cela voudrait-il
dire que la science physiologique nuit à la pratique médicale ? Et dans ce cas, je me serais placé à un point de vue
complètement faux. Il importe donc d'examiner avec
soin cette opinion qui est le thème favori de beaucoup de
médecins praticiens et que je considère pour mon compte
comme entièrement erronée et comme étant toujours
éminemment nuisible au développement de la médecine
expérimentale.

D'abord considérons que la pratique médicale est
une chose extrêmement complexe dans laquelle inter-
viennent une foule de questions d'ordre social et extra-
scientifiques. Dans la médecine pratique vétérinaire
elle-même, il arrive souvent que la thérapeutique se
trouve dominée par des questions d'intérêt ou d'agri-
culture. Je me souviens d'avoir fait partie d'une commis-
sion dans laquelle il s'agissait d'examiner ce qu'il y
avait à faire pour prévenir les ravages de certaines
épizooties de bêtes à cornes. Chacun se livrait à des
considérations physiologiques et pathologiques dans le
but d'établir un traitement convenable pour obtenir la
guérison des animaux malades, lorsqu'un vétérinaire
praticien prit parole pour dire que la question n'était
pas là, et il prouva clairement qu'un traitement qui
guérirait serait la ruine de l'agriculteur, et que ce qu'il y
avait de mieux à faire, c'était d'abattre les animaux
malades en en tirant le meilleur parti possible. Dans la
médecine humaine, il n'intervient jamais de considérations de ce genre, parce que la conservation de la vie de
l'homme doit être le seul but de la médecine. Mais cependant le médecin se trouve souvent obligé de tenir compte,
dans son traitement, de ce qu'on appelle l'influence du
moral sur le physique, et par conséquent d'une foule de
considérations de famille ou de position sociale qui n'ont
rien à faire avec la science. C'est ce qui fait qu'un méde-

cin praticien accompli doit non seulement être un homme très instruit dans sa science, mais il doit encore être un homme honnête, doué de beaucoup d'esprit, de tact et de bon sens. L'influence du médecin praticien trouve à s'exercer dans tous les rangs de la société. Le médecin est, dans une foule de cas, le dépositaire des intérêts de l'Etat, dans les grandes opérations d'administration publique; il est en même temps le confident des familles et tient souvent entre ses mains leur honneur et leurs intérêts les plus chers. Les praticiens habiles peuvent donc acquérir une grande et légitime puissance parmi les hommes, parce que, en dehors de la science, ils ont une action morale dans la société. Aussi, à l'exemple d'Hippocrate, tous ceux qui ont eu à cœur la dignité de la médecine, ont toujours beaucoup insisté sur les qualités morales du médecin.

Je n'ai pas l'intention de parler ici de l'influence sociale et morale des médecins ni de pénétrer dans ce qu'on pourrait appeler les mystères de la médecine pratique, je traite simplement le côté scientifique et je le sépare afin de mieux juger de son influence. Il est bien certain que je ne veux pas examiner ici la question de savoir si un médecin instruit traitera mieux ou plus mal son malade qu'un médecin ignorant. Si je posais la question ainsi, elle serait absurde; je suppose naturellement deux médecins également instruits dans les moyens de traitement employés en thérapeutique, et je veux seulement examiner si, comme on l'a dit, le médecin *savant*, c'est-à-dire celui qui sera doué de l'esprit expérimental, traitera moins bien son malade que le médecin *empirique* qui se contentera de la constatation des faits en se fondant uniquement sur la tradition médicale, ou que le médecin *systématique*, qui se conduira d'après les principes d'une doctrine quelconque.

Il y a toujours eu dans la médecine deux tendances différentes qui résultent de la nature même des choses. La première tendance de la médecine qui dérive des bons sentiments de l'homme, est de porter secours à son semblable quand il souffre, et de le soulager par des remèdes ou par un moyen moral ou religieux. La médecine a donc dû, dès son origine, se mêler à la religion, en même temps qu'elle s'est trouvée en possession d'une foule d'agents plus ou moins énergiques; ces remèdes trouvés par hasard ou par nécessité se sont transmis ensuite par tradition simple ou avec des pratiques reli-

gieuses. Mais après ce premier élan de la médecine qui
partait du cœur pour ainsi dire, la réflexion a dû venir,
et en voyant des malades qui guérissaient seuls, sans
médicaments, on fut porté à se demander, non seulement
si les remèdes qu'on donnait étaient utiles, mais s'ils
n'étaient pas nuisibles. Cette première réflexion ou ce
premier raisonnement médical, résultat de l'étude des
malades, fit reconnaître dans l'organisme vivant une
force médicatrice spontanée, et l'observation apprit qu'il
fallait la respecter et chercher seulement à la diriger et
à l'aider dans ses tendances heureuses. Ce doute porté
sur l'action curative des moyens empiriques, et cet appel
aux lois de l'organisme vivant pour opérer la guérison des
maladies, furent le premier pas de la médecine scientifique, accompli par Hippocrate. Mais cette médecine, fondée sur l'observation, comme science, et sur l'expectation,
comme traitement, laissa encore subsister d'autres doutes.
Tout en reconnaissant qu'il pouvait être funeste pour le
malade de troubler par des médications empiriques les
tendances de la nature quand elles sont heureuses, on
dut se demander si d'un autre côté il ne pouvait pas être
possible et utile pour le malade de les troubler et de les
modifier quand elles sont mauvaises. Il ne s'agissait donc
plus d'être simplement un médecin qui dirige et aide la
nature dans ses tendances heureuses : *Quo vergit natura,
eo ducendum*, mais d'être aussi un médecin qui combat
et domine la nature dans ses tendances mauvaises : *medicus
naturae superator*. Les *remèdes héroïques*, les *panacées universelles*, les *spécifiques* de Paracelse et autres ne sont que
l'expression empirique de cette réaction contre la médecine
hippocratique, c'est-à-dire contre l'expectation.

La médecine expérimentale, par sa nature même de
science expérimentale, n'a pas de système et ne repousse
rien en fait de traitement ou de guérison de maladies ;
elle croit et admet tout, pourvu que cela soit fondé sur
l'observation et prouvé par l'expérience. Il importe de
rappeler ici, quoique nous l'ayons déjà bien souvent
répété, que ce que nous appelons médecine expérimentale
n'est point une théorie médicale nouvelle. C'est la médecine de tout le monde et de tous les temps, dans ce qu'elle
a de solidement acquis et de bien observé. La médecine
scientifique expérimentale va aussi loin que possible dans
l'étude des phénomènes de la vie ; elle ne saurait se borner
à l'observation des maladies, ni se contenter de l'expectation, ni s'arrêter à l'administration empirique des

remèdes; mais il lui faut de plus étudier expérimentalement le mécanisme des maladies et l'action des remèdes
pour s'en rendre compte scientifiquement. Il faut surtout
introduire dans la médecine l'esprit analytique de la
méthode expérimentale des sciences modernes; mais cela
n'empêche pas que le médecin expérimentateur ne doive
être avant tout un bon observateur, il doit être profondément instruit dans la clinique, connaître exactement les
maladies avec toutes leurs formes normales, anormales
ou insidieuses, être familiarisé avec tous les moyens
d'investigations pathologiques et avoir, comme l'on dit,
un diagnostic sûr et un bon pronostic; il devra en outre
être ce qu'on appelle un thérapeutiste consommé et
savoir tout ce que les essais empiriques ou systématiques
ont appris sur l'action des remèdes dans les diverses
maladies. En un mot, le médecin expérimentateur possédera toutes les connaissances que nous venons d'énumérer comme doit le faire tout médecin instruit, mais il
différera du médecin systématique en ce qu'il ne se
conduira d'après aucun système; il se distinguera des
médecins hippocratistes et des médecins empiriques en
ce qu'au lieu d'avoir pour but l'*observation* des maladies
et la constatation de l'action des remèdes, il voudra aller
plus loin et pénétrer, à l'aide de l'*expérimentation*, dans
l'explication des mécanismes vitaux. En effet, le médecin
hippocratiste se trouve satisfait quand, par l'observation
exacte, il est arrivé à bien caractériser une maladie dans
son évolution, à connaître et à prévoir à des signes précis
ses diverses terminaisons favorables ou funestes, de
manière à pouvoir intervenir s'il y a lieu pour aider la
nature, la diriger vers une terminaison heureuse; il
croira que c'est là l'objet que doit se proposer la science
médicale. Un médecin empirique se trouve satisfait
quand, à l'aide de l'empirisme, il est parvenu à savoir
qu'un remède donné guérit une maladie donnée, à
connaître exactement les doses suivant lesquelles il faut
l'administrer et les cas dans lesquels il faut l'employer;
il pourra croire aussi avoir atteint les limites de la science
médicale. Mais le médecin expérimentateur, tout en
étant le premier à admettre et à comprendre l'importance
scientifique et pratique des notions précédentes sans lesquelles la médecine ne saurait exister, ne croira pas
que la médecine, comme science, doive s'arrêter à
l'observation et à la connaissance empirique des
phénomènes, ni se satisfaire de systèmes plus ou moins

vagues. De sorte que le médecin hippocratique, l'empirique et le médecin expérimentateur ne se distingueront aucunement par la nature de leurs connaissances; ils se distingueront seulement par le point de vue de leur esprit, qui les portera à pousser plus ou moins loin le problème médical. La puissance médicatrice de la nature invoquée par l'hippocratiste et la force thérapeutique ou autre imaginée par l'empirique paraîtront de simples hypothèses aux yeux du médecin expérimentateur. Pour lui, il faut pénétrer à l'aide de l'expérimentation dans les phénomènes intimes de la machine vivante et en déterminer le mécanisme à l'état normal et à l'état pathologique. Il faut rechercher les causes prochaines des phénomènes morbides aussi bien que les causes prochaines des phénomènes normaux qui toutes doivent se trouver dans des conditions organiques déterminées et en rapport avec des propriétés de liquides ou de tissus. Il ne suffirait pas de connaître empiriquement les phénomènes de la nature minérale ainsi que leurs effets, mais le physicien et le chimiste veulent remonter à leur condition d'existence, c'est-à-dire à leurs causes prochaines afin de pouvoir régler leur manifestation. De même il ne suffit pas au physiologiste de connaître empiriquement les phénomènes normaux et anormaux de la nature vivante, mais il veut, comme le physicien et le chimiste, remonter aux causes prochaines de ces phénomènes, c'est-à-dire à leur condition d'existence. En un mot, il ne suffira pas au médecin expérimentateur comme au médecin empirique de savoir que le quinquina guérit la fièvre; mais ce qui lui importe surtout, c'est de savoir ce que c'est que la fièvre et de se rendre compte du mécanisme par lequel le quinquina la guérit. Tout cela importe au médecin expérimentateur, parce que, dès qu'il le saura, le fait de guérison de la fièvre par le quinquina ne sera plus un fait empirique et isolé, mais un fait scientifique. Ce fait se rattachera alors à des conditions qui le relieront à d'autres phénomènes et nous serons conduits ainsi à la connaissance des lois de l'organisme et à la possibilité d'en régler les manifestations. Ce qui préoccupe surtout le médecin expérimentateur, c'est donc de chercher à constituer la science médicale sur les mêmes principes que toutes les autres sciences expérimentales. Voyons actuellement comment un homme animé de cet esprit scientifique devra se comporter au lit du malade.

L'hippocratiste, qui croit à la nature médicatrice et peu à l'action curative des remèdes, suit tranquillement le cours de la maladie; il reste à peu près dans l'expectation en se bornant à favoriser par quelques médications simples les tendances heureuses de la nature. L'empirique qui a foi dans l'action des remèdes comme moyens de changer la direction des maladies et de les guérir, se contente de constater empiriquement les actions médicamenteuses sans chercher à en comprendre scientifiquement le mécanisme. Il n'est jamais dans l'embarras; quand un remède a échoué, il en essaye un autre; il a toujours des recettes ou des formules à son service pour tous les cas, parce qu'il puise, comme on dit, dans l'arsenal thérapeutique qui est immense. La médecine empirique est certainement la plus populaire de toutes. On croit dans le peuple que, par suite d'une sorte de compensation, la nature a mis le remède à côté du mal, et que la médecine consiste dans l'assemblage de recettes pour tous les maux qui nous ont été transmises d'âge en âge et depuis l'origine de l'art de guérir. Le médecin expérimentateur est à la fois hippocratiste et empirique en ce qu'il croit à la puissance de la nature et à l'action des remèdes; seulement il veut comprendre ce qu'il fait; il ne lui suffit pas d'observer ou d'agir empiriquement, mais il veut expérimenter scientifiquement et comprendre le mécanisme physiologique de la production de la maladie et le mécanisme de l'action curative du médicament. Il est vrai qu'avec cette tendance d'esprit, s'il était exclusif, le médecin expérimentateur se trouverait autant embarrassé que le médecin empirique l'était peu. En effet, dans l'état actuel de la science, on comprend si peu de chose dans l'action des médicaments, que, pour être logique, le médecin expérimentateur se trouverait réduit à ne rien faire et à rester le plus souvent dans l'expectation que lui commanderaient ses doutes et ses incertitudes. C'est dans ce sens qu'on a pu dire que le médecin savant était toujours le plus embarrassé au lit du malade. Cela est très vrai, il est réellement embarrassé, parce que d'une part sa conviction est que l'on peut agir à l'aide de moyens médicamenteux puissants, mais d'un côté son ignorance du mécanisme de ces actions le retient, car l'esprit scientifique expérimental répugne absolument à produire des effets et à étudier des phénomènes sans chercher à les comprendre.

Il y aurait évidemment excès de ces deux dispositions

radicales de l'esprit chez l'empirique et chez l'expérimentateur; dans la pratique il doit y avoir fusion de ces deux points de vue, et leur contradiction apparente doit disparaître. Ce que je dis ici n'est point une sorte de transaction ou d'accommodement pour faciliter la pratique médicale. Je soutiens une opinion purement scientifique parce qu'il me sera facile de prouver que c'est l'union raisonnée de l'empirisme et de l'expérimentation qui constitue la vraie méthode expérimentale. En effet, nous avons vu qu'avant de prévoir les faits d'après les lois qui les régissent, il faut les avoir observés empiriquement ou par hasard; de même qu'avant d'expérimenter en vertu d'une théorie scientifique, il faut avoir expérimenté empiriquement ou *pour voir*. Or, l'empirisme, sous ce rapport, n'est pas autre chose que le premier degré de la méthode expérimentale; car, ainsi que nous l'avons dit, l'empirisme ne peut pas être un état définitif; l'expérience vague et inconsciente qui en résulte et qu'on peut appeler le tact médical, est transformée ensuite en notion scientifique par la méthode expérimentale qui est consciente et raisonnée. Le médecin expérimentateur sera donc d'abord empirique, mais, au lieu d'en rester là, il cherchera à traverser l'empirisme pour en sortir et arriver au second degré de la méthode expérimentale, c'est-à-dire à l'expérience précise et consciente que donne la connaissance expérimentale de la loi des phénomènes. En un mot, il faut subir l'empirisme, mais vouloir l'ériger en système est une tendance antiscientifique. Quant aux médecins systématiques ou doctrinaires, ce sont des empiriques qui, au lieu de recourir à l'expérimentation, relient de pures hypothèses ou bien les faits que l'empirisme leur a appris à l'aide d'un système idéal dont ils déduisent ensuite leur ligne de conduite médicale.

Par conséquent, je pense qu'un médecin expérimentateur qui, au lit d'un malade, ne voudrait employer que les médicaments dont il comprend physiologiquement l'action, serait dans une exagération qui lui ferait fausser le vrai sens de la méthode expérimentale. Avant de comprendre les faits, l'expérimentateur doit d'abord les constater et les débarrasser de toutes les causes d'erreurs dont ils pourraient être entachés. L'esprit de l'expérimentateur doit donc, d'abord, s'appliquer à recueillir les observations médicales ou thérapeutiques faites empiriquement. Mais il fait plus encore, il ne se borne pas à soumettre au critérium expérimental tous les faits empiriques que la médecine lui offrira; il ira au-devant. Au lieu d'attendre que le hasard ou des accidents lui enseignent l'action des médicaments, il expérimentera empiriquement sur les animaux, afin d'avoir des indications qui le dirigent dans les essais qu'il fera ultérieurement sur l'homme.

D'après ce qui précède, je considère donc que le véritable médecin expérimentateur ne doit pas être plus embarrassé au lit d'un malade qu'un médecin empirique. Il fera usage de tous les moyens thérapeutiques que l'empirisme conseille; seulement, au lieu de les employer, d'après une autorité quelconque, et avec une confiance qui tient de la superstition, il les administrera avec le doute philosophique qui convient au véritable expérimentateur; il en contrôlera les effets par des expériences sur les animaux et par des observations comparatives sur l'homme, de manière à déterminer rigoureusement la part d'influence de la nature et du médicament dans la guérison de la maladie. Dans le cas où il serait prouvé à l'expérimentateur que le remède ne guérit pas, et à plus forte raison s'il lui était démontré qu'il est nuisible, il devrait s'abstenir et rester, comme l'hippocratiste, dans l'expectation. Il y a des médecins praticiens qui, convaincus jusqu'au fanatisme de l'excellence de leurs médications, ne comprendraient pas la critique expérimentale thérapeutique dont je viens de parler. Ils disent qu'on ne peut donner aux malades que des médicaments dans lesquels on a foi, et ils pensent qu'administrer à son semblable un remède dont on doute, c'est manquer à la moralité médicale. Je n'admets pas ce raisonnement qui conduirait à chercher à se tromper soi-même afin de tromper les autres sans scrupule. Je pense, quant à moi, qu'il vaut mieux chercher à s'éclairer afin de ne tromper personne.

Le médecin expérimentateur ne devra donc pas être, comme certaines personnes semblent le croire, un simple physiologiste qui attendra les bras croisés que la médecine expérimentale soit constituée scientifiquement avant d'agir auprès de ses malades. Loin de là, il doit employer tous les remèdes connus empiriquement, non seulement à l'égal de l'empirique, mais aller même au-delà et essayer le plus possible de médicaments nouveaux d'après les règles que nous avons indiquées plus haut. Le médecin expérimentateur sera donc, comme l'empirique, capable de porter secours aux malades avec tous les moyens que possède la médecine pratique; mais de plus, à l'aide de l'esprit scientifique qui le dirige, il contribuera à fonder la médecine expérimentale, ce qui doit être le plus ardent désir de tous les médecins qui pour la dignité de la médecine voudraient la voir sortir de l'état où elle est. Il faut, comme nous l'avons dit, subir l'empirisme comme un état transitoire et imparfait de la médecine, mais non l'ériger en système. Il ne faudrait donc pas se borner, comme on a pu le dire, à faire des *guérisseurs* empiriques dans les facultés de médecine; ce serait dégrader la médecine et la rabaisser au niveau d'une industrie. Il faut inspirer avant tout aux jeunes gens l'esprit scientifique et les initier aux notions et aux tendances des sciences modernes. D'ailleurs faire autrement serait en désaccord avec le grand nombre de connaissances que l'on exige d'un docteur, uniquement afin qu'il puisse cultiver les sciences médicales, car on exige beaucoup moins de connaissances d'un officier de santé qui doit simplement s'occuper de la pratique empirique.

Mais on pourra objecter que la médecine expérimentale dont je parle beaucoup, est une conception théorique dont rien pour le moment ne justifie la réalité pratique, parce qu'aucun fait ne démontre qu'on puisse atteindre en médecine la précision scientifique des sciences expérimentales. Je désire autant que possible ne laisser aucun doute dans l'esprit du lecteur ni aucune ambiguïté dans ma pensée; c'est pourquoi je vais revenir en quelques mots sur ce sujet, en montrant que la médecine expérimentale n'est que l'épanouissement naturel de l'investigation médicale *pratique* dirigée par un esprit scientifique.

J'ai dit plus haut que la commisération et l'empirisme aveugle ont été les premiers moteurs de la médecine; ensuite la réflexion est venue amenant le doute, puis la vérification scientifique. Cette évolution médicale peut se vérifier encore chaque jour autour de nous; car chaque homme s'instruit dans les connaissances qu'il acquiert, comme l'humanité dans son ensemble.

L'expectation avec l'aide qu'elle peut donner aux tendances de la nature ne saurait constituer qu'une méthode incomplète de traitement. Il faut souvent aussi agir contrairement aux tendances de la nature; si par exemple une artère est ouverte, il est clair qu'il ne faudra pas favoriser la nature qui fait sortir le sang et amène la mort; il faudra agir en sens contraire, arrêter l'hémorragie et la vie sera sauvée. De même, quand un malade aura un accès de fièvre pernicieuse, il faut agir contrairement à la nature et arrêter la fièvre si l'on veut guérir son malade. L'empirique peut donc sauver un malade que l'expectation aurait laissé mourir, de même que l'expectation aura pu permettre la guérison d'un malade que l'empirique aurait tué. De sorte que l'empirisme est aussi une méthode insuffisante de traitement en ce qu'elle est incertaine et souvent dangereuse. Or la médecine expérimentale n'est que la réunion de l'expectation et de l'empirisme éclairés par le raisonnement et par l'expérimentation. Mais la médecine expérimentale ne peut arriver que la dernière et c'est alors seulement que la médecine est devenue scientifique. Nous allons voir, en effet, que toutes les connaissances médicales se recommandent et sont nécessairement subordonnées les unes aux autres dans leur évolution.

Quand un médecin est appelé auprès d'un malade, il doit faire successivement le *diagnostic*, le *pronostic* et le *traitement* de la maladie. Le diagnostic n'a pu s'établir que par l'observation; le médecin qui reconnaît une maladie ne fait que la rattacher à l'une des formes de maladies déjà observées, connues et décrites. La marche et le pronostic de la maladie sont également donnés par l'observation; le médecin doit savoir l'évolution de la maladie, sa durée, sa gravité afin d'en prédire le cours et l'issue. Ici la statistique intervient pour guider le médecin, parce qu'elle apprend la proportion de cas mortels; et si de plus l'observation a montré que les cas heureux ou malheureux sont reconnaissables à certains signes, alors le pronostic devient plus certain. Enfin arrive le traitement; si le médecin est hippocratiste, il se bornera à l'expectation; si le médecin est empirique, il donnera des remèdes, en se fondant encore sur l'observation qui aura appris, par des expérimentations ou autrement, que tel remède a réussi dans cette maladie un certain nombre de fois; si le médecin est systématique il pourra accompagner son traitement d'explications vitalistes ou autres et cela ne changera rien au résultat. C'est la statistique seule qui sera encore ici invoquée pour établir la valeur du traitement.

Tel est, en effet, l'état de la médecine empirique qui est une médecine *conjecturale*, parce qu'elle est fondée sur la statistique qui réunit et compare des cas analogues ou plus ou moins semblables dans leurs caractères extérieurs, mais indéterminés dans leurs causes prochaines.

Cette médecine *conjecturale* doit nécessairement précéder la médecine *certaine*, que j'appelle la médecine expérimentale parce qu'elle est fondée sur le *déterminisme* expérimental de la cause de la maladie. En attendant, il faut bien se résigner à faire de la médecine conjecturale ou empirique, mais je le répète encore, quoique je l'aie déjà dit bien souvent, il faut savoir que la médecine ne doit pas en rester là et qu'elle est destinée à devenir expérimentale et scientifique. Sans doute nous sommes loin de cette époque où l'ensemble de la médecine sera devenu scientifique, mais cela ne nous empêche pas d'en concevoir la possibilité et de faire tous nos efforts pour y tendre en cherchant dès aujourd'hui à introduire dans la médecine la méthode qui doit nous y conduire.

La médecine deviendra nécessairement expérimentale d'abord dans les maladies les plus facilement accessibles à l'expérimentation. Je choisirai parmi celles-ci un exemple qui me servira à faire comprendre comment je conçois que la médecine empirique puisse devenir scientifique. La gale est une maladie dont le déterminisme est aujourd'hui à peu près scientifiquement établi; mais il n'en a pas toujours été ainsi. Autrefois, on ne connaissait la gale et son traitement que d'une manière empirique. On pouvait alors faire des suppositions sur les rétrocessions ou les dépôts de gale et établir des statistiques sur la valeur de telle ou telle pommade pour obtenir la guérison de la maladie. Aujourd'hui que la cause de la gale est connue et déterminée expérimentalement, tout est devenu scientifique, et l'empirisme a disparu. On connaît l'acare et on explique par lui la contagion de la gale, les altérations de la peau et la guérison qui n'est que la mort de l'acare par des agents toxiques convenablement appliqués. Aujourd'hui il n'y a plus d'hypothèse à faire sur les métastases de la gale, plus de statistique à établir sur son traitement. On guérit *toujours* et sans exception quand on se place dans les conditions expérimentales connues pour atteindre ce but *.

Voilà donc une maladie qui est arrivée à la période expérimentale et le médecin en est maître tout aussi bien qu'un physicien ou un chimiste sont maîtres d'un

---

* Hardy, *Bulletin de l'Académie de médecine*. Paris, 1863-64, t. XXIX, p. 546.

phénomène de la nature minérale. Le médecin expérimentateur exercera successivement son influence sur les maladies dès qu'il en connaîtra expérimentalement le *déterminisme* exact, c'est-à-dire la cause prochaine. Le médecin empirique, même le plus instruit, n'a jamais la sûreté de l'expérimentateur. Un des cas les plus clairs de la médication empirique est la guérison de la fièvre par la quinine. Cependant cette guérison est loin d'avoir la certitude de la guérison de la gale. Les maladies qui ont leur siège dans le milieu organique extérieur, telles que les maladies épiphytiques et épizoaires seront plus faciles à étudier et à analyser expérimentalement; elles arriveront plus vite à devenir des maladies dont le déterminisme sera obtenu et dont le traitement sera scientifique. Mais, plus tard, et à mesure que la physiologie fera des progrès, on pourra pénétrer dans le milieu intérieur, c'est-à-dire dans le sang, y découvrir les altérations parasitiques ou autres qui seront les causes de maladies et déterminer les actions médicamenteuses physico-chimiques ou spécifiques capables d'agir dans ce milieu intérieur pour modifier les mécanismes pathologiques qui y ont leur siège et qui de là retentissent sur l'organisme tout entier.

Dans ce qui précède se trouve résumée la manière dont je conçois la médecine expérimentale. Elle n'est rien autre chose, ainsi que je l'ai répété bien souvent, que la conséquence de l'évolution toute naturelle de la médecine scientifique. En cela, la médecine ne diffère pas des autres sciences qui toutes ont traversé l'empirisme avant d'arriver à leur période expérimentale définitive. En chimie et en physique on a connu empiriquement l'extraction des métaux, la fabrication des verres grossissants, etc., avant d'en avoir la théorie scientifique.

L'empirisme a donc aussi servi de guide à ces sciences pendant leurs temps nébuleux; mais ce n'est que depuis l'avènement des théories expérimentales que les sciences physiques et chimiques ont pris leur essor si brillant comme sciences appliquées, car il faut se garder de confondre l'empirisme avec la science appliquée. La science appliquée suppose toujours la science pure comme point d'appui. Sans doute la médecine traversera l'empirisme beaucoup plus lentement et beaucoup plus difficilement que les sciences physico-chimiques, parce que les phénomènes organiques dont elle s'occupe sont beaucoup plus complexes mais aussi parce que les exigences de la pratique médicale, que je n'ai pas à examiner ici, contribuent à retenir la médecine dans le domaine des systèmes personnels et s'opposent ainsi à l'avènement de la médecine expérimentale. Je n'ai pas à revenir, ici, sur ce que j'ai si amplement développé ailleurs, à savoir, que la spontanéité des êtres vivants ne s'oppose pas à l'application de la méthode expérimentale, et que la connaissance du déterminisme simple ou complexe des phénomènes vitaux est la seule base de la médecine scientifique.

Le but d'un médecin expérimentateur est de découvrir et de saisir le déterminisme initial d'une série de phénomènes morbides obscurs et complexes ; il dominera ainsi tous les phénomènes secondaires ; c'est ainsi que nous avons vu qu'en se rendant maître de l'acare qui est la cause de la gale, on maîtrise naturellement tous les phénomènes qui en dérivent. En connaissant le déterminisme initial de l'empoisonnement par le curare, on explique parfaitement tous les déterminismes secondaires de cet empoisonnement, et pour guérir, c'est toujours finalement au déterminisme initial des phénomènes qu'il faut remonter.

La médecine est donc destinée à sortir peu à peu de l'empirisme, et elle en sortira de même que toutes les autres sciences par la méthode expérimentale. Cette conviction profonde soutient et dirige ma vie scientifique. Je suis sourd à la voix des médecins qui demandent qu'on leur explique expérimentalement la rougeole et la scarlatine et qui croient tirer de là un argument contre l'emploi de la méthode expérimentale en médecine. Ces objections décourageantes et négatives dérivent en général d'esprits systématiques ou paresseux qui préfèrent se reposer sur leurs systèmes ou s'endormir dans les ténèbres au lieu de travailler et de faire effort pour en sortir. Les sciences physico-chimiques ne se sont élucidées que successivement dans leurs diverses branches par la méthode expérimentale, et aujourd'hui elles ont encore des parties obscures que l'on étudie à l'aide de la même méthode. Malgré tous les obstacles qu'elle rencontre, la médecine suivra la même marche ; elle la suivra fatalement. En préconisant l'introduction de la méthode expérimentale dans la médecine, je ne fais donc que chercher à diriger les esprits vers un but que la science poursuit instinctivement et à son insu, mais qu'elle atteindra plus rapidement et plus sûrement si elle peut parvenir à l'entrevoir clairement. Le temps fera ensuite le reste. Sans doute nous ne verrons pas de nos jours cet épanouissement de la médecine scientifique; mais c'est là le sort de l'humanité; ceux qui sèment et qui cultivent péniblement le champ de la science ne sont pas ceux qui sont destinés à recueillir la moisson.

En résumé, la médecine expérimentale telle que nous la concevons, comprend le problème médical dans son ensemble et elle renferme la médecine théorique et la médecine pratique. Mais en disant que chacun doit être médecin expérimentateur, je n'ai pas voulu établir que chaque médecin devait cultiver toute l'étendue de la médecine expérimentale. Il y aura toujours nécessairement des médecins qui se livreront plus spécialement aux expériences physiologiques, d'autres aux investigations anatomiques normales ou pathologiques, d'autres à la pratique chirurgicale ou médicale, etc. Ce fractionnement n'est pas mauvais pour l'avancement de la science; au contraire. Les spécialités pratiques sont une excellente chose pour la science proprement dite, mais à la condition que ceux qui se livrent à l'investigation d'une partie spéciale de la médecine, aient été instruits de manière à posséder la médecine expérimentale dans son ensemble et à savoir la place que doit occuper dans cet ensemble la science spéciale qu'ils cultivent. De cette manière, tout en se spécialisant, ils dirigeront leurs études de façon à contribuer aux progrès de la médecine scientifique ou expérimentale. Les études pratiques et les études théoriques concourront ainsi au même but; c'est tout ce que l'on peut demander dans une science qui, comme la médecine, est forcée d'être sans cesse agissante avant d'être constituée scientifiquement.

La médecine expérimentale ou la médecine scientifique tend de tous côtés à se constituer en prenant pour base la physiologie. La direction des travaux qui se publient chaque jour, tant en France qu'à l'étranger, en fournit la preuve évidente. C'est pourquoi je développe dans mes travaux et dans mon enseignement au Collège de France toutes les idées qui peuvent aider ou favoriser cette tendance médicale. Je considère que c'est mon devoir, à la fois comme savant et comme professeur de médecine au Collège de France. En effet, le Collège de France n'est point une faculté de médecine dans laquelle on doive traiter classiquement et successivement toutes les parties de la médecine. Le Collège de France, par la nature de son institution, doit toujours être à l'avant-garde des sciences et en représenter le mouvement et les tendances. Par conséquent le cours de médecine dont je suis chargé doit représenter la partie des sciences médicales qui est actuellement en voie d'un plus grand développement et qui entraîne les autres dans son évolution. Je me suis expliqué déjà depuis longtemps sur le caractère que doit avoir le cours de médecine du Collège de France, je n'y reviendrai pas *. Je dirai seulement que, tout en admettant que cette direction expérimentale que prend la médecine sera lente à s'introniser, à cause des difficultés inhérentes à la complexité de la médecine, il faut reconnaître que cette direction est aujourd'hui définitive. En effet, ce n'est point là le fait de l'influence éphémère d'un système personnel quelconque; c'est le résultat de l'évolution scientifique de la médecine elle-même. Ce sont mes convictions à cet égard que je cherche à faire pénétrer dans l'esprit des jeunes médecins qui suivent mes cours au Collège de France. Je tâche de leur montrer qu'ils sont tous appelés à concourir pour leur part à l'accroissement et au développement de la médecine scientifique ou expérimentale. Je les invite à cause de cela à se familiariser avec les procédés modernes d'investigation mis en usage dans les sciences anatomiques, physiologiques, pathologiques et thérapeutiques, parce que ces diverses branches de la médecine doivent toujours rester indissolublement unies, dans la théorie et dans la pratique. Je dis à ceux que leur voie portera vers la théorie ou vers la science pure, de ne jamais perdre de vue le problème de la médecine, qui est de conserver la santé et de guérir les maladies. Je dis à ceux que leur carrière dirigera au contraire vers la pratique, de ne jamais oublier que si la théorie est destinée à éclairer la pratique, la pratique à son tour doit tourner au profit de la science. Le médecin bien imbu de ces idées ne cessera jamais de s'intéresser aux progrès de la science, en même temps qu'il remplira ses devoirs de praticien. Il notera avec exactitude et discernement les cas intéressants qui se présenteront à lui en comprenant tout le profit que la science peut en tirer. La médecine scientifique expérimentale deviendra ainsi l'œuvre de tous, et chacun, ne

---

* Claude Bernard, *Leçons de physiologie expérimentale appliquée à la médecine, faites au Collège de France*. Première leçon, Paris, 1857. — *Cours de médecine du Collège de France*. Première leçon, Paris, 1855.

fût-il qu'un simple médecin de campagne, y apportera son concours utile.

Maintenant, pour nous reporter au titre de ce long paragraphe, je conclurai que la médecine empirique et la médecine expérimentale, loin d'être incompatibles, doivent au contraire être réunies intimement, car toutes deux sont indispensables pour l'édification de la médecine expérimentale. Je pense que cette conclusion a été bien établie par tout ce qui précède.

IV. — LA MÉDECINE EXPÉRIMENTALE NE RÉPOND A AUCUNE DOCTRINE MÉDICALE NI A AUCUN SYSTÈME PHILOSOPHIQUE

Nous avons dit * que la médecine expérimentale n'est pas un système nouveau de médecine, mais, au contraire, la négation de tous les systèmes. En effet, l'avènement de la médecine expérimentale aura pour résultat de faire disparaître de la science toutes les vues individuelles pour les remplacer par des théories impersonnelles et générales qui ne seront, comme dans les autres sciences, qu'une coordination régulière et raisonnée des faits fournis par l'expérience.

Aujourd'hui la médecine scientifique n'est point encore constituée; mais grâce à la méthode expérimentale qui y pénètre de plus en plus, elle tend à devenir une science précise. La médecine est en voie de transition; le temps des doctrines et des systèmes personnels est passé et peu à peu ils seront remplacés par des théories représentant l'état actuel de la science et donnant à ce point de vue le résultat des efforts de tous. Toutefois il ne faut pas croire pour cela que les théories soient jamais des vérités absolues; elles sont toujours perfectibles et par conséquent toujours mobiles. C'est pourquoi j'ai eu soin de dire qu'il ne faut pas confondre, comme on le fait souvent, les théories progressives et perfectibles avec les méthodes ou avec les principes de la science qui sont fixes et inébranlables. Or il faut se le rappeler, le principe scientifique immuable, aussi bien dans la médecine que dans les autres sciences expérimentales, c'est le déterminisme absolu des phénomènes. Nous avons donné le nom de *déterminisme* à la *cause prochaine ou déterminante* des

* *Revue des cours scientifiques*, 31 décembre 1864.

phénomènes. Nous n'agissons jamais sur l'essence des phénomènes de la nature, mais seulement sur leur déterminisme, et par cela seul que nous agissons sur lui, le déterminisme diffère du fatalisme sur lequel on ne saurait agir. Le fatalisme suppose la manifestation nécessaire d'un phénomène indépendamment de ses conditions, tandis que le déterminisme est la condition nécessaire d'un phénomène dont la manifestation n'est pas forcée. Une fois que la recherche du déterminisme des phénomènes est posée comme le principe fondamental de la méthode expérimentale, il n'y a plus ni matérialisme, ni spiritualisme, ni matière brute, ni matière vivante, il n'y a que des phénomènes dont il faut déterminer les conditions, c'est-à-dire les circonstances qui jouent par rapport à ces phénomènes le rôle de cause prochaine. Au-delà il n'y a plus rien de déterminé scientifiquement; il n'y a que des mots, qui sont nécessaires sans doute, mais qui peuvent nous faire illusion et nous tromper si nous ne sommes pas constamment en garde contre les pièges que notre esprit se tend perpétuellement à lui-même.

La médecine expérimentale, comme d'ailleurs toutes les sciences expérimentales, ne devant pas aller au-delà des phénomènes, n'a besoin de se rattacher à aucun mot systématique; elle ne sera ni vitaliste, ni animiste, ni organiciste, ni solidiste, ni humorale, elle sera simplement la science qui cherche à remonter aux causes prochaines des phénomènes de la vie à l'état sain et à l'état morbide. Elle n'a que faire en effet de s'embarrasser de systèmes qui, ni les uns ni les autres, ne sauraient jamais exprimer la vérité.

A ce propos il ne sera pas inutile de rappeler en quelques mots les caractères essentiels de la méthode expérimentale et de montrer comment l'idée qui lui est soumise se distingue des idées systématiques et doctrinales. Dans la méthode expérimentale on ne fait jamais des expériences que pour *voir* ou pour *prouver*, c'est-à-dire pour *contrôler et vérifier*. La méthode expérimentale, en tant que méthode scientifique, repose tout entière sur la *vérification expérimentale d'une hypothèse scientifique*. Cette vérification peut être obtenue tantôt à l'aide d'une nouvelle observation (science d'observation), tantôt à l'aide d'une expérience (science expérimentale). En méthode expérimentale, l'*hypothèse* est une idée scientifique qu'il s'agit de livrer à l'expérience. L'invention scientifique réside dans la création d'une hypothèse heureuse et féconde; elle est donnée par le sentiment ou par le génie même du savant qui l'a créée.

Quand l'hypothèse est soumise à la méthode expérimentale, elle devient une théorie; tandis que, si elle est soumise à la logique seule, elle devient un système. Le *système* est donc une hypothèse à laquelle on a ramené logiquement les faits à l'aide du raisonnement, mais sans une vérification critique expérimentale. La *théorie* est l'hypothèse vérifiée, après qu'elle a été soumise au contrôle du raisonnement et de la critique expérimentale. La meilleure théorie est celle qui a été vérifiée par le plus grand nombre de faits. Mais une théorie, pour rester bonne, doit toujours se modifier avec les progrès de la science et demeurer constamment soumise à la vérification et à la critique des faits nouveaux qui apparaissent. Si on considérait une théorie comme parfaite et si l'on cessait de la vérifier par l'expérience scientifique journalière, elle deviendrait une doctrine. Une *doctrine* est donc une théorie que l'on regarde comme immuable et que l'on prend pour point de départ de déductions ultérieures, que l'on se croit dispensé de soumettre désormais à la vérification expérimentale.

En un mot, les systèmes et les doctrines en médecine sont des idées hypothétiques ou théoriques transformées en principes immuables. Cette manière de procéder appartient essentiellement à la scolastique et elle diffère radicalement de la méthode expérimentale. Il y a en effet contradiction entre ces deux procédés de l'esprit. Le système et la doctrine procèdent par affirmation et par déduction purement logique; la méthode expérimentale procède toujours par le doute et par la vérification expérimentale. Les systèmes et les doctrines sont individuels; ils veulent être immuables et conserver leur personnalité. La méthode expérimentale au contraire est impersonnelle; elle détruit l'individualité en ce qu'elle réunit et sacrifie les idées particulières de chacun et les fait tourner au profit de la vérité générale établie à l'aide du critérium expérimental. Elle a une marche lente et laborieuse, et, sous ce rapport, elle plaira toujours moins à l'esprit. Les systèmes au contraire sont séduisants parce qu'ils donnent la science absolue réglée par la logique seule; ce qui dispense d'étudier et rend la médecine facile. La *médecine expérimentale* est donc par nature une médecine antisystématique et antidoctrinale, ou plutôt elle est libre et indépendante par essence, et ne veut se rattacher à aucune espèce de système médical.

Ce que je viens de dire relativement aux systèmes médicaux, je puis l'appliquer aux systèmes philosophiques. La médecine expérimentale (comme d'ailleurs toutes les sciences expérimentales) ne sent le besoin de se rattacher à aucun système philosophique. Le rôle du physiologiste comme celui de tout savant est de chercher la vérité pour elle-même, sans vouloir la faire servir de contrôle à tel ou tel système de philosophie. Quand le savant poursuit l'investigation scientifique en prenant pour base un système philosophique quelconque, il s'égare dans des régions trop loin de la réalité ou bien le système donne à son esprit une sorte d'assurance trompeuse et une inflexibilité qui s'accorde mal avec la liberté et la souplesse que doit toujours garder l'expérimentateur dans ses recherches. Il faut donc éviter avec soin toute espèce de système, et la raison que j'en trouve, c'est que les systèmes ne sont point dans la nature, mais seulement dans l'esprit des hommes. Le positivisme qui, au nom de la science, repousse les systèmes philosophiques, a comme eux le tort d'être un système. Or, pour trouver la vérité, il suffit que le savant se mette en face de la nature et qu'il l'interroge en suivant la méthode expérimentale et à l'aide de moyens d'investigation de plus en plus parfaits. Je pense que, dans ce cas, le meilleur système philosophique consiste à ne pas en avoir.

Comme expérimentateur, j'évite donc les systèmes philosophiques, mais je ne saurais pour cela repousser cet *esprit philosophique* qui, sans être nulle part, est partout, et qui, sans appartenir à aucun système, doit régner non seulement sur toutes les sciences, mais sur toutes les connaissances humaines. C'est ce qui fait que, tout en fuyant les systèmes philosophiques, j'aime beaucoup les philosophes et je me plais infiniment dans leur commerce. En effet, au point de vue scientifique, la philosophie représente l'aspiration éternelle de la raison humaine vers la connaissance de l'inconnu. Dès lors les philosophes se tiennent toujours dans les questions en controverse et dans les régions élevées, limites supérieures des sciences. Par là ils communiquent à la pensée scientifique un mouvement qui la vivifie et l'ennoblit; ils fortifient l'esprit en le développant par une gymnastique intellectuelle générale en même temps qu'ils le reportent sans cesse vers la solution inépuisable des grands problèmes; ils entretiennent ainsi une sorte de soif de l'inconnu et le feu sacré de la recherche qui ne doivent jamais s'éteindre chez un savant.

En effet, le désir ardent de la connaissance est l'unique mobile qui attire et soutient l'investigateur dans ses efforts; et c'est précisément cette connaissance qu'il saisit réellement et qui fuit cependant toujours devant lui, qui devient à la fois son seul tourment et son seul bonheur. Celui qui ne connaît pas les tourments de l'inconnu doit ignorer les joies de la découverte qui sont certainement les plus vives que l'esprit de l'homme puisse jamais ressentir. Mais par un caprice de notre nature, cette joie de la découverte tant cherchée et tant espérée s'évanouit dès qu'elle est trouvée. Ce n'est qu'un éclair dont la lueur nous a découvert d'autres horizons vers lesquels notre curiosité inassouvie se porte encore avec plus d'ardeur. C'est ce qui fait que dans la science même le connu perd son attrait, tandis que l'inconnu est toujours plein de charmes. C'est pour cela que les esprits qui s'élèvent et deviennent vraiment grands, sont ceux qui ne sont jamais satisfaits d'eux-mêmes dans leurs œuvres accomplies, mais qui tendent toujours à mieux dans des œuvres nouvelles. Le sentiment dont je parle en ce moment est bien connu des savants et des philosophes. C'est ce sentiment qui a fait dire à Priestley * qu'une découverte que nous faisons nous en montre beaucoup d'autres à faire; c'est ce sentiment qu'exprime Pascal **, sous une forme paradoxale peut-être quand il dit : « Nous ne cherchons jamais les choses, mais la recherche des choses. » Pourtant c'est bien la vérité elle-même qui nous intéresse, et si nous la cherchons toujours, c'est parce que ce que nous en avons trouvé jusqu'à présent ne peut nous satisfaire. Sans cela nous ferions dans nos recherches ce travail inutile et sans fin que nous représente la fable de Sisyphe qui roule toujours son rocher qui retombe sans cesse au point de départ. Cette comparaison n'est point exacte scientifiquement; le savant monte toujours en cherchant la vérité, et s'il ne la trouve jamais tout entière, il en découvre néanmoins des fragments très importants, et ce sont précisément ces fragments de la vérité générale qui constituent la science.

* Priestley, *Recherches sur les différentes espèces d'airs. Introduction*, p. 15.
** Pascal, *Pensées morales détachées*, art. IX-XXXIV.

Le savant ne cherche donc pas pour le plaisir de chercher, il cherche la vérité pour la posséder, et il la possède déjà dans des limites qu'expriment les sciences elles-mêmes dans leur état actuel. Mais le savant ne doit pas s'arrêter en chemin; il doit toujours s'élever plus haut et tendre à la perfection; il doit toujours chercher tant qu'il voit quelque chose à trouver. Sans cette excitation constante donnée par l'aiguillon de l'inconnu, sans cette soif scientifique sans cesse renaissante, il serait à craindre que le savant ne se systématisât dans ce qu'il a d'acquis ou de connu. Alors la science ne ferait plus de progrès et s'arrêterait par indifférence intellectuelle, comme quand les corps minéraux saturés tombent en indifférence chimique et se cristallisent. Il faut donc empêcher que l'esprit, trop absorbé par le connu d'une science spéciale, ne tende au repos ou ne se traîne terre à terre, en perdant de vue les questions qui lui restent à résoudre. La philosophie, en agitant sans cesse la masse inépuisable des questions non résolues, stimule et entretient ce mouvement salutaire dans les sciences. Car, dans le sens restreint où je considère ici la philosophie, l'indéterminé seul lui appartient, le déterminé retombant nécessairement dans le domaine scientifique. Je n'admets donc pas la philosophie qui voudrait assigner des bornes à la science, pas plus que la science qui prétendrait supprimer les vérités philosophiques qui sont actuellement hors de son propre domaine. La vraie science ne supprime rien, mais elle cherche toujours et regarde en face et sans se troubler les choses qu'elle ne comprend pas encore. Nier ces choses ne serait pas les supprimer; ce serait fermer les yeux et croire que la lumière n'existe pas. Ce serait l'illusion de l'autruche qui croit supprimer le danger en se cachant la tête dans le sable. Selon moi, le véritable esprit philosophique est celui dont les aspirations élevées fécondent les sciences en les entraînant à la recherche de vérités qui sont actuellement en dehors d'elles, mais qui ne doivent pas être supprimées par cela qu'elles s'éloignent et s'élèvent de plus en plus à mesure qu'elles sont abordées par des esprits philosophiques plus puissants et plus délicats. Maintenant, cette aspiration de l'esprit humain aura-t-elle une fin, trouvera-t-elle une limite? Je ne saurais le comprendre; mais en attendant, ainsi que je l'ai dit plus haut, le savant n'a rien de mieux à faire que de marcher sans cesse, parce qu'il avance toujours.

Un des plus grands obstacles qui se rencontrent dans cette marche générale et libre des connaissances humaines, est donc la tendance qui porte les diverses connaissances à s'individualiser dans des systèmes. Cela n'est point une conséquence des choses elles-mêmes, parce que dans la nature tout se tient et rien ne saurait être vu isolément et systématiquement, mais c'est un résultat de la tendance de notre esprit, à la fois faible et dominateur, qui nous porte à absorber les autres connaissances dans une systématisation personnelle. Une science qui s'arrêterait dans un système resterait stationnaire et s'isolerait, car la systématisation est un véritable enkystement scientifique, et toute partie enkystée dans un organisme cesse de participer à la vie générale de cet organisme. Les systèmes tendent donc à asservir l'esprit humain, et la seule utilité que l'on puisse, suivant moi, leur trouver, c'est de susciter des combats qui les détruisent en agitant et en excitant la vitalité de la science. En effet, il faut chercher à briser les entraves des systèmes philosophiques et scientifiques, comme on briserait les chaînes d'un esclavage intellectuel. La vérité, si on peut la trouver, est de tous les systèmes, et, pour la découvrir, l'expérimentateur a besoin de se mouvoir librement de tous les côtés sans se sentir arrêté par les barrières d'un système quelconque. La philosophie et la science ne doivent donc point être systématiques : elles doivent être unies sans vouloir se dominer l'une l'autre. Leur séparation ne pourrait être que nuisible aux progrès des connaissances humaines. La philosophie, tendant sans cesse à s'élever, fait remonter la science vers la cause ou vers la source des choses. Elle lui montre qu'en dehors d'elle il y a des questions qui tourmentent l'humanité, et qu'elle n'a pas encore résolues. Cette union solide de la science et de la philosophie est utile aux deux, elle élève l'une et contient l'autre. Mais si le lien qui unit la philosophie à la science vient à se briser, la philosophie, privée de l'appui ou du contrepoids de la science, monte à perte de vue et s'égare dans les nuages, tandis que la science, restée sans direction et sans aspiration élevée, tombe, s'arrête ou vogue à l'aventure.

Mais si, au lieu de se contenter de cette union fraternelle, la philosophie voulait entrer dans le ménage de la science et la régenter dogmatiquement dans ses productions et dans ses méthodes de manifestation, alors l'accord ne pourrait plus exister. En effet, ce serait une

illusion que de prétendre absorber les découvertes particulières d'une science au profit d'un système philosophique
quelconque. Pour faire des observations, des expériences
ou des découvertes scientifiques, les méthodes et procédés *philosophiques* sont trop vagues et restent impuis-
sants ; il n'y a pour cela que des méthodes et des procédés
scientifiques souvent très spéciaux qui ne peuvent être
connus que des expérimentateurs, des savants ou des
philosophes qui pratiquent une science déterminée. Les
connaissances humaines sont tellement enchevêtrées et
solidaires les unes des autres dans leur évolution, qu'il
est impossible de croire qu'une influence individuelle
puisse suffire à les faire avancer quand les éléments du
progrès ne sont pas dans le sol scientifique lui-même.
C'est pourquoi, tout en reconnaissant la supériorité des
grands hommes, je pense néanmoins que dans l'influence
particulière ou générale qu'ils ont sur les sciences, ils
sont toujours et nécessairement plus ou moins *fonction
de leur temps*. Il en est de même des philosophes, ils ne
peuvent que suivre la marche de l'esprit humain, et ils
ne contribuent à son avancement qu'en ouvrant plus
largement pour tous la voie du progrès que beaucoup
n'apercevraient peut-être pas. Mais ils sont en cela l'expression de leur temps. Il ne faudrait donc pas qu'un
philosophe, arrivant dans un moment où les sciences
prennent une direction féconde, vînt faire un système
en harmonie avec cette marche de la science et s'écrier
ensuite que tous les progrès scientifiques du temps sont
dus à l'influence de son système. En un mot, si les savants
sont utiles aux philosophes et les philosophes aux savants,
le savant n'en reste pas moins libre et maître chez lui,
et je pense, quant à moi, que les savants font leurs découvertes, leurs théories et leur science sans les philosophes.
Si l'on rencontrait des incrédules à cet égard, il serait
peut-être facile de leur prouver, comme dit J. de Maistre,
que ceux qui ont fait le plus de découvertes dans la
science sont ceux qui ont le moins connu Bacon *, tandis
que ceux qui l'ont lu et médité, ainsi que Bacon lui-
même, n'y ont guère réussi. C'est qu'en effet ces procédés et ces méthodes scientifiques ne s'apprennent que
dans les laboratoires, quand l'expérimentateur est aux
prises avec les problèmes de la nature ; c'est là qu'il faut
diriger d'abord les jeunes gens ; l'érudition et la critique

---

* J. de Maistre, *Examen de la philosophie de Bacon*, t. I, p. 81.

scientifique sont le partage de l'âge mur; elles ne peuvent porter des fruits que lorsqu'on a commencé à s'initier à la science dans son sanctuaire réel, c'est-à-dire dans le laboratoire. Pour l'expérimentateur, les procédés du raisonnement doivent varier à l'infini, suivant les diverses sciences et les cas plus ou moins difficiles et plus ou moins complexes auxquels il les applique. Les savants, et même les savants spéciaux en chaque science, peuvent seuls intervenir dans de pareilles questions, parce que l'esprit du naturaliste n'est pas celui du physiologiste, et que l'esprit du chimiste n'est pas non plus celui du physicien. Quand des philosophes, tels que Bacon ou d'autres plus modernes, ont voulu entrer dans une systématisation générale des préceptes, pour la recherche scientifique, ils ont pu paraître séduisants aux personnes qui ne voient les sciences que de loin; mais de pareils ouvrages ne sont d'aucune utilité aux savants faits, et pour ceux qui veulent se livrer à la culture des sciences, ils les égarent par une fausse simplicité des choses; de plus, ils les gênent en chargeant l'esprit d'une foule de préceptes vagues ou inapplicables, qu'il faut se hâter d'oublier si l'on veut entrer dans la science et devenir un véritable expérimentateur.

Je viens de dire que l'éducation du savant et de l'expérimentateur ne se fait que dans le laboratoire spécial de la science qu'il veut cultiver, et que les préceptes utiles sont seulement ceux qui ressortent des détails d'une pratique expérimentale dans une science déterminée. J'ai voulu donner dans cette introduction une idée aussi précise que possible de la science physiologique et de la médecine expérimentale. Cependant je serais bien loin d'avoir la prétention de croire que j'ai donné des règles et des préceptes qui devront être suivis d'une manière rigoureuse et absolue par un expérimentateur. J'ai voulu seulement examiner la nature des problèmes que l'on a à résoudre dans la science expérimentale des êtres vivants, afin que chacun puisse bien comprendre les questions scientifiques qui sont du domaine de la biologie et connaître les moyens que la science possède aujourd'hui pour les attaquer. J'ai cité des exemples d'investigation, mais je me serais bien gardé de donner des explications superflues ou de tracer une règle unique et absolue, parce que je pense que le rôle d'un maître doit se borner à montrer clairement à l'élève le but que la science se propose, et à lui indiquer tous les moyens qu'il peut avoir à sa disposition pour l'atteindre. Mais le maître doit ensuite laisser l'élève libre de se mouvoir à sa manière et suivant sa nature pour parvenir au but qu'il lui a montré, sauf à venir à son secours s'il voit qu'il s'égare. Je crois, en un mot, que la vraie méthode est celle qui contient l'esprit sans l'étouffer, et en le laissant autant que possible en face de lui-même, qui le dirige, tout en respectant son originalité créatrice et sa spontanéité scientifique qui sont les qualités les plus précieuses. Les sciences n'avancent que par les idées nouvelles et par la puissance créatrice ou originale de la pensée. Il faut donc prendre garde, dans l'éducation, que les connaissances qui doivent armer l'intelligence ne l'accablent par leur poids et que les règles qui sont destinées à soutenir les côtés faibles de l'esprit n'en atrophient ou n'en étouffent les côtés puissants et féconds. Je n'ai pas à entrer ici dans d'autres développements; j'ai dû me borner à prémunir les sciences biologiques et la médecine expérimentale contre les exagérations de l'érudition et contre l'envahissement et la domination des systèmes, parce que ces sciences, en s'y soumettant, verraient disparaître leur fécondité et perdraient l'indépendance et la liberté d'esprit qui seront toujours les conditions essentielles de tous les progrès de l'humanité.

TABLE DES MATIÈRES

INTRODUCTION
A L'ÉTUDE DE LA
MÉDECINE EXPÉRIMENTALE

PREMIÈRE PARTIE

DU RAISONNEMENT EXPÉRIMENTAL

DEUXIÈME PARTIE

DE L'EXPÉRIMENTATION CHEZ LES ÊTRES VIVANTS

CHAPITRE PREMIER. — Considérations
    EXPÉRIMENTALES COMMUNES AUX ÊTRES VI-
    VANTS ET AUX CORPS BRUTS   97

TROISIÈME PARTIE

APPLICATIONS DE LA MÉTHODE EXPÉRIMENTALE A L'ÉTUDE
DES PHÉNOMÈNES DE LA VIE

DANS LA MÊME COLLECTION :

GF -B/ TEXTE INTÉGRAL — GF

1640-1965. — IMPRIMERIE-RELIURE MAME
N° d'édition 5408. — 1ᵉʳ trimestre 1966. — PRINTED IN FRANCE.